LISTENING 공감

영어듣기 모의고사 [20회+2회]

새 교과서 반영
중등 듣기 시리즈
공부감각

Level 2

Listening 공감 Level 2

지은이 넥서스영어교육연구소
펴낸이 임상진
펴낸곳 (주)넥서스

출판신고 1992년 4월 3일 제311-2002-2호 ⑨
10880 경기도 파주시 지목로 5
Tel (02)330-5500 Fax (02)330-5555

ISBN 978-89-6790-899-7 54740
     978-89-6790-897-3 (SET)

www.nexusEDU.kr
NEXUS Edu는 넥서스의 초·중·고 학습물 전문 브랜드입니다.

※집필에 도움을 주신 분
 :Carolyn Papworth, Mckathy Green, Rachel Swan

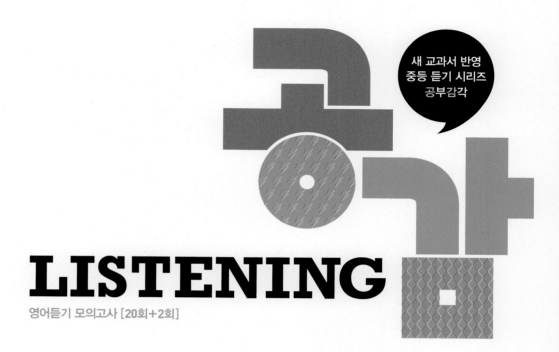

LISTENING

영어듣기 모의고사 [20회+2회]

새 교과서 반영
중등 듣기 시리즈
공부감각

넥서스영어교육연구소 지음

Level 2

NEXUS Edu

Listening
Gong Gam
helps you...

Get high scores
최근 5년간 출제된 전국 시·도 교육청 공동 주관 영어듣기능력평가의 출제 경향을 철저히 분석, 시험에 자주 나오는 문제 유형으로 구성하여 듣기능력평가 성적을 향상시켜 줍니다.

Obtain a wide vocabulary
풍부한 어휘 리스트를 제공, 기본적인 어휘 실력을 향상시켜 줍니다.

Nurture your English skills
최신 개정 교과서를 분석, 반영하여 다양한 상황에서의 대화 및 문제로 듣기 실력의 기초를 튼튼히 다져 줍니다.

Get writing skills
받아쓰기 문제를 통해 기본적인 어휘, 핵심 구문 및 회화에서 많이 쓰이는 간단한 문장을 듣고 쓰는 실력을 향상시켜 줍니다.

Get speaking skills
다양한 상황에서 일어나는 영어 대화를 통해 일상 회화 능력을 기르고, 내신 대비 듣기·말하기 수행평가를 대비하며, 스피킹 능력을 향상시킬 수 있게 해 줍니다.

Acquire good listening sense
풍부한 양의 영어 대화 및 지문을 들음으로써 영어 듣기의 기본 감각을 익히고, 영어식 사고의 흐름을 파악할 수 있게 해 줍니다.

Master the essentials of Listening
엄선된 스크립트와 문제, 많이 쓰이는 기본 어휘 등을 통해 영어 말하기의 기초인 듣기를 정복할 수 있게 해 줍니다.

Features

영어듣기 모의고사
1회~20회

최근 5년간 출제된 기출 문제를 철저히 분석하여 출제 가능성이 높은 문제로 엄선하여 구성하였습니다. 총 20회 400문제를 통해 듣기 실력을 향상시킬 수 있습니다.

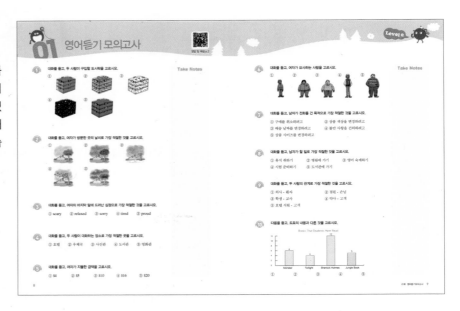

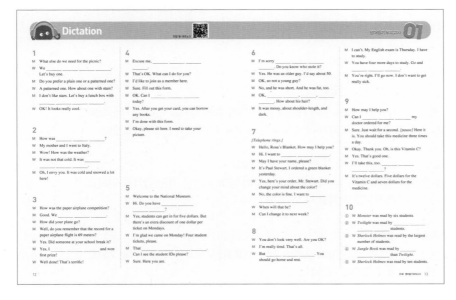

받아쓰기
Dictation

실제 회화에서 쓰이는 대화 및 시험에 자주 출제되는 상황을 원어민의 생생한 목소리를 통해 들으면서 놓치기 쉬운 주요 핵심 단어, 구문, 간단한 문장을 학습할 수 있도록 구성하였습니다.

기출모의고사 1회~2회

최신 기출 문제를 분석하여 중등 시·도 교육청이 주관하는 실전 듣기능력평가시험에 대비할 수 있도록 기출 문제 2회분을 수록하였습니다. 실전모의고사를 통해 쌓은 듣기 실력을 최종 점검할 수 있습니다.

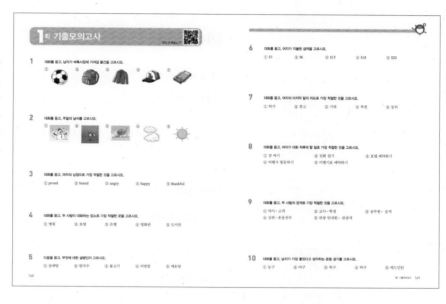

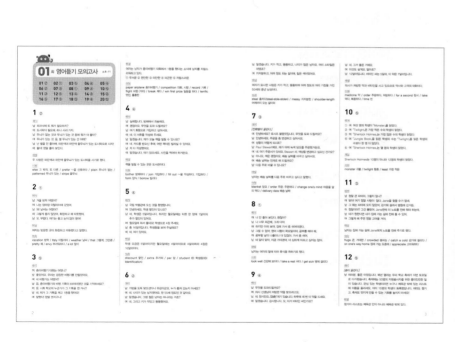

정답 및 해설 Answers

쉽고 간단한 해설 및 해석을 통해 듣기 실력을 확인할 수 있습니다. 각 문제별 어휘 모음을 통해 듣기와 말하기의 기초 실력을 다질 수 있습니다.

Contents

정답 및 해설 p.2

1 대화를 듣고, 두 사람이 구입할 도시락을 고르시오.

Take Notes

①   ②   ③

④   ⑤

2 대화를 듣고, 여자가 방문한 곳의 날씨로 가장 적절한 것을 고르시오.

①   ②   ③

④   ⑤

3 대화를 듣고, 여자의 마지막 말에 드러난 심정으로 가장 적절한 것을 고르시오.

① scary   ② relaxed   ③ sorry   ④ tired   ⑤ proud

4 대화를 듣고, 두 사람이 대화하는 장소로 가장 적절한 곳을 고르시오.

① 호텔   ② 우체국   ③ 사진관   ④ 도서관   ⑤ 영화관

5 대화를 듣고, 여자가 지불한 금액을 고르시오.

① $4   ② $5   ③ $10   ④ $16   ⑤ $20

6 대화를 듣고, 여자가 묘사하는 사람을 고르시오.

① ② ③ ④ ⑤

7 대화를 듣고, 남자가 전화를 건 목적으로 가장 적절한 것을 고르시오.

① 구매를 취소하려고　　　② 상품 색상을 변경하려고

③ 배송 날짜를 변경하려고　　④ 불만 사항을 건의하려고

⑤ 상품 사이즈를 변경하려고

8 대화를 듣고, 남자가 할 일로 가장 적절한 것을 고르시오.

① 휴식 취하기　　② 병원에 가기　　③ 영어 숙제 하기

④ 시험 준비하기　　⑤ 도서관에 가기

9 대화를 듣고, 두 사람의 관계로 가장 적절한 것을 고르시오.

① 의사 - 환자　　　　② 점원 - 손님

③ 학생 - 교사　　　　④ 약사 - 고객

⑤ 호텔 직원 - 고객

10 다음을 듣고, 도표의 내용과 <u>다른</u> 것을 고르시오.

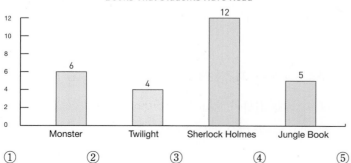

Books That Students Have Read

① ② ③ ④ ⑤

11 대화를 듣고, 남자가 여자를 위해 할 일로 가장 적절한 것을 고르시오.

Take Notes

① 숙제 도와주기　　　　② 친구 찾아 주기
③ 노트 전해 주기　　　　④ 파티에 함께 가기
⑤ 병원에 함께 가기

12 다음을 듣고, 학교 방송의 내용과 일치하지 않는 것을 고르시오.

① 학교 축제 날짜가 다가오고 있다.
② 50명의 자원봉사자가 필요하다.
③ 누구나 봉사 활동에 참여할 수 있다.
④ 현재 35명의 자리가 남아 있다.
⑤ 참가자 리스트는 체육관 안에 게시되어 있다.

13 대화를 듣고, 여자가 할 일로 가장 적절한 것을 고르시오.

① 대본 연습하기　　　　② 포스터 만들기
③ 뮤지컬 보러 가기　　　④ 오디션에 등록하기
⑤ 클럽 활동 참여하기

14 다음을 듣고, 학생들이 가장 많이 빌리는 책의 종류를 고르시오.

① essays　　　② comic books　　　③ science fiction
④ magazines　　　⑤ dictionaries

15 대화를 듣고, 남자의 휴대 전화에 대한 설명으로 일치하지 않는 것을 고르시오.

① 화면이 크다.　　　　② 새 휴대 전화이다.
③ 카메라 기능이 좋다.　④ 최신 모델이 아니다.
⑤ 배터리가 오래 가지 않는다.

16 다음을 듣고, 두 사람의 대화가 <u>어색한</u> 것을 고르시오.

①   ②   ③   ④   ⑤

Take Notes

17 다음을 듣고, 오늘 오전 11시에 열릴 행사로 가장 적절한 것을 고르시오.

① 나무 심기   ② 소풍 가기   ③ 미술 대회

④ 간식 먹기   ⑤ 버스 투어

18~19 대화를 듣고, 여자의 마지막 말에 이어질 남자의 응답으로 가장 적절한 것을 고르시오.

18 Man: _____

① It's too far to travel.

② Yes, I've been there.

③ I'm going with my dad.

④ It's closed for the winter.

⑤ Thanks for the suggestion.

19 Man: _____

① He usually does.

② That's a great idea.

③ It's my first album.

④ I haven't decided yet.

⑤ He has been to China.

20 다음을 듣고, Ben이 Tina에게 할 말로 가장 적절한 것을 고르시오.

Ben: _____

① I want to win the game.

② Do you want to go with me?

③ You really can't do any better than that.

④ Excellent! Playing badminton is good for you.

⑤ Don't be disappointed. You have more chances.

1

M What else do we need for the picnic?

W We _____ _____ _____ _____.
Let's buy one.

M Do you prefer a plain one or a patterned one?

W A patterned one. How about one with stars?

M I don't like stars. Let's buy a lunch box with
_____ _____ _____ _____.

W OK! It looks really cool.

2

M How was _____ _____ _____?

W My mother and I went to Italy.

M Wow! How was the weather?

W It was not that cold. It was _____
_____ _____ _____.

M Oh, I envy you. It was cold and snowed a lot
here!

3

W How was the paper airplane competition?

M Good. We _____ _____ _____.

W How did your plane go?

M Well, do you remember that the record for a
paper airplane flight is 69 meters?

W Yes. Did someone at your school break it?

M Yes, I _____ _____ _____ and won
first prize!

W Well done! That's terrific!

4

M Excuse me, _____ _____ _____
_____.

W That's OK. What can I do for you?

M I'd like to join as a member here.

W Sure. Fill out this form.

M OK. Can I _____ _____ _____
today?

W Yes. After you get your card, you can borrow
any books.

M I'm done with this form.

W Okay, please sit here. I need to take your
picture.

5

M Welcome to the National Museum.

W Hi. Do you have _____ _____
_____ _____?

M Yes, students can get in for five dollars. But
there's an extra discount of one dollar per
ticket on Mondays.

W I'm glad we came on Monday! Four student
tickets, please.

M That _____ _____ _____ _____.
Can I see the student IDs please?

W Sure. Here you are.

6

M I'm sorry _____ _____ _____ _____. Do you know who stole it?

W Yes. He was an older guy. I'd say about 50.

M OK, so not a young guy?

W No, and he was short. And he was fat, too.

M OK, _____ _____, _____, _____ _____. How about his hair?

W It was messy, about shoulder-length, and dark.

7

[Telephone rings.]

W Hello, Rosa's Blanket. How may I help you?

M Hi. I want to _____ _____ _____.

W May I have your name, please?

M It's Paul Stewart. I ordered a green blanket yesterday.

W Yes, here's your order, Mr. Stewart. Did you change your mind about the color?

M No, the color is fine. I want to _____ _____ _____ _____.

W When will that be?

M Can I change it to next week?

8

W You don't look very well. Are you OK?

M I'm really tired. That's all.

W But _____ _____ _____ _____. You should go home and rest.

M I can't. My English exam is Thursday. I have to study.

W You have four more days to study. Go and _____ _____ _____.

M You're right. I'll go now. I don't want to get really sick.

9

M How may I help you?

W Can I _____ _____ _____ my doctor ordered for me?

M Sure. Just wait for a second. *[pause]* Here it is. You should take this medicine three times a day.

W Okay. Thank you. Oh, is this Vitamin C?

M Yes. That's good one.

W I'll take this, too. _____ _____ _____ _____?

M It's twelve dollars. Five dollars for the Vitamin C and seven dollars for the medicine.

10

① W *Monster* was read by six students.

② W *Twilight* was read by _____ _____ _____ _____ students.

③ W *Sherlock Holmes* was read by the largest number of students.

④ W *Jungle Book* was read by _____ _____ _____ than *Twilight*.

⑤ W *Sherlock Holmes* was read by ten students.

11

M This is a huge party, isn't it?

W Yes! This place _____ _____ _____.
I can't find Jane.

M She didn't come to the party. She caught a cold and went to the hospital.

W Really? I didn't know that. I have to

_____ _____ _____ _____.

M I can give it to her on my way home if you want.

W I'd really appreciate that.

12

[Chime rings.]

M Good morning, boys and girls. Our annual school festival _____ _____ _____ this Saturday. We have fun jobs for 50 volunteers at the festival. Anyone who is interested can sign up on the list _____

_____ _____. Fifteen students have signed up already. Don't miss your chance to have fun and make the school festival great!

13

W Did you see the notice board? The drama club is _____ _____ _____ and singers.

M I know. They're doing the musical *Oliver* this year.

W I'd love to get a part.

M Me, too. I was in last year's musical. We did *Chicago*. It was so much fun.

W How can I get a part?

M First, you have to _____ _____

_____ _____.

W I'll do it right now.

14

W Our school library has thousands of books. Science fiction is _____ _____

_____ _____ of book in the library. If you want to borrow these books, you have to wait for them at least two weeks. The next most popular books are comic books. Third is essays, _____ _____ _____.

15

W Is that a new phone?

M No, it's my sister's old one. She gave it to me.

W It looks like a good one.

M It's OK. It's not _____ _____ _____, though.

W Can I see it? It has a nice big screen and a good camera.

M Yeah, it's not bad.

W You _____ _____ _____ _____ it, are you? What's wrong with it?

M The battery doesn't last very long.

16

① M Have you ever tried Mexican food?
　　W Yes, many times.

② M Did you see the news on TV?
　　W No, I read it online.

③ M _____ _____ _____ _____
　　　 _____ to get there?
　　W It takes about an hour.

④ M What do you do in your free time?
　　W I like to draw and paint.

⑤ M What does he _____ _____?
　　W He looked at his father.

17

M Good morning, students and teachers! Today is International Forest Day. At 9:30, students will plant their trees in the school grounds. At 11:00, we will have _____ _____ _____. We will have lunch at 12:30, and we get on the buses for our picnic in the forest at 1:30. The buses will return at 5 pm. Don't _____ _____ _____ your bus. Have a great day!

18

M Summer vacation goes so fast!

W I know. What are your plans before we _____ _____ _____ _____ next week?

M Do you know Paparoa National Park?

W I heard it's really beautiful.

M Well, I'm going hiking there.

W Really? Who are you _____ _____?

M _____

19

M What are you doing?

W I'm _____ _____ good family photos on the computer.

M Oh. What for?

W I'm _____ _____ _____ for Dad's birthday.

M What a great idea! He will love it.

W I think so, too. _____ _____ _____ _____ for Dad?

M _____

20

W Tina and Ben like to play badminton together. Every Friday, they _____ _____ on the school playground. Although they play for fun, this time Tina _____ _____ _____ the game. However, Tina lost the first game. In this situation, what would Ben say to Tina _____ _____ _____?

Ben _____

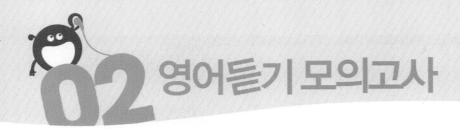

Take Notes

 다음을 듣고, 일요일의 날씨로 가장 적절한 것을 고르시오.

① 　② 　③ 　④ 　⑤

② 대화를 듣고, 여자가 벼룩시장에 가져갈 물건을 고르시오.

① 　② 　③

④ 　⑤

③ 대화를 듣고, 여자의 심정으로 가장 적절한 것을 고르시오.

① happy　② proud　③ sorry　④ angry　⑤ thankful

④ 대화를 듣고, 여자가 주말에 한 일로 가장 적절한 것을 고르시오.

① 하이킹　② 이사　③ 숙제　④ 달리기　⑤ 집 청소

 대화를 듣고, 두 사람이 대화하는 장소로 가장 적절한 곳을 고르시오.

① 은행　② 식당　③ 경찰서　④ 기차역　⑤ 우체국

6 대화를 듣고, 여자의 마지막 말의 의도로 가장 적절한 것을 고르시오.

① 충고   ② 감사   ③ 추천   ④ 동의   ⑤ 허가

Take Notes

7 대화를 듣고, 생일 파티에 참석할 친구의 수를 고르시오.

① 4   ② 5   ③ 6   ④ 7   ⑤ 8

8 대화를 듣고, 여자가 대화 직후에 할 일로 가장 적절한 것을 고르시오.

① 여행 짐 싸기
② 호텔 예약하기
③ 비행기 표 예약하기
④ 친구에게 전화하기
⑤ 인터넷으로 여행사 찾기

9 대화를 듣고, 남자가 오늘 가장 좋았다고 생각한 운동 경기를 고르시오.

① 배구   ② 농구   ③ 탁구   ④ 핸드볼   ⑤ 축구

10 다음을 듣고, 무엇에 관한 안내인지 가장 적절한 것을 고르시오.

① 식사 예절
② 쇼핑 시간
③ 환경 보호
④ 관광 일정
⑤ 여행 안전 수칙

11 대화를 듣고, 남자가 주문한 것이 <u>아닌</u> 것을 고르시오.

Take Notes

① 수프   ② 생선 요리   ③ 감자튀김   ④ 샐러드   ⑤ 콜라

12 대화를 듣고, 여자가 전화를 건 목적으로 가장 적절한 것을 고르시오.

① 책을 반납하려고
② 도서관에 같이 가려고
③ 분실한 책을 찾으려고
④ 친구를 집에 초대하려고
⑤ 책 대출을 부탁하려고

13 대화를 듣고, 두 사람이 요리 재료로 사용하지 <u>않은</u> 것을 고르시오.

① 마요네즈   ② 빵   ③ 칠면조   ④ 피클   ⑤ 양상추

14 대화를 듣고, 두 사람의 관계로 가장 적절한 것을 고르시오.

① 경찰관 - 시민   ② 사장 - 직원
③ 호텔 직원 - 손님   ④ 교사 - 학생
⑤ 우체국 직원 - 고객

15 대화를 듣고, 여자가 겪은 상황과 가장 잘 어울리는 속담을 고르시오.

① 티끌 모아 태산 된다.
② 빈 수레가 더 요란하다.
③ 세 살 버릇 여든까지 간다.
④ 쉽게 얻은 것은 쉽게 잃는다.
⑤ 사공이 많으면 배가 산으로 간다.

16 대화를 듣고, 남자가 학교에 가는 이유로 가장 적절한 것을 고르시오.

① 숙제를 하려고　　　　② 가방을 찾으려고
③ 운동 시합이 있어서　　④ 시험공부를 하려고
⑤ 선생님과 면담을 하려고

17 다음을 듣고, 두 사람의 대화가 <u>어색한</u> 것을 고르시오.

①　　　　②　　　　③　　　　④　　　　⑤

18 대화를 듣고, 여자가 남자에게 부탁한 일로 가장 적절한 것을 고르시오.

① 방 청소하기　　　　② 학교 가기
③ 오븐 불 *끄*기　　　④ 저녁 준비하기
⑤ 손님 접대하기

19-20 대화를 듣고, 남자의 마지막 말에 이어질 여자의 응답으로 가장 적절한 것을 고르시오.

19 Woman: _____

① I'm sorry to hear that.
② Yes, it's near my office.
③ No, I'm meeting a friend.
④ That would be great, thanks.
⑤ I'm sorry, but I'm new here, too.

20 Woman: _____

① Great! You go first.
② Sure. Everyone is welcome.
③ Of course! I liked the contest.
④ That's right. It's difficult for me.
⑤ That's okay. You can do better next time.

1

M Good afternoon. This is the weather report. Today will be _____ _____ _____.
It will rain tonight and continue on through Thursday. The temperature will drop on Friday and _____ _____ _____ _____ _____. Snow will continue to fall until Sunday night.

2

W What can we sell at the _____ _____?

M I don't want to sell my baseball glove, Mom.

W OK. How about your basketball?

M I still play with it. Let's sell my old ski boots.

W They're dirty. Can you _____ _____ _____ _____ first?

M Sure. How about my old comic books?

W I think you should keep them. Your ski boots will be enough.

3

M _____ _____ _____ in here?

W Sean drew in my notebook with a magic marker!

M Fighting and shouting won't fix it. Besides, he's only four.

W But Dad, he _____ _____ _____!

4

M Good morning, Emily. You're at school early today.

W Good morning, Mr. Jefferson. I _____ _____ _____ today.

M Really? But you live 10 kilometers away!

W No, we _____ _____ _____ _____ _____ over the weekend.

M Really? So how far is it now?

W It only takes five minutes to get to school.

5

W Next, please.

M I want to _____ _____ _____ to my mom in New Zealand.

W Did you fill out an express mail address form?

M Yes. I want to send it _____ _____ _____.

W OK. It weighs 420 grams. That'll be $35.

M _____ _____ _____ _____ _____?

W It usually takes 3 to 5 days to reach New Zealand.

6

W What's the matter with you?

M I _____ _____ _____ _____ last night.

W   What for? You should get enough sleep for the class.

M   I had to finish my science homework. It was so hard. I had to spend a lot of time.

W   _____ _____ _____ _____. It was really stressful for me, too.

7

W   Are you ready for your birthday party tonight?

M   Yes. It's going to be so much fun!

W   I'll order chicken and pizza. You _____ _____ _____, right?

M   Yes, I did. But Josh can't come.

W   So that means there'll be six of your friends, right?

M   Yes, Mom. _____ _____ _____ _____.

8

M   What are you doing for summer vacation?

W   Kelly and I are _____ _____ _____ to Japan.

M   Have you booked tickets yet?

W   Yes, on Tokyo Airlines. But we can't find a good hotel to stay in.

M   _____ _____ _____ _____ Susan. She works at hotels.com now.

W   Great idea! She'll find something for us! I'll call right away.

9

W   How was your _____ _____ _____?

M   It was great fun.

W   What kind of games did you play?

M   Volleyball, basketball, table tennis, handball, and soccer.

W   Which sport did you like best?

M   Volleyball is my favorite sport, but _____ _____ _____ _____ today. It was so exciting!

10

W   Good morning! Now, after our buffet breakfast, we _____ _____ _____ for Buckingham Palace, the Tower of London, and Hyde Park. After a picnic lunch in the park, you are _____ _____ _____ _____ on your own. The bus will bring you back here for dinner at 6 pm.

11

W   Are you _____ _____ _____?

M   Yes, I'd like the broccoli soup to start.

W   Certainly, the broccoli soup.

M   And then I'd like the fish of the day.

W   With _____ _____ _____ _____?

M   Just salad, please. And do you have Coke?

W   Yes. I'll _____ _____ _____ and be right back with your drink.

12

[Cell phone rings.]

W Hey, Dave. Are you still at the library?

M I'm just leaving. Why?

W The library sent a text message. _____ _____ _____ _____ is in now.

M The book you need for your art homework?

W Yes. Can you borrow it for me?

M No problem.

W Thank you. I'll _____ _____ _____ _____ tonight, OK?

13

M Can you show me _____ _____ _____ a turkey sandwich?

W It's easy. First, spread mayonnaise on the bread.

M OK, and then put two slices of cheese on it?

W Yes, and then the sliced turkey. _____ _____ _____ _____?

M No, thanks, just lettuce. Is it ready?

W No. Here's pepper and salt. OK, now enjoy!

14

[Telephone rings.]

M Seven Springs. How may I help you?

W This is Ann Smith. I'm calling to _____ _____ _____.

M What's the date, please?

W I made a reservation for next weekend.

M Ms. Smith... I'm sorry, but I can't find your information.

W Please check again. I'm sure I _____ _____ _____ for two people.

M I don't see it. I'll make a reservation for you right now.

15

M Belle, _____ _____ _____. What's wrong?

W Nowadays, I'm thinking of my future.

M So, have you decided what you will be?

W No, I can't decide. My mother wants me to be a doctor. My dad wants me to be a lawyer.

M Wow! You must be _____ _____.

W Yeah. Even my grandma told me to be a nurse like her. I _____ _____ _____ _____ _____.

16

W Where are you going _____ _____ _____ _____?

M I'm going to school.

W But it's Sunday. Did you know that?

M Yeah, but I _____ _____ _____ _____ this morning. All of my classmates are already there.

W Will your teacher come, too?

M Yes. Actually, he proposed that we play soccer today. I'm sorry, but I'd better _____ _____.

17

① M How did you like the movie?

 W It was OK.

② M What did you get _____ _____
 _____ _____?

 W I got a new bike.

③ M When does your vacation start?

 W We went to Brighton Beach.

④ M Have you met my friend Tommy?

 W No, I haven't.

⑤ M Where can I find a convenience store
 around here?

 W Sorry, _____ _____ _____.

18

[Cell phone rings.]

M Hello.

W James, _____ _____ _____
 _____ school yet?

M No, I just got out of the shower.

W Oh, good! I was hoping someone was still at
 home.

M Why?

W I _____ _____ _____ _____ the
 oven. Can you turn it off, please? I won't be
 home for two hours.

M OK, Mom. I'll do it right now.

19

W Excuse me. I'm trying to find City Hall. Do
 you know where it is?

M Sure. But _____ _____ _____
 _____.

W Oh, really? Then should I take the subway?

M Well, the bus is better. Actually, I'm going to
 City Hall myself. Can I _____ _____
 _____ _____?

W _____

20

M You _____ _____ _____ these days.

W Yeah. I'm practicing the violin every day.

M Really? What for?

W I'm in the State Music Competition.

M Wow! _____ _____ _____ _____
 _____ do you practice?

W At least two hours a day. And up to six hours
 a day on weekends.

M When is the competition? Can I _____
 _____ _____?

W _____

1 대화를 듣고, 남자가 만들 음식으로 가장 적절한 것을 고르시오.

Take Notes

 ①   ②   ③

 ④   ⑤

2 대화를 듣고, 여자의 마지막 말에 드러난 심정으로 가장 적절한 것을 고르시오.

① sad   ② pleased   ③ scared   ④ upset   ⑤ disappointed

3 대화를 듣고, 두 사람이 대화하는 장소를 고르시오.

① 빵집   ② 식당   ③ 약국   ④ 병원   ⑤ 슈퍼마켓

4 대화를 듣고, 두 사람의 관계로 가장 적절한 것을 고르시오.

① 버스 기사 - 승객   ② 엄마 - 아들   ③ 승객 - 승객

④ 조종사 - 승무원   ⑤ 교사 - 학생

5 대화를 듣고, 남자가 여행할 곳의 요즘 날씨로 가장 적절한 것을 고르시오.

  ①   ②   ③   ④   ⑤

6 대화를 듣고, 여자가 지불할 금액으로 가장 적절한 것을 고르시오.

① $30   ② $60   ③ $90   ④ $120   ⑤ $240

7 대화를 듣고, 남자가 전화를 건 목적으로 가장 적절한 것을 고르시오.

① 약속 장소를 변경하려고
② 약속 시간을 변경하려고
③ 모임 장소를 확인하려고
④ 모임에 불참함을 알리려고
⑤ 모임 참석자 수를 확인하려고

8 대화를 듣고, 여자가 다음 주말에 할 일로 가장 적절한 것을 고르시오.

① 쇼핑   ② 봉사 활동   ③ 영화 관람
④ 아르바이트   ⑤ 할머니 댁 방문

9 대화를 듣고, 두 사람의 대화에 등장하는 동물로 가장 적절한 것을 고르시오.

①   ②    ③

④   ⑤

10 다음을 듣고, 교통사고의 가장 큰 원인으로 적절한 것을 고르시오.

① 과속   ② 기기 고장   ③ 음주 운전
④ 졸음운전   ⑤ 문자 보내기

⑪ 대화를 듣고, 여자가 남자를 위해 할 일로 가장 적절한 것을 고르시오.

① 페인트칠하기 ② 옷 세탁하기 ③ 헌 옷 찾아 주기
④ 신문지 찾아 주기 ⑤ 바닥 청소하기

⑫ 대화를 듣고, 여자가 할 일로 가장 적절한 것을 고르시오.

① 일정 확인하기 ② 수학 공부하기 ③ 책 구입하기
④ 도서관 가기 ⑤ 참가 자격 확인하기

⑬ 다음을 듣고, 동아리 회장이 말하는 내용과 일치하지 <u>않는</u> 것을 고르시오.

① 회장의 이름은 Peter Parker이다.
② 회원 수는 총 40명이다.
③ 모임은 금요일 방과 후에 있다.
④ 동아리는 축구 경기를 하는 모임이다.
⑤ 아직 동아리 웹사이트를 사용할 수 없다.

⑭ 다음을 듣고, 광고문의 내용과 일치하지 <u>않는</u> 것을 고르시오.

Weekend Classes

Title	Day & Hours	Fee
Drawing	Sat. 10:00 ~ 12:00	$20
Cooking	Sat. 14:00 ~ 16:00	$24
Photography	Sun. 09:00 ~ 11:00	$15

① ② ③ ④ ⑤

⑮ 대화를 듣고, 책장에 대한 설명으로 <u>틀린</u> 것을 고르시오.

① 남자가 직접 만들었다.
② 지난 주말에 만들었다.
③ 아버지의 도구를 사용해서 만들었다.
④ 최종 마무리 작업은 아버지가 도와주었다.
⑤ 만드는 데 6시간 걸렸다.

16 대화를 듣고, 두 사람의 대화가 <u>어색한</u> 것을 고르시오.

①   ②   ③   ④   ⑤

17 다음을 듣고, 아트센터 제 3관에서 할 수 있는 일로 가장 적절한 것을 고르시오.

① 은하수 탐험   ② 별 그리기 체험

③ 화가와의 만남   ④ 동화 애니메이션 감상

⑤ 학생들이 그린 미술 작품 감상

18~19 대화를 듣고, 남자의 마지막 말에 이어질 여자의 응답으로 가장 적절한 것을 고르시오.

18 Woman: _____

① Don't say the word again.

② My science project is on water.

③ I try to drink eight glasses a day.

④ Too much water is bad for the plant.

⑤ Tomato plants need plenty of sunlight.

19 Woman: _____

① They don't need games.

② Yes, I'm planning to see them.

③ There's nothing wrong with it.

④ We can play our favorite games.

⑤ I'll take them tomorrow morning.

20 다음을 듣고, 엄마가 Kevin에게 할 말로 가장 적절한 것을 고르시오.

Mom: _____

① When are you going?

② How often do you play?

③ Let's play games together.

④ How much should I pay you?

⑤ You have to study for the test.

1

M   I'm going to make something to eat. What do you feel like?

W   Pizza! Can you make a pizza?

M   I can, but it _____ _____ _____ _____. How about something faster?

W   What about a hot dog?

M   Well, I don't want it. I want to make something fresh.

W   Then _____ _____ _____ _____? I like salad with fresh vegetables.

M   OK! I will make it for you now.

2

M   Why do you look so sad, Jane?

W   You know I _____ _____, and *Grease* is on now.

M   You couldn't buy a ticket, could you?

W   No. As soon as they started to sell tickets, they were all gone.

M   Don't be too disappointed. Luckily, I _____ _____ _____ for us.

W   Wow! You are the best!

3

M   What can I do for you?

W   I have a sore throat. It hurts badly.

M   Do you _____ _____ _____, too?

W   Yes, but I just want something for my throat right now.

M   This medicine is the best for sore throats, coughs, and colds.

W   Great. I'll take it.

M   That's six dollars. We have candy that is _____ _____ _____ _____, too.

W   I'll take a pack of candy, please.

4

W   Excuse me, I'm afraid you _____ _____ _____. Can I see your ticket?

M   Sure. Here it is.

W   This seat is 24B, and your ticket says 23B.

M   Oh, I'm sorry. I have _____ _____ _____.

W   It's okay. Your just need to move one row forward.

5

W   I heard you're going to Guam tomorrow.

M   I am! I can't wait. It's so cold and snowy here.

W   _____ _____ _____ _____ and ready to go?

M   No. I need a pair of shorts and a pair of sandals. I'll buy them.

W   I _____ _____ _____ _____ on Guam. Will it rain?

M   No, the weather is perfect at this time of year.

28

6

M   Honey, did you book a parasailing reservation in Saipan?

W   Not yet. But there's a good one on this website.

M   How much is it?

W   _____ _____ _____ _____, thirty for children.

M   So, one hundred and twenty dollars for you and me? OK. Let's do that!

W   OK. I'll _____ _____ _____ for us now.

7

[Cell phone rings.]

W   Hey, Pete, what's up?

M   Sorry, Katie, but did we _____ _____ _____ at 7?

W   Yes, 7 pm. Why do you ask?

M   I'm not sure that I can make it by 7.

W   Do you want to cancel?

M   No! I _____ _____ _____ the work by 7. Would 7:30 be OK instead?

W   No problem. See you at the Big Square.

M   Thanks, Katie. See you there.

8

M   Hello, Kerry! Did you have a good weekend?

W   Yes, I did. I went shopping with my mom. What about you?

M   I _____ _____ _____ _____. I wanted to help those poor little kids. I will do it again next weekend.

W   Wow, you did a good job! Can I _____ _____ _____?

M   That's a great idea! Next week, let's go together.

9

W   Can you _____ _____ _____ of me with the animals?

M   Sure. Do you want to take a picture with a mommy or a baby?

W   Both of them. Look at the _____ _____ _____ _____.

M   Look! There is a zookeeper.

W   He's feeding the animals.

M   Isn't it amazing that they can use their _____ _____ _____?

10

W   Every day, people are _____ _____ _____ on the roads. Texting, alcohol, and speeding are the leading causes of accidents. But the biggest cause of accidents is sleepy drivers. It is very important to _____ _____ _____ before you drive. You have to protect your body and your life as well as other people.

11

W What are you going to do?

M I will paint my model airplanes.

W Can you _____ _____ _____ on the floor first? You'll drop paint on it.

M Okay. *[pause]* Mom, I can't find a newspaper.

W I'll find it for you. You go and _____ _____ _____ _____ to an old one.

M I'll do it right away.

12

W I heard there's _____ _____ _____ _____ this year.

M Are you going to join? You're really good at math.

W I think it's only for first-grade students.

M Really? I thought it was _____ _____ _____ _____.

W I don't know. I'm not sure we can enter.

M _____ _____ _____ _____ Ms. Barry, our math teacher?

W Good idea! I'll go and see her now.

13

M Welcome to the Premier League Soccer Fans Club! My name's Peter Parker. I'm the club president. This year, we _____ _____ _____. Meetings are on Fridays after school. We watch one game a week. Now, we're working on a website for the club, so _____ _____ _____ _____ _____. But we will be able to use it next week.

14

① W There are two classes on Saturday.

② W The drawing class _____ _____ _____.

③ W The fee for the cooking class is $24.

④ W The most expensive class is photography.

⑤ W The cooking class _____ _____ _____ _____ afternoons.

15

W That's a nice bookshelf. Where did you buy it?

M Actually, I _____ _____ _____.

W Wow! When did you make it?

M I made it last weekend. I used Dad's tools.

W I'm sure your dad helped you, right?

M No, I did it all by myself.

W Really? _____ _____ _____ _____ _____ to make that?

M It took about six hours.

16

① M _____ _____ _____ _____
_____ the Philippines?

W Once, when I was little.

② M Are you okay?

W I just feel so tired.

③ M Do you think it will rain today?

W Yes. _____ _____ _____.

④ M Can you stay a little longer?

W OK. But I have to go at six.

⑤ M Will you help me move these boxes, please?

W Yes, I'm very busy now.

17

M Welcome to Wellings Art Center. You can _____ _____ _____ _____ by students here in the first hall. In the second hall, you can see video animations of fairy tales. In the third hall, you can _____ _____ _____ your own star to hang in the Milky Way. Enjoy your visit!

18

W What's this plant?

M It's a tomato plant _____ _____ _____ _____.

W It doesn't look very healthy.

M I know. What do you think is wrong with it?

W It looks like you _____ _____ _____ _____ _____.

M What do you mean?

W _____

19

W What's wrong with all these games?

M Nothing. I just don't play them any more.

W Well, _____ _____ _____ to the women's shelter.

M Why? They're kids' games.

W Many kids have to stay at the shelter with their mothers.

M Then, take them all! _____ _____ _____ _____ _____ _____ there?

W _____

20

M Kevin bought a new game CD _____ _____ _____ _____. He really wants to play the game, but he has final exams tomorrow. Although Kevin has a big test, he _____ _____ _____ the game. Then his mom entered his room and saw Kevin. In this situation, what would Kevin's mom say to Kevin?

Mom _____

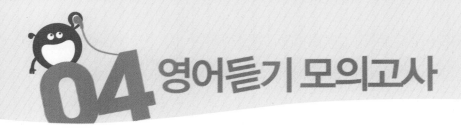

1 다음을 듣고, 수요일의 날씨로 가장 적절한 것을 고르시오.

Take Notes

①   ②   ③

④ ⑤

2 대화를 듣고, 여자가 찾는 물건으로 가장 적절한 것을 고르시오.

① Amie ② Miranda ③ Michelle

④ Linda ⑤ Hannah

3 대화를 듣고, 남자의 심정으로 가장 적절한 것을 고르시오.

① tired ② worried ③ pleased ④ bored ⑤ surprised

4 대화를 듣고, 남자가 할 일로 가장 적절한 것을 고르시오.

① 장 보러 가기 ② 설거지하기 ③ 케이크 굽기
④ 생일 선물 사기 ⑤ 쇼핑 목록 만들기

5 대화를 듣고, 두 사람이 대화하는 장소로 가장 적절한 곳을 고르시오.

① bank ② flower shop ③ train station
④ post office ⑤ library

6 대화를 듣고, 여자의 마지막 말의 의도로 가장 적절한 것을 고르시오.

① 감사　　② 동의　　③ 제안　　④ 비난　　⑤ 사과

Take Notes

7 대화를 듣고, 두 사람이 만날 시각으로 가장 적절한 것을 고르시오.

① 6:00 pm　　② 6:20 pm　　③ 6:40 pm
④ 7:00 pm　　⑤ 7:20 pm

8 대화를 듣고, 여자가 아이들을 위해 한 일이 <u>아닌</u> 것을 고르시오.

① 책 읽어 주기　　② 놀아 주기　　③ 빨래하기
④ 요리하기　　⑤ 청소하기

9 대화를 듣고, 여자가 여행에서 가장 좋았다고 생각하는 나라를 고르시오.

① England　　② France　　③ Italy　　④ Spain　　⑤ Greece

10 다음을 듣고, 무엇에 관한 안내 방송인지 가장 적절한 것을 고르시오.

① 휴교 안내
② 학교 시설 소개
③ 축제 일정 공고
④ 에너지 절약 홍보
⑤ 쓰레기 분리수거 안내

11 대화를 듣고, 공부를 잘하기 위한 방법으로 언급된 것을 고르시오.

① 신문 보기   ② 예습하기   ③ 복습하기

④ 운동하기   ⑤ 다독하기

Take Notes

12 대화를 듣고, 남자가 전화를 건 목적으로 가장 적절한 것을 고르시오.

① 저녁 메뉴를 물어보려고

② 엄마 장보기를 도우려고

③ 색종이 구입을 부탁하려고

④ 칼라 펜 구입을 부탁하려고

⑤ 미술 숙제를 가져다 달라고

13 대화를 듣고, 두 사람이 야영할 때 가져가지 않을 것을 고르시오.

① 텐트   ② 조리 도구   ③ 침낭   ④ 담요   ⑤ 우산

14 대화를 듣고, 두 사람의 관계로 가장 적절한 것을 고르시오.

① 경찰관 – 시민   ② 사장 – 직원

③ 식당 종업원 – 손님   ④ 서점 점원 – 손님

⑤ 도서관 사서 – 학생

15 대화를 듣고, 남자가 병원에 가려는 이유로 가장 적절한 것을 고르시오.

① 배가 아파서   ② 어머니가 편찮으셔서

③ 병문안을 가려고   ④ 찾아올 물건이 있어서

⑤ 병원에서 일하기 위해서

16 대화를 듣고, 여자가 할 일로 가장 적절한 것을 고르시오.

① 친구 만나기　　② 쇼핑하기　　③ 예약 전화 걸기

④ 음식점 검색하기　　⑤ 테이블 정리하기

17 다음을 듣고, 두 사람의 대화가 <u>어색한</u> 것을 고르시오.

①　　　　②　　　　③　　　　④　　　　⑤

18 대화를 듣고, 여자의 의견과 가장 잘 어울리는 속담을 고르시오.

① Walls have ears.

② No news is good news.

③ Practice makes perfect.

④ Time flies like an arrow.

⑤ A friend in need is a friend indeed.

19-20 대화를 듣고, 여자의 마지막 말에 이어질 남자의 응답으로 가장 적절한 것을 고르시오.

19 Man: _____

① When can I meet her?

② It looks good. I'll take it.

③ She doesn't like ice cream.

④ I don't want anything for her.

⑤ It doesn't fit me. I'll try another one.

20 Man: _____

① Yes. I'll be home by then.

② Yes. You can go next week.

③ No. I never go to exhibitions.

④ I guess so. I'll tell Jeff and Mike.

⑤ I didn't know that. I finished writing it.

1

W   Hello, everyone. I'm Lisa Jones. Here's the weather forecast. Today's weather will be _____ _____ _____ . This hot weather pattern will continue until Wednesday. A cool change will arrive Thursday afternoon and _____ _____ on Friday morning.

2

M   Line Number 2 Subway _____ _____ _____ . May I help you?

W   Hi. I think I _____ _____ _____ _____ on the subway today.

M   A daily planner? Can you describe it for me?

W   Sure. It's green and square-shaped. My name is _____ _____ _____ .

M   What's your name?

W   It's Michelle Robinson.

3

W   Are you OK? _____ _____ _____ ?

M   It's my final English exam tomorrow. I'm sure I'll fail.

W   Don't be silly. _____ _____ _____ _____ _____ before a big test. Try to get a good night's sleep.

M   I'll try, but I don't think I can sleep.

4

M   What are you making? It smells good.

W   It's a cake. It's nearly ready to _____ _____ _____ the oven.

M   Is it for Toby's surprise party?

W   Yes. We still need to buy drinks for the party. Do you have time?

M   Sure. Just _____ _____ _____ _____ _____ , and I'll go now.

W   Here it is.

5

W   Excuse me. Can you help me _____ _____ _____ _____ , please?

M   Sure. Where do you want to go?

W   Spencer Street Station, just one-way.

M   OK. Press this button first. The fare is $5. Now _____ _____ _____ _____ .

W   Thanks! Oh, the ticket says platform 10. Where's that?

M   It's that way. See the sign?

W   Oh, yes, I see it. Thank you!

6

W   You look really pleased with yourself.

M   I am! I can _____ _____ _____ _____ on the guitar now.

W   Well done! Hey, I've got a good idea.

M　What is it?

W　I'm sure your grandma will love to hear you play.

M　Yeah, I'm sure, too.

W　Well, _____ _____ _____ _____ _____. You can play your favorite song for her.

7

W　Hello.

M　Hi, Ella. It's Justin. Are you free tomorrow night?

W　Yes. Do you want something to do?

M　I've _____ _____ _____ to a show at the Legend Theater. Do you want to come with me?

W　I'd love to. What time is the show?

M　It starts at 7. Let's meet twenty minutes _____ _____ _____ _____.

W　Great! See you then.

8

M　I heard you _____ _____ _____ at an orphanage.

W　Yes, I do. It's hard and a bit sad. But I love the kids.

M　What do you do there?

W　I play with the kids, read stories to them, clean their rooms, and _____ _____

_____ for them.

M　Wow, you do a lot of things! Do you cook for them, too?

W　No, _____ _____ _____ _____ cooking. I only wash the dishes.

9

M　How was your trip to Europe?

W　It was fantastic.

M　_____ _____ _____ _____ _____?

W　I went to four countries, France, Spain, Italy, and Greece.

M　Oh, I'd love to go to Greece. I have been to the others except for Greece.

W　_____ _____ _____ _____ were really beautiful. They were my favorite places.

M　For me, the buildings in Spain were the best.

10

W　Attention, please. It's Friday clean-up time. Students should _____ _____ _____, cans, glass bottles, and plastic. Don't put everything in one trash can. Please put each of them into the proper recycling bin. _____ _____ _____ _____ behind the school library. Thank you.

11

W   Hey, I heard you _____ _____
_____ _____ at your school.
Congratulations!

M   Thanks. Now, I can go to almost any
university.

W   Do you have any tips for me?

M   The most important thing is to _____
_____ _____ _____ and stick to it.

W   Is that it?

M   No. It's also important to exercise or play a
sport.

W   How come?

M   You can _____ _____ and get some
energy.

12

[Cell phone rings.]

W   Hello.

M   Where are you, Mom?

W   I'm at the supermarket shopping for dinner.

M   Are you? Then, _____ _____ _____
_____ colored paper?

W   There's some in my desk drawer.

M   I know, but we _____ _____ _____
yellow and red paper. I need them for my art
homework.

W   OK. I'll buy some on my way home.

13

M   Are we all packed for our camping trip?

W   Almost. I've packed the tent and cooking
equipment.

M   How about _____ _____ _____?

W   Of course, and extra blankets. Do you want
snacks for the drive?

M   I've got plenty. They're in the car already.
What about umbrellas?

W   _____ _____ _____ _____
_____. We don't need them.

14

M   Excuse me.

W   Yes? How can I help you?

M   I'm _____ _____ _____ _____.

W   What's the title?

M   *Life on Earth* by David Watson. I need it for
a research report.

W   Let me check. *[pause]* I'm sorry, but it's
_____ _____ _____.

M   Oh. Can I order a copy?

W   Of course! Let me get your details.

15

W   Where are you going?

M   I have to _____ _____ _____
_____.

W   Is there something wrong with you?

M   No. Mom _____ _____ _____
_____.

W   So you're going to get them?

M   Yes. My mom finishes her work late at night.

16

W   Let's go out for lunch.

M   What do you want to have?

W   There's a restaurant on Market Street. I'd like to try it.

M   _____ _____ _____ _____ is it?

W   It's Thai. Kate went yesterday. She said it was great.

M   Can we _____ _____ _____?

W   Sure. Kate gave me the restaurant's number. I'll call now.

17

①   M   Who's she?
     W   That's my cousin, Suzy.

②   M   What did you do last weekend?
     W   I stayed home.

③   M   _____ _____ _____ _____ _____ Ireland?
     W   No, but I hope to go there one day.

④   M   What time do you get home from work?
     W   I usually walk to work.

⑤   M   Is the National Museum near here?
     W   I'm sorry, but I don't know. _____ _____ _____ _____, too.

18

W   Did you hear about Jamie?

M   No. What happened to him?

W   He was selected for the national swimming team!

M   Wow! _____ _____ _____ _____ _____?

W   He has been training for two hours every morning before school and eight hours every weekend since he was twelve.

M   Wow! _____ _____ _____ _____ _____ _____!

19

W   May I help you?

M   Yes, please. I need to _____ _____ _____ for my sister's birthday.

W   How about this perfume?

M   How much is it?

W   It's 70 dollars.

M   Oh, that's _____ _____. I don't think I have enough money.

W   Then, get this hand cream. _____ _____ _____.

M

20

W   _____ _____ we're going to Grandma's on Saturday.

M   Is it OK if I don't go?

W   No. It's your Grandmother's birthday.

M   But I have _____ _____ _____ _____.

W   You can do it on Sunday, can't you?

M   No, I'm going to the Human Body exhibition with Jeff and Mike.

W   _____ _____ _____ _____ until May. Can't you go next week?

M   _____

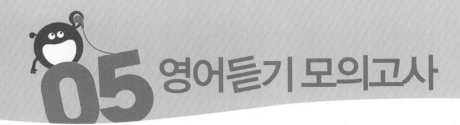

1 대화를 듣고, 남자가 사려고 하는 선물을 고르시오.

① ② ③

④ ⑤

Take Notes

2 대화를 듣고, 여자의 심정으로 가장 적절한 것을 고르시오.

① bored　　　② disappointed　　③ angry

④ worried　　　⑤ pleased

3 다음을 듣고, 두 사람이 대화하는 장소를 고르시오.

① 학교　　② 도서관　　③ 은행　　④ 병원　　⑤ 서점

4 다음 일기 예보를 듣고, 일치하지 않는 것을 고르시오.

①　　②　　③　　④　　⑤
Monday　Tuesday　Wednesday　Thursday　Friday

5 대화를 듣고, 남자가 지불해야 할 금액을 고르시오.

① $17　　② $18　　③ $19　　④ $20　　⑤ $23

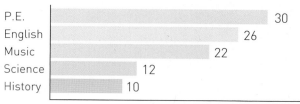

6 대화를 듣고, 두 사람이 만나기로 한 시각을 고르시오.

① 4:30　　② 4:40　　③ 4:50　　④ 5:00　　⑤ 5:10

Take Notes

7 대화를 듣고, 남자가 할 일로 가장 적절한 것을 고르시오.

① 집 꾸미기
② 쇼핑하러 가기
③ 초대장 만들기
④ 파티 계획 세우기
⑤ 손님에게 전화하기

8 다음을 듣고, 말하는 사람의 의도로 가장 적절한 것을 고르시오.

① 격려　　② 추천　　③ 충고　　④ 감사　　⑤ 비난

9 대화를 듣고, 두 사람의 관계로 가장 적절한 것을 고르시오.

① 의사 - 환자　　　　　② 경찰 - 행인
③ 승무원 - 승객　　　　④ 입국 심사관 - 여행자
⑤ 여행사 직원 - 손님

10 다음을 듣고, 표의 내용과 일치하지 <u>않는</u> 것을 고르시오.

York Middle School Students' Favorite Classes

P.E.	30
English	26
Music	22
Science	12
History	10

Total : 100 Students

①　　　　②　　　　③　　　　④　　　　⑤

Take Notes

11 대화를 듣고, 여자가 Andy를 만나려는 이유로 가장 적절한 것을 고르시오.

① 병문안을 가려고 ② 새 게임 CD를 빌리려고

③ 수학 숙제를 하려고 ④ 과학 경시대회를 준비하려고

⑤ 부모님께 안부를 전하려고

12 다음을 듣고, 여자가 받은 수업을 순서대로 나열한 것을 고르시오.

① 체육 - 미술 - 과학 ② 체육 - 과학 - 수학

③ 과학 - 문학 - 수학 ④ 과학 - 체육 - 국어

⑤ 역사 - 체육 - 국어

13 다음을 듣고, 남자가 주장하는 바를 고르시오.

① 지나친 것은 모자란 것만 못하다.

② 남의 실수를 비난하지 말아야 한다.

③ 실수를 두려워 말고 시도해야 한다.

④ 다른 사람을 본받을 줄 알아야 한다.

⑤ 철저히 준비해서 실수를 줄여야 한다.

14 대화를 듣고, 여자가 남자에게 부탁한 것을 고르시오.

① 택배 받기 ② 우유 사 오기

③ 식당 예약하기 ④ 회의 준비하기

⑤ 아이들 데리러 가기

15 다음을 듣고, 남자가 당부하는 내용을 고르시오.

① 스팸 메일 보내지 않기

② 정기적으로 컴퓨터 정리하기

③ 장시간의 컴퓨터 게임 자제하기

④ 이메일을 보내기 전에 주소 확인하기

⑤ 낯선 사람에게서 온 링크 클릭하지 않기

16 다음을 듣고, 두 사람의 대화가 <u>어색한</u> 것을 고르시오.

①   ②   ③   ④   ⑤

Take Notes

17 대화를 듣고, 남자의 장래 희망을 고르시오.

① lifeguard   ② violinist   ③ professor

④ composer   ⑤ doctor

18-19 대화를 듣고, 여자의 마지막 말에 대한 남자의 응답으로 가장 적절한 것을 고르시오.

18 Man: _____

① Next time.

② It was a railway.

③ That sounds great.

④ She doesn't know.

⑤ I don't know how to ride a bike.

19 Man: _____

① I got tickets online.

② Not this time, I'm afraid.

③ I will be with my friends.

④ Would it be OK with you?

⑤ It's really popular among tourists.

20 다음을 듣고, Dave가 Mike에게 할 말로 가장 적절한 것을 고르시오.

Dave: _____

① That's a good idea.

② Try harder next time.

③ I'm glad you told me.

④ You don't have to wait.

⑤ Everything will be all right.

1

W   May I help you?

M   Yes, _____ _____ _____ _____
a cute cup for my niece.

W   All right. How about this one with a puppy on it?

M   Actually, I'd rather get her a cup _____
_____ _____.

W   Sure. Then I'll recommend this one. All girls love flower decorations.

M   That's not bad, but I think she would
_____ _____ _____ _____. I'll
take that one.

2

M   Here, Mom. This is for you.

W   Wow! Did you _____ _____ _____?

M   Yes. I wanted to give you something special for your birthday.

W   It's amazing! It's the best birthday cake
_____ _____ _____!

M   Really? I love you, Mom. Happy birthday!

3

M   Excuse me. Where's the children's section?

W   Just over there, sir.

M   My daughter wants some books. Can I borrow some children's books?

W   Sure. You just _____ _____ _____
_____.

M   How many books can I borrow at one time?

W   Well, you can _____ _____ _____
_____ _____ for 14 days.

4

M   Here's the weather forecast for the week ahead. We'll have rain on Monday, but
_____ _____ _____ _____, and
Tuesday will be fine and sunny. Wednesday will bring more rain, but _____ _____
_____ _____ _____ will be fine,
warm, and sunny.

5

W   Pizza Castle. Can I take your order?

M   Yes, I'd like a large Hawaiian pizza and a large salad. _____ _____ _____
_____ _____?

W   Fourteen dollars for the pizza and five dollars for the salad.

M   OK, and two large grape sodas, please.

W   They're two dollars each. But we have
a lunch combo, sir. _____ _____
_____ _____ for pizza, salad, and a
large bottle of soda.

M   Really? Then, I'll take that.

6

M   Do you want to see a movie today?

W   Sure. What time?

M   How about meeting me at 4:30 outside the cinema?

W   Sorry, but I can't. _____ _____ _____ _____ _____ until 4:40. It'll take ten minutes to get to the cinema.

M   Then, let's _____ _____ _____ _____ _____. The movie starts at five. Don't be late!

W   See you then.

7

W   This is _____ _____ _____ _____ _____ _____ for our housewarming party.

M   It's a long list. What will you do next?

W   I'll go shopping for the food and drinks. Do you want to help?

M   Don't we _____ _____ _____ our house for the party? I'll do that instead.

W   OK, thanks! I'll be back in about an hour.

8

W   Have you seen the movie *Hobbit*? It's part of *the Lord of the Rings* series _____ _____ J.R.R. Tolkien's books. It's a fantasy story full of monsters, elves, wizards, and hobbits. It's such a great movie. You will love it! _____ _____ _____ _____ _____ _____!

9

M   Your passport and arrival card, please.

W   Here you are.

M   Thank you. What's _____ _____ _____ _____?

W   It's for a vacation.

M   And how long do you plan to stay?

W   Fourteen days. My return flight is on May 19.

M   OK. Your visa _____ _____ _____ 90 days. Enjoy your stay.

W   Thank you.

10

① M   English is _____ _____ _____ Music.

② M   Science is the favorite subject of twelve students.

③ M   P.E. is the most favorite subject among the students.

④ M   History is not _____ _____ _____ music.

⑤ M   Music is much less popular than science.

11

M Where are you going, Sally?

W I'm going to Andy's house. He _____ _____ _____ _____ with my math homework.

M Oh. Can I come with you?

W Why? It'll be boring.

M No, it won't. Andy told me he _____ _____ _____ _____ _____.

W A new game CD?

M Yes. His parents bought it for him because he won the science contest.

W Great! We can play games later!

12

W We had three classes before lunch. Today our first class was in the lab. We _____ _____ _____ _____. The next class was outside on the playground. We learned some soccer skills. After that, we went back to our homeroom class and started _____ _____ _____ about family. It was really touching.

13

M There's a wonderful sentence, "The greatest mistake you can ever make is _____ _____ _____ _____ _____." Too many people don't try to do new things because they fear failure. If you want to do something, just do it. The only failure is _____ _____ _____ _____.

14

[Telephone rings.]

W Hello?

M Hey, I'm still at the office. What are you doing?

W I'm _____ _____ _____ _____ the kids. Will you be home soon?

M Sorry, honey, I'll be late. The boss called a meeting just now.

W No problem. But can you _____ _____ _____ on the way home?

M Sure. See you after the meeting.

15

M I got an email with a link to a contest with great prizes. I _____ _____ _____ _____ to the contest. In a moment, my computer started to work really slowly. Then it _____ _____ _____. It was because of the link I clicked. Now I know that clicking on email links can be dangerous. To be safe, _____ _____ _____ links from strangers!

16

① W Can I use your pen for a minute?
　M Of course. Here it is.

② W Is there a restroom around here?
　M I'm not sure. _____ _____ _____
　　_____ , sorry.

③ W Can I talk to Ms. Smith, please?
　M I'm sorry, but she is not here.

④ W What time do you usually get home?
　M For two hours.

⑤ W Would you like something to eat?
　M No, thanks. _____ _____ .

17

M When I grow up, I want to _____
　_____ _____ and save lives.

W Don't you want to study music at the
　university?

M I wanted to be a violinist before. And I've
　played since I was seven.

W But now you _____ _____ _____
　_____ ?

M Yes. My dad is a doctor, and he wants me to
　be a good doctor.

W Well, _____ _____ _____ the
　violin. You're a great musician.

18

M What are your plans for Sunday?

W I have no plans. What about you?

M I'm going to _____ _____ _____ .
　Do you want to go together?

W I'd love to. Do you know the Old Railway
　Bike Trail?

M I do. Shall we meet at the trail head on
　Sunday morning?

W Sure. _____ _____ _____ _____ ?

M _____

19

W _____ _____ _____ _____ for
　the three-day holiday next week?

M Something very special.

W Really? What is it?

M I'm going on a balloon ride. _____
　_____ _____ . It'll be awesome.

W You're going ballooning? Wow! _____
　_____ _____ _____ to be with?

M _____

20

W While Mike was playing soccer, he _____
　_____ _____ . He injured his ankle, and
　it hurt very much. His coach, Dave, drove
　Mike to the hospital for an X-ray. They
　waited a long time for the X-ray. Mike was
　really _____ _____ _____ _____ .
　In this situation, what was Dave likely to say
　to Mike?

Dave _____

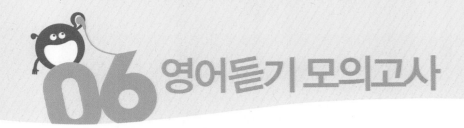

1 대화를 듣고, 두 사람이 구입할 물건을 고르시오.

Take Notes

①  ②  ③

④  ⑤

2 대화를 듣고, 여자가 가려는 곳의 주말의 날씨를 고르시오.

①   ②   ③   ④   ⑤

3 대화를 듣고, 남자의 심정으로 가장 적절한 것을 고르시오.

① excited   ② fearful   ③ angry   ④ happy   ⑤ relaxed

4 대화를 듣고, 두 사람이 대화하는 장소를 고르시오.

① 서점   ② 공항   ③ 여행사   ④ 우체국   ⑤ 대형 마트

5 대화를 듣고, 여자가 지불한 운동화의 금액을 고르시오.

① $50   ② $60   ③ $75   ④ $100   ⑤ $120

6 대화를 듣고, 여자가 앞으로 할 일을 고르시오.

① 물 많이 마시기　　　② 충분한 수면 취하기
③ 자전거로 등교하기　　④ 요가 배우기
⑤ 많이 걷기

7 다음을 듣고, 말하는 사람의 의도로 가장 적절한 것을 고르시오.

① 축하　　② 조언　　③ 칭찬　　④ 항의　　⑤ 사과

8 다음을 듣고, 무엇에 대한 설명인지 고르시오.

① 올리브 오일　　② 시리얼　　③ 메이플 시럽
④ 팬케이크　　⑤ 도토리

9 대화를 듣고, 남자에 대한 설명으로 일치하는 것을 고르시오.

① 처음에 대본을 매우 재미있게 읽었다.
② 영화감독보다 나이가 어리다.
③ 스스로 유머가 많다고 생각한다.
④ 연극 속의 역할과 자신이 다르다고 생각했다.
⑤ 연기하면서 가장 힘든 것은 바쁜 일정이었다.

10 다음을 듣고, 자동판매기로 영화 표를 구입할 때 네 번째로 해야 할 일을 고르시오.

① 영화 상영시간을 고른다.
② 영화 표와 잔돈을 받는다.
③ 앉고 싶은 자리를 고른다.
④ 필요한 영화 표의 개수를 선택한다.
⑤ 초록색이 나타난 자리를 선택한다.

11 다음을 듣고, 선생님이 당부하는 내용이 <u>아닌</u> 것을 고르시오.

① 수업 중 휴대 전화 사용하지 않기
② 결석할 경우 선생님께 미리 알리기
③ 질문이 있을 때는 손들기
④ 수업 시간에 떠들기 않기
⑤ 책과 공책 가져오기

12 다음을 듣고, 무엇에 대한 설명인지 고르시오.

① Mars   ② the Galaxy   ③ the Sun
④ the Earth   ⑤ the Moon

13 대화를 듣고, 남자가 여자에게 부탁한 것으로 알맞은 것을 고르시오.

① 자리 옮겨 앉기   ② 좌석 예약하기   ③ 친구에게 연락하기
④ 자리 맡아주기   ⑤ 가방 들어 주기

14 대화를 듣고, 여자가 할 행동으로 알맞은 것을 고르시오.

① to apologize to Jasmine
② to give vitamins to Jasmine
③ to introduce a new roommate
④ to speak to Jasmine's parents
⑤ to ask the counsellor for advice

15 다음을 듣고, 광고문의 내용과 일치하지 <u>않는</u> 것을 고르시오.

Exhibition
Claude Monet - Master of Light

Opening Hours	Ticket Price
• Mon, Wed ~ Fri: 11 am - 8 pm • Sat & Sun & Holidays: 10 am - 10 pm • Tue : CLOSED	• Adults: $10 • Children: $6 (Age 7 - 13)

①   ②   ③   ④   ⑤

16 다음을 듣고, 십 대의 수면 부족 원인으로 가장 적절한 것을 고르시오.

① games　　　　② homework　　　　③ Internet
④ television　　　⑤ shopping

17 대화를 듣고, 두 사람의 대화가 <u>어색한</u> 것을 고르시오.

①　　　　②　　　　③　　　　④　　　　⑤

18 대화를 듣고, 무엇에 관한 내용인지 고르시오.

① 토네이도　　② 산사태　　③ 홍수　　④ 가뭄　　⑤ 지진

19-20 대화를 듣고, 남자의 마지막 말에 이어질 여자의 응답으로 가장 알맞은 것을 고르시오.

19 Woman: _____

① Do it by yourself.
② Eat breakfast every day.
③ Do your homework on time.
④ They save a lot more energy.
⑤ Wear more warm clothes and turn off the heat.

20 Woman: _____

① She wants to be a writer.
② Her parents are very strict.
③ Because that's what she wants.
④ She spent too much time studying.
⑤ I don't know if I can do it without her.

1

W Honey, the computer is broken. We need to buy a new one.

M But it's still new. We bought it last month. _____ _____ _____ _____.

W Okay. Then, should we buy a new table?

M I think our table looks just fine.

W I know it's not bad, but it is more than ten years old and a little small for four people.

M Yeah, I guess you're right. _____ _____ _____ _____ _____. Then, how about chairs?

W No, we don't need new ones.

2

W My sister and I are going to Lake Charles this weekend.

M I heard it's really nice there.

W It is. We're going to _____ _____ on the lake.

M But didn't you hear the latest weather report? _____ _____ _____ _____ Lake Charles this weekend.

W Really? Then I won't do any windsurfing.

3

W What's the matter?

M I _____ _____ _____. It really hurts me.

W I'll get some pills for you.

M I already took two. I'm going to the dentist this afternoon. But _____ _____ _____.

W Come on, don't worry. Your dentist will fix it quickly.

M I'm really afraid of seeing the dentist.

4

W Good afternoon, sir. How can I help you?

M I want to go to Singapore for my vacation.

W OK. We _____ _____ _____ _____ for Singapore. Take your time and have a look at them.

M Let me see. I like this one, the "Islands Tour package."

W Yes, it includes Hong Kong. Now, _____ _____ _____ _____?

M I want to leave on July 3rd. I need to be back for work on July 8th.

5

M How was the mall?

W Well, it was a big sale day.

M So it was very crowded, right?

W Yeah. But there was some good stuff to buy.

M What did you get?

W I _____ _____ _____ _____.

M They cost one hundred and twenty dollars! That's too much!

W No. That is the usual price. They were _____ _____ _____.

6

W I started to _____ _____ _____ _____ three weeks ago.

M How's it going?

W Not so good. I'm always hungry, and I haven't lost any weight.

M You probably need more exercise.

W I know. I'm going to _____ _____ _____ _____ _____ from now on.

M That's great.

7

W _____ _____ _____ _____ _____ getting along with your friends, especially after a fight. Here are _____ _____ _____ _____ _____. First, take some time to calm yourself and try to think about the event from your friend's side. It would help you understand him. And then _____ _____ _____ or write a letter. You could apologize to each other and get much closer.

8

W This is one of _____ _____ _____ _____. It's sweet and yellow syrup. It's popular throughout Canada and the United States. Most Canadians and Americans _____ _____ _____ _____ for breakfast. It's quite expensive because it's 100 percent natural. It _____ _____ _____ _____.

9

W What did you think when you first read the script?

M To be frank, I thought _____ _____ _____. But now, I have a totally different feeling. It is a really good story.

W Is the director younger than you?

M Yeah, he is. But he's a genius. And he has _____ _____ _____ _____ _____.

W What has been the biggest challenge for you?

M Well, the character is nothing like me. So it's _____ _____ _____ _____ _____ _____.

10

W First, _____ _____ _____. Second, select the time you want to see it. Third, select the number of tickets you need. Fourth, select _____ _____ _____ _____ _____. The seat numbers in green are available. Finally, insert your money. The machine prints your tickets instantly and gives you change _____ _____ _____.

11

W Welcome to the start of English class. I'm Fiona, your teacher. I want you to _____ _____ _____ _____ before we start. First of all, cell phones should not be used in class. Next, _____ _____ _____ _____ if you will be absent. And please raise your hand if you have any questions. Finally, _____ _____ _____ and notebooks to every class. That's about it. Any questions?

12

M I'm at _____ _____ _____ the solar system, about 150 million kilometers from Earth. I'm a giant ball of gas. I _____ _____ huge amounts of energy. People on Earth can live thanks to my heat and light. I am _____ _____ _____ in the sky during the day.

13

M Excuse me. Is this seat taken?

W I beg your pardon?

M Is someone _____ _____ _____ here?

W No. It's free. You can take it.

M I'm sorry, but I want to sit with my friend. Do you mind _____ _____ _____ _____?

W No. I don't mind at all.

14

M So, how is Jasmine?

W Jasmine, my new roommate? I'm worried about her.

M Why? What's the matter?

W _____ _____ _____.

M Did you try to talk to her about that?

W Yes. But she _____ _____ _____ _____. She sleeps all day long.

M Have you talked to her parents? Maybe you should call them.

W I'm not sure that's a great idea. I'll _____ _____ _____ _____ and ask what to do.

15

① W On Fridays, it's open from 11 until 8.

② W On Sundays, you can't _____ _____ _____ _____.

③ W It's not open on holidays.

④ W Tickets for adults are ten dollars each.

⑤ W Tickets for children are _____ _____ _____.

16

M These days, teenagers do almost everything _____ _____ _____. They socialize, do shopping, research, or play. But too much online activity is bad for sleep. Teenagers in many nations are suffering from _____ _____ _____ because of the Internet.

Health experts recommend that students should not go online after 10 pm.

17

① M Where did you meet him?
   W In my neighborhood. _____ _____ _____ _____.

② M Have you been there often?
   W Sometime next week.

③ M What's your favorite sport?
   W _____ _____ _____ _____ _____ _____ sports.

④ M Alex got a grade of 100 on the exam.
   W Good for him!

⑤ M How many books do you read a month?
   W I try to read at least two or three books every month.

18

W Did you see the news this morning?
M No. Why? Did something happen?
W There was _____ _____ _____ _____ _____ in the United States.
M Again? It seems to happen so often these days.
W Hundreds of homes were destroyed, and _____ _____ _____ _____ _____ or injured.
M It has been a very bad year for America. Major hurricanes and floods, and now these tornadoes!

19

W What's the matter? You look worried.
M I can't think of any ideas for my homework.
W What's it about? Maybe I can help.
M I have to list 20 ways to _____ _____ _____ _____.
W That's easy. I know a lot of ways to save energy in the house.
M OK. What's the first that _____ _____ _____?
W _____

20

M How was your sister's graduation yesterday?
W My parents were so proud. Kate _____ _____ _____ _____ _____.
M Wow! Kate must be very happy right now.
W She is. It's amazing because she _____ _____ _____ _____ _____. But she worked hard and graduated at the top of her class.
M Please tell her congratulations! _____ _____ _____ _____ _____?
W _____

07 영어듣기 모의고사

정답 및 해설 p.24

1 다음을 듣고, 토요일의 날씨를 고르시오.

Take Notes

2 대화를 듣고, 대화가 이루어지고 있는 장소를 고르시오.

① 음식점　　② 서점　　③ 미술관　　④ 슈퍼마켓　　⑤ 영화관

3 대화를 듣고, 남자의 마지막 말의 의도를 고르시오.

① 칭찬　　② 변명　　③ 격려　　④ 허락　　⑤ 비난

4 대화를 듣고, 남자의 가족이 파리에서 이용한 교통수단을 고르시오.

① bike　　② car　　③ train　　④ taxi　　⑤ tour bus

5 대화를 듣고, 여자가 살 것으로 알맞은 것을 고르시오.

① 　　② 　　③

④ 　　⑤

6 대화를 듣고, 두 사람의 관계로 가장 적절한 것을 고르시오.

① 수리공 - 임대인
② 고객센터 직원 - 소비자
③ 집을 구하는 사람 - 집주인
④ 광고를 낼 사람 - 광고업체
⑤ 집을 지을 사람 - 건축설계사

7 대화를 듣고, 두 사람이 집에서 출발한 시각을 고르시오.

① 6:10　　② 6:20　　③ 6:40　　④ 7:10　　⑤ 7:20

8 대화를 듣고, 남자가 전화를 건 목적을 고르시오.

① to study for the English test
② to borrow an English textbook
③ to ask about English homework
④ to help with an English question
⑤ to finish their homework together

9 대화를 듣고, 남자의 심정으로 가장 적절한 것을 고르시오.

① angry　　② bored　　③ hopeful　　④ satisfied　　⑤ pleased

10 다음을 듣고, Karen이 한 일의 순서를 바르게 나열한 것을 고르시오.

(A) She helped a woman in a wheelchair.
(B) She got a new pair of pants.
(C) She waited an hour for a haircut.

① (A)-(B)-(C)　　② (A)-(C)-(B)　　③ (B)-(A)-(C)
④ (B)-(C)-(A)　　⑤ (C)-(A)-(B)

11 대화를 듣고, 두 사람이 대화 직후에 가장 먼저 할 일로 가장 알맞은 것을 고르시오.　　**Take Notes**

① 온천 예약하기　　② 마사지 받기　　③ 교통편 검색하기
④ 온천에 들어가기　　⑤ 같이 갈 친구 찾기

12 다음을 듣고, 최근 독감 증상이 <u>아닌</u> 것을 고르시오.

① high fever　　② sore throat　　③ cough
④ headache　　⑤ runny nose

13 다음을 듣고, 무엇에 관한 설명인지 고르시오.

① 장애물달리기　　② 오래달리기　　③ 줄다리기
④ 널뛰기　　⑤ 연날리기

14 다음을 듣고, 광고문의 내용과 일치하지 <u>않는</u> 것을 고르시오.

> ### PENANG FLOWER
>
> Excellent Vietnamese and Thai Cuisine
> Tue-Thu & Sun : 11 am - 10 pm
> Fri, Sat : 10 am - Midnight
> Closed on Mondays
>
> 97 Fitzroy Street, Richmond, Virginia
> ☎ 9021-4304

①　　②　　③　　④　　⑤

15 다음을 듣고, 남자의 주장으로 가장 적절한 것을 고르시오.

① 인터넷을 잘 활용해야 한다.
② 경험보다는 독서가 더 중요하다.
③ 독서의 양이 무엇보다 중요하다.
④ 경험을 통해 배우는 것이 중요하다.
⑤ 책을 통해서 얻은 지식이 오래 간다.

16 대화를 듣고, 여자가 지불할 넥타이의 금액을 고르시오.

① $62   ② $63   ③ $65   ④ $66   ⑤ $68

17 대화를 듣고, 두 사람의 대화가 어색한 것을 고르시오.

①   ②   ③   ④   ⑤

18 다음을 듣고, 내용과 일치하지 않는 것을 고르시오.

① Netiquette makes online communication safe.
② Always think about other people's feelings.
③ Do not use rude words in online communication.
④ Don't ask for other people's private information.
⑤ Post the same thing repeatedly on the Internet.

19-20 대화를 듣고, 남자의 마지막 말에 이어질 여자의 응답으로 가장 알맞은 것을 고르시오.

19 Woman: _____

① It's not cheap.
② I don't think so.
③ It's a great deal.
④ I traveled by myself.
⑤ I bought mine online.

20 Woman: _____

① She doesn't like the blues.
② I've never heard the name.
③ Thanks, I really appreciate it.
④ No, she and I are very different.
⑤ I'd like to learn to play the guitar.

1

W Here's the weather for the week ahead. Today is _____ _____ _____ _____ and sunny. Tuesday through Friday will be cool and cloudy. The low pressure will _____ _____ _____ _____ on Saturday. Sunday will see showers throughout the region.

2

W Can I help you?

M Yes, please. I need to buy my daughter a birthday present.

W Do you _____ _____ _____ _____?

M Not really. But she loves food and cooking. She wants to be a chef one day.

W _____ _____ _____ _____? It has fantastic recipes and great pictures.

M Perfect! Can you gift-wrap it for me, please?

3

W What do you want to be when you're older?

M I don't know. I change my mind a lot. But I love soccer.

W You could be a soccer player. _____ _____ _____.

M Thanks. What about you?

W I am not sure, either. But I'm good at playing the piano. I'd love to be a pianist.

M You can do it. _____ _____ _____!

4

W What did you do over the weekend?

M My family and I went to Paris.

W Wow! How was Paris?

M I liked it. The Eiffel Tower was really cool.

W I _____ _____ _____ _____ to Paris when I was a university student. I saw all the sights by tour bus.

M We _____ _____ _____ _____. So we could travel any place we wanted to go to.

5

M Here are some Halloween _____ _____ _____.

W How do you like this black cat's mask?

M I'd prefer that you dress up as a fairytale princess.

W I went as a princess last year. I _____ _____ _____ _____ this year!

M Then, you could dress up as a witch.

W I don't want to be a witch or a vampire.

M How about this? It's really scary.

W Oh, I like it. It _____ _____ _____ _____ _____. I'll get this one.

6

[Telephone rings.]

W Hello. May I speak to Andy?

M Speaking.

W Hi. I saw your ad online. May I ask you a few questions?

M   Sure, go ahead.

W   The ad says it's $1,000 per month. _____ _____ _____ _____ _____ ?

M   Four bedrooms and two bathrooms. And the kitchen is brand-new.

W   And do you have a garage?

M   Yes, ma'am.

W   Great. I'd like to _____ _____ _____ _____ _____ if that's OK.

M   Sure. Come over. Let me give you the directions.

7

M   We've got 10 minutes _____ _____ _____ _____ .

W   What time is it now?

M   It's 7:10.

W   Don't worry. We'll get there in time.

M   We left home _____ _____ _____ . It usually takes 10 minutes to get downtown.

W   I know. The traffic is really bad today.

8

[Telephone rings.]

M   Hello. This is Tim. May I speak to Emma?

W   Hi, Tim. It's me. What's up?

M   Have you _____ _____ _____ with you?

W   Yes. I brought it home from school today.

M   I forgot to bring mine home. _____ _____ _____ _____ ? I need it for homework.

W   But I need it, too. Why don't you come over? We can share it.

M   Thanks, Emma! I'll bring my homework. See you soon.

9

[Telephone rings.]

M   Hello. Can I speak to Jane Brown, please?

W   Jane Brown? _____ _____ _____ _____ _____ _____ .

M   But this is 4640-1632, isn't it?

W   That's right, but there is no Jane Brown here. Hang on a second! She used to work here, but she left a month ago.

M   She left? Do you have her new number?

W   No, I don't.

M   _____ _____ _____ _____ . She hasn't returned DVDs to my store!

10

W   Karen and her mom went shopping today. Her mom bought her _____ _____ _____ _____ _____ . Then they went to the hair salon for Karen to _____ _____ _____ . But they didn't have an appointment, so they waited for an hour. On the way home, they saw a woman in a wheelchair trying to buy a subway ticket. She _____ _____ _____ _____ _____ buttons, so Karen got the ticket for her. The lady was very grateful.

11

M I'm going with a few friends to Spa Land this weekend. Do you want to come?

W I'd love to. Have you been there before?

M No, but I heard it's great. You can _____ _____ and all kinds of luxury spa treatments.

W How did you find it? I hope it's not too expensive.

M I searched it through the Internet. It's only $20 for a one-day visit. But I'm not sure _____ _____ _____ _____. Let's look it up on the web.

12

M There's a bad flu _____ _____. It makes people very sick. They have a high fever, a sore throat, a cough, and headaches. But _____ _____ _____ is not caused by this flu. If you haven't had your flu shot this season, get one as soon as you can. And wash your hands as often as possible to _____ _____.

13

M Many Korean people do this on sports day. Lots of people get together to play this game. They are divided into two teams. They all _____ _____ _____. Each team tries to pull the rope to their side. If the middle of the rope is _____ _____ _____ _____, that team will be the winner.

14

① W It _____ _____ _____ _____ _____.

② W It closes at 10 pm on Fridays.

③ W It is closed _____ _____.

④ W It opens at 10 am on Saturdays.

⑤ W It's in Richmond, Virginia.

15

M We can learn a lot of things _____ _____ _____ _____. We can learn from books, newspapers, and the Internet. So, do you think that reading is the best way to learn? I don't. I think the most important way to learn is _____ _____. For example, once you learn how to ride a bike through experience, you will _____ _____ _____.

16

W Could I see that tie, please?

M _____ _____ _____ this green one?

W Yes. I want something for my son's graduation.

M It's a lovely tie.

W Oh my goodness! Is that the price? _____ _____ _____?

M Yes, ma'am.

W It's too expensive. But I really want it.

M Well, how much can you pay?

W Let me see. I've got sixty five dollars in cash, but I need _____ _____ _____ _____ _____.

M OK. Just give me what you can. You got a good deal.

17

① M How was the weather in London?
W Probably it will rain.

② M Can I have another piece of pizza?
W Sure. _____ _____.

③ M Will you watch the World Cup tonight?
W Of course.

④ M How can I get better grades?
W _____ _____ _____ _____.

⑤ M Are you going anywhere for vacation?
W Yes, I'll travel to Europe.

18

W Have you ever heard about "Netiquette"? It is a set of rules _____ _____ _____. If you follow these rules, you can communicate more enjoyably and safely. Here are a few examples. One, always _____ _____ _____ _____. Two, do not use bad or rude words. Three, do not try to find out others' personal information. Four, do not post the same thing _____ _____ _____.

19

M You traveled around Europe, didn't you? What's _____ _____ _____ _____ _____ _____?

W I bought a Eurail Pass. It was excellent.

M What's a Eurail Pass?

W It's _____ _____ _____ _____ _____. With a Eurail Pass, you can travel by train for a certain period.

M Really? How much does it cost?

W It depends on how many days and the countries you want.

M _____ _____ _____ _____ _____?

W _____

20

W What do you like to do in your free time?

M _____ _____ _____ _____ _____.

W What kind of music do you like?

M Almost all kinds, _____ _____ _____ _____. Hip-hop is my favorite.

W My sister loves hip-hop. She listens to it _____ _____ _____.

M Really? Do you like hip-hop, too?

W _____

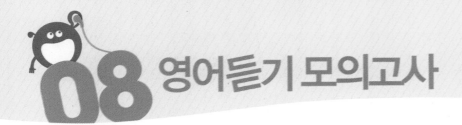

08 영어듣기 모의고사

정답 및 해설 p.28

1 대화를 듣고, 여자가 사려고 하는 가방을 고르시오.

Take Notes

①   ②   ③

④   ⑤

2 세계의 날씨 예보를 듣고, 일치하지 않는 것을 고르시오.

①   ②   ③   ④   ⑤

Mexico City   Paris   London   Moscow   Bangkok

3 대화를 듣고, 마지막 부분에서 두 사람이 느낄 심정으로 가장 적절한 것을 고르시오.

① glad   ② happy   ③ lonely
④ disappointed   ⑤ funny

4 대화를 듣고, 두 사람이 만날 시각으로 알맞은 것을 고르시오.

① 7:00   ② 7:30   ③ 7:45   ④ 8:00   ⑤ 8:15

5 대화를 듣고, 남자가 받은 거스름돈으로 알맞은 것을 고르시오.

① $3   ② $4   ③ $5   ④ $6   ⑤ $7

6 대화를 듣고, 두 사람의 관계로 가장 적절한 것을 고르시오.

① 프로게이머 - 팬   ② 수리기사 - 손님
③ 손님 - 점원   ④ 교사 - 학생
⑤ 의사 - 환자

7 다음을 듣고, 남자가 설명하는 것으로 가장 적절한 것을 고르시오.

① umbrellas   ② tents   ③ houses
④ clothes   ⑤ cars

8 다음을 듣고, 방송이 이루어지고 있는 장소로 가장 적절한 곳을 고르시오.

① 야구경기장   ② 수족관   ③ 놀이공원
④ 영화관   ⑤ 백화점

9 대화를 듣고, 여자가 사 올 필요가 <u>없는</u> 것을 고르시오.

① fried chicken   ② watermelon   ③ iced tea
④ potato chips   ⑤ apple pie

10 대화를 듣고, 남자가 전화를 건 목적을 고르시오.

① 교통편을 묻기 위해
② 늦는다고 말하기 위해
③ 약속 시간을 묻기 위해
④ 약속 불참을 알리기 위해
⑤ 약속 장소를 확인하기 위해

11 다음을 듣고, 잠을 잘 자기 위한 방법으로 제시되지 **않은** 것을 고르시오.

① 저녁에 커피 안 마시기 　　② 낮잠 자지 않기
③ 불을 켜 놓고 잠들기 않기 　④ 잠자기 전에 컴퓨터 하지 않기
⑤ 따뜻한 우유 마시기

12 대화를 듣고, 남자의 장래 희망으로 가장 적절한 것을 고르시오.

① 식물학자　　② 우주비행사　　③ 해양 과학자
④ 천문학자　　⑤ 환경보호 운동가

13 대화를 듣고, 내용과 일치하지 **않는** 것을 고르시오.

Vacation Schedule Outline

① Season: Spring
② Place to visit: Rome
③ Transportation: Airplane
④ How long: Two weeks
⑤ Place to stay: Hotel

14 대화를 듣고, 여자의 장래 희망으로 가장 적절한 것을 고르시오.

① singer　　② guitarist　　③ pilot
④ songwriter　　⑤ flight attendant

15 대화를 듣고, 전화 통화 후에 여자가 할 일로 가장 적절한 것을 고르시오.

① 아침 식사하기 　　② 수학 숙제 하기
③ 도서관 가기 　　　④ 휴대 전화로 전화하기
⑤ 심부름하기

16 대화를 듣고, 두 사람의 대화가 <u>어색한</u> 것을 고르시오.

①   ②   ③   ④   ⑤

17 다음을 듣고, 무엇에 관한 안내 방송인지 고르시오.

① 도착 지연   ② 비행기 이륙   ③ 비행기 착륙
④ 기상 악화   ⑤ 수하물 분실

18 다음을 듣고, 남자가 제안하는 일을 고르시오.

① 여행하기   ② 자연 보호하기   ③ 방학 계획 세우기
④ 자원봉사 하기   ⑤ 기부금 내기

19 대화를 듣고, 남자의 마지막 말에 대한 여자의 응답으로 가장 적절한 것을 고르시오.

Woman: _____

① I'll do it. I promise.
② It was too crowded.
③ They told me not to.
④ My father has a spare key.
⑤ It's a really expensive car.

20 다음을 듣고, Sally가 할 말로 가장 적절한 것을 고르시오.

Sally: _____

① When can I visit him?
② I'm returning your call.
③ Did you leave a message for me?
④ I think you called the wrong number.
⑤ Please tell him to call me when he gets home.

Dictation

정답 및 해설 p.32

1

W They have nice bags here. I should buy one.

M How about _____ _____ _____?

W It's nice, but I already have one just like it. What do think about the square bag?

M It's not my favorite. How about this one with the pocket on the outside?

W I think I should get _____ _____.
   I often have a lot of books to carry around.

M Then how about this bag? The one _____ _____ _____ _____ _____. It's easy to carry, too.

W You're right. It's the perfect bag for me. I'll get it.

2

M Good morning. This is James Morris with the world weather forecast. Mexico City is _____ _____ _____. Paris is cool and cloudy. There are showers in London and _____ _____ in Moscow, while Bangkok is sunny and very hot.

3

W It's a beautiful day. Let's go to the riverside park.

M Yay! We can pick up some sandwiches on the way.

W I'll get drinks at the supermarket.

M Okay. Have you _____ _____ _____ _____?

W Sure. It's in my car. Oh, wait a minute!

M What?

W Did you hear that? I think _____ _____ _____.

M Really? Look! Look at the sky!

W Oh, no! The sky is black! It's going to be a really _____ _____!

4

M Hey, there's a free concert in the park on Saturday.

W _____ _____ _____ _____?

M It's a rock concert at Prince's Park.

W What time does it start?

M _____ _____ _____ _____ _____.

W OK. Shall I meet you there at 7:30?

M Actually, it's better to go early to _____ _____ _____ _____.

W How about 7, then?

M Perfect. See you on Saturday!

5

W May I help you?

M Yes. I'll have a Cheeseburger, please.

W _____ _____ _____. Would you like any drinks with that? Drinks are one dollar each.

M OK. Grape juice, please. Here's ten dollars.

W Thank you. _____ _____ _____.

68

6

M Excuse me. I got this game for my birthday, but it doesn't work on my computer.

W Well, I can _____ _____ _____ _____ if you have the receipt.

M It was a birthday present. I don't have the receipt.

W OK. Then _____ _____ _____ for you.

M Thank you.

W Will there be anything else?

M No, that's all, thank you.

7

M These are very important. They keep us warm in winter and cool in summer. They _____ _____ _____ _____, rain, and snow. They make us feel comfortable and safe. We eat, sleep, cook, study, read, and watch TV in these. We even _____ _____ _____ _____ in them. What are they?

8

W Attention, please. We _____ _____ _____ _____. Her name is Josephine. She was found in the toy store on the 6th floor in our department store. She is _____ _____ _____ _____. She is wearing a pink hat, a red sweater, blue jeans, and red sneakers. She is here at the information desk near the entrance to the store. Once again! Josephine is waiting for her mom here _____ _____ _____ _____ on the first floor. Thank you.

9

W I'm going to the supermarket. I need to get some things for the picnic.

M Can we have watermelon and fried chicken?

W Sure. _____ _____ _____ _____ _____?

M How about iced tea and potato chips?

W Definitely. How about something sweet?

M Do you remember the last picnic we had? Tina brought a delicious apple pie.

W That's right. She _____ _____ _____. I'll ask her to do it again. I'm sure she will.

10

[Telephone rings.]

W Hello.

M Hey, June. It's Dave.

W Dave! It's 6 o'clock already. You should be here by now!

M I know. _____ _____ _____ _____.

W Everyone else is here. We're all waiting for you.

M Well, I'm sorry. _____ _____ _____ really bad traffic.

W OK. Just get here as soon as you can.

M I will.

11

W If you want to _____ _____ _____ _____ _____ , you should follow some simple rules. First, don't drink coffee, tea, or energy drinks after dinner. Second, you should not _____ _____ _____ . Third, turn off the TV and the computer at least half an hour before going to sleep. Finally, if you still have trouble getting to sleep, drink a cup of warm milk. And always _____ _____ _____ during the day.

12

M What are you watching in the sky? It's so dark.

W I'm watching the stars.

M Are you interested in stars and planets?

W Yes. I want to _____ _____ _____ _____ _____ when I go to college. What about you?

M I want to study plants, fish, and other animals in the oceans. There are _____ _____ _____ _____ . I believe they will make our life better.

13

W When are you taking your vacation this year?

M In the spring. I'm going to Rome!

W Lucky you. _____ _____ _____ _____ there?

M I'm flying direct from Incheon Airport.

W How long will you be gone?

M Fourteen days.

W Great! Have you booked a hotel?

M No. My cousin Andy lives there. _____ _____ _____ _____ .

W Oh, good for you.

14

M I'm saving up to buy a guitar. I love playing the guitar. It's my dream.

W Really? That's so cool.

M I want to be the _____ _____ _____ _____ . What about you?

W I wanted to be a flight attendant because I love traveling and meeting people. But now I _____ _____ _____ _____ . Just wait and see. I'll write great songs for you and your band.

15

[Telephone rings.]

W Hi, this is Ann. Can I speak to Teddy?

M He's not at home right now. Can I _____ _____ _____ ?

W No, thanks. I wanted to ask him to study with me for the math exam.

M Well, I think he went to study _____ _____ _____ . He'll be there all day.

W Oh, really? What time did he go?

M Around 9. He left right after breakfast.

W OK. I'll go and _____ _____ _____ . Thanks.

16

① W _____ _____ _____ do you have a day?

   M I have seven.

② W What are you doing this weekend?

   M I do it every year.

③ W How often do you go to the gym?

   M Twice a week.

④ W _____ _____ _____ _____ the concert?

   M It was really awesome.

⑤ W May I help you?

   M I want to buy a new cell phone.

17

M Attention, please. We _____ _____ _____ _____ Incheon Airport in twenty minutes, so please return your seats to the upright position, secure your dining trays, and _____ _____ _____ _____ .
The weather in Incheon is cool and cloudy, and we _____ _____ _____ on time. Thank you for flying British Airways.

18

M Good afternoon, boys. As you all know very well, summer vacation starts next week.
I suggest that you all do something great during your holidays _____ _____ .
There are many charities that you can help by giving some of your time and energy.
Try to help _____ _____ _____ _____ as well as your own.

19

M You're late. I was _____ _____ _____ for one hour.

W I'm really sorry. I couldn't find my car key.

M So, did you find it?

W No, I couldn't.

M Then, how did you get here?

W I took a taxi, but there was heavy traffic on the road.

M Oh, okay. Anyway, please _____ _____ _____ _____ you are late again.

W _____

20

M Sally calls her friend Tom to _____ _____ _____ _____ with homework. Tom's mother answers. She says Tom _____ _____ . She says she doesn't know what time he'll be back. Sally really needs Tom's help. She doesn't have any other classmate's phone number. She wants him to _____ _____ _____ as soon as he comes home. In this situation, what would Sally say to Tom's mother?

Sally _____

09 영어듣기 모의고사

Take Notes

1 대화를 듣고, 두 사람이 Maria에게 줄 선물을 고르시오.

①

②

③

④

⑤

2 대화를 듣고, 내일의 날씨를 고르시오.

①   ②   ③   ④   ⑤

3 대화를 듣고, 남자의 심정으로 가장 알맞은 것을 고르시오.

① bored   ② joyful   ③ excited

④ disappointed   ⑤ confused

4 대화를 듣고, 남자가 이번 주말에 할 일을 고르시오.

① 농구   ② 낚시   ③ 등산   ④ 야구   ⑤ 숙제

5 대화를 듣고, 여자가 오늘 이용할 교통수단을 고르시오.

① 도보   ② 버스   ③ 지하철   ④ 승용차   ⑤ 택시

6 대화를 듣고, 두 사람이 만나기로 한 시각을 고르시오.

① 오전 11시 ② 12시 ③ 오후 1시
④ 오후 2시 ⑤ 오후 3시

Take Notes

7 대화를 듣고, 두 사람의 관계로 가장 적절한 것을 고르시오.

① 경찰 - 운전사 ② 감독 - 선수
③ 점원 - 손님 ④ 사장 - 직원
⑤ 도서관 사서 - 대출자

8 대화를 듣고, 여자가 가장 좋아했던 여행지를 고르시오.

① Budapest ② Prague ③ Amsterdam
④ London ⑤ Paris

9 대화를 듣고, 남자가 선택하게 될 체중 조절 방법으로 알맞은 것을 고르시오.

① 에어로빅 ② 조깅 ③ 식단 조절
④ 수영 ⑤ 줄넘기

10 대화를 듣고, 식당에 관한 내용과 <u>다른</u> 것을 고르시오.

① A new restaurant
② Served Chinese and Thai food
③ Located on Main Street
④ Free home delivery
⑤ Special discount for new customers

11 대화를 듣고, 여자가 하게 될 봉사 활동을 고르시오. Take Notes

① 설거지 ② 요리 ③ 빨래
④ 청소 ⑤ 다림질

12 대화를 듣고, 남자가 전화를 건 목적을 고르시오.

① 안부를 전하려고
② 영화를 홍보하려고
③ 파티에 같이 가려고
④ 숙제를 함께 하려고
⑤ 같이 영화를 보러 가려고

13 다음을 듣고, 내용과 가장 관련 있는 속담을 고르시오.

① Look before you leap.
② Better late than never.
③ Practice makes perfect.
④ Spare the rod, spoil the child.
⑤ Two heads are better than one.

14 대화를 듣고, 두 사람이 준비할 필요가 없는 물건을 고르시오.

① 수영복 ② 모자 ③ 수건
④ 음식 ⑤ 배드민턴 라켓

15 다음을 듣고, 'I'가 무엇인지 고르시오.

① microwave ② dishwasher ③ air conditioner
④ refrigerator ⑤ washing machine

16 대화를 듣고, 남자가 방 청소를 할 수 <u>없는</u> 이유를 고르시오.

Take Notes

① 컴퓨터 게임을 하려고　　　② 농구 연습이 있어서

③ 할머니를 마중 가야 해서　　④ 친구와 약속이 있어서

⑤ 숙제를 하고 있어서

17 대화를 듣고, 두 사람의 대화가 <u>어색한</u> 것을 고르시오.

①　　　　②　　　　③　　　　④　　　　⑤

18 다음을 듣고, 무엇에 관한 내용인지 고르시오.

① 분실물 안내　　② 미술 작품 판매　　③ 미술관 관람 안내

④ 비행기 탑승 안내　　⑤ 여행 가이드 모집

19-20 대화를 듣고, 여자의 마지막 말에 이어질 남자의 응답으로 가장 알맞은 것을 고르시오.

19 Man: _____

① I've seen it already.

② Don't mention it.

③ I think it's the zoo

④ That would be nice.

⑤ It's about an hour.

20 Man: _____

① I sure do.

② Good for you

③ No, thank you.

④ I don't have any.

⑤ I bought it yesterday.

1

M   What's the date today?

W   It's January the 11th.

M   Oh. Maria's birthday is soon.

W   Really? What should we _____ _____ _____ _____ _____?

M   How about a book?

W   Maybe, but I don't know what book to choose.

M   Right. How about _____ _____ _____?

W   Good idea. Let's buy that.

2

W   It looks like it's going to rain. What's the weather forecast for tomorrow?

M   I heard there'll be _____ _____ _____. I won't be able to have my picnic.

W   Don't be disappointed. You can go on a picnic next time.

M   I know. But it always _____ _____ _____ when I plan to do something outdoors.

3

W   Hi. How can I help you?

M   _____ _____ _____ *Iron Man* please.

W   Certainly. For the three o'clock show?

M   No, the 1:30 show, please.

W   I'm sorry. The 1:30 show _____ _____ _____.

M   But that's the only time I have. Now I can't see it at all.

4

W   What are you doing this weekend?

M   Nothing special. How about you? Are you playing basketball?

W   No, I'm going fishing with my brother. _____ _____ _____ _____?

M   I don't know. I never tried it.

W   Why don't you come along? It's fun. We can teach you.

M   I'd love to, but not this weekend. I've _____ _____ _____ _____.

5

M   Hi, Kate! Where are you going?

W   _____ _____ _____ _____.

M   Do you always walk to school?

W   No, I usually take the bus. But it's such a nice day today. I _____ _____ _____.

6

M   Let's go to the baseball game on Saturday.

W   I can't. I have to go to a wedding.

M   Your cousin's wedding? Isn't it on Sunday at 3 pm?

W   Oh, you're right! So _____ _____
_____ _____ _____?

M   The game starts at one o'clock. How about eleven?

W   At my house? It's a little early. Just come _____ _____ _____ _____ _____.

M   OK. See you then!

7

M   Good morning. How can I help you?

W   I'm looking for a book called *The Book Thief*, but I don't know _____ _____ _____. Can you help?

M   Let me check on the computer.

W   OK. Thanks.

M   We have that book, but someone _____ _____ _____ _____. The due date is Friday.

W   Then, can you hold it for me, please?

8

M   I heard you went to Europe. How was it?

W   It was great. I stayed in Budapest, Prague, Amsterdam, London, and Paris.

M   Wow! _____ _____ did you like the best?

W   I had a lot of fun in Amsterdam, but I like Prague best. It's so beautiful.

M   _____ _____ _____ Budapest. What was it like?

9

M   I think I should _____ _____ _____ _____.

W   Why?

M   I need to lose weight. Can you give me any tips?

W   Well, you have to _____ _____.

M   I tried, but I love food too much!

W   Then you need to exercise more. I lost weight by jogging every day.

M   I tried jogging. But it hurts my knees.

W   _____ _____ _____? It won't hurt your knees.

M   What a great idea! I'll start tomorrow.

10

M   There's a new restaurant _____ _____ _____.

W   What kind of restaurant is it?

M   It's Chinese and Thai.

W   I love Thai food.

M   Me, too. And it's on Main Street, not _____ _____ _____ _____.

W   Do you want to call and order takeout?

M   Sure. There's a twenty-five percent _____ _____ _____ _____ this week.

W   Twenty-five percent? That's great.

11

M   May I help you?

W   Yes. Do you have _____ _____
    _____ _____? I'd like to help.

M   Sure. You can help in the kitchen with food
    preparation, cleaning, and dishwashing. Or
    you could do the laundry or iron the clothes.

W   Except for cooking, I can do anything.

M   Well, then, I'll put you in the kitchen. You
    can _____ _____ _____. OK?

12

[Telephone rings.]

M   Hi, this is Justin. May I speak to Emma?

W   This is Emma. Hi, Justin!

M   Hey, _____ _____ _____ _____
    _____?

W   Nothing much. Just doing my math
    homework. It's pretty boring.

M   Do you want to _____ _____ _____
    _____ _____ tonight? There's a good
    movie on at Cine Central.

W   I'd love to. What time?

13

M   Peter Jones was _____ _____ _____.
    He made lots of money. But he wasn't
    happy. He _____ _____ _____
    _____ _____. So, when he was 45, he
    attended a cooking school. Now he is 50,
    and he's the head chef at his own restaurant.
    _____ _____ _____ now.

14

M   What do we have to _____ _____
    _____ _____?

W   We'll have swimming, so bring a swimsuit.

M   How about a hat and a towel?

W   Yes, both of those. We should bring two
    towels.

M   What about food?

W   We _____ _____ _____ worry
    about that. The school will prepare food for
    us.

M   Do you think we can play badminton?

W   Sure, let's _____ _____ _____, too.

15

M   I am always cold. I usually _____
    _____ _____. Inside one door, you
    can find ice cream and ice cubes. Inside the
    other one, it is cold but _____ _____.
    In here, you can find fresh food such as eggs,
    milk, cheese, and vegetables. I am usually
    _____ _____ _____ in the kitchen.
    What am I?

16

W   Danny! Your room is a mess! Can you please
    _____ _____ _____?

M   Can I do it after basketball practice? I'm late
    already.

W I would like you to do it now, please. Grandma is coming to stay tonight.

M I promise I'll do it _____ _____ _____. Our team is in the finals this weekend!

17

① W Would you like to drink a cup of tea?
　 M Thanks, I'd love to.

② W Did you like the concert?
　 M Yeah, it was great!

③ W _____ _____ _____ _____?
　 M Let me see. It's $3.90.

④ W When is your final exam?
　 M It's too hard for me.

⑤ W How often do you go to the movies?
　 M About _____ _____ _____.

18

W Welcome to the Museum of Modern Art. My name is Sandra Love, and I will _____ _____ _____. The museum has six floors and contains many great works of modern art. This tour will introduce you to the most important works of art in the museum. Please stay with the group until the end of the tour. It will _____ _____ _____ _____. Please follow me.

19

M I'm back!

W Hey, how was the city tour bus?

M It was really good.

W _____ _____ _____ _____ _____. Sydney has so many lovely places to see.

M It sure does. I definitely want to go to the Taronga Zoo. It looks beautiful.

W _____ _____ _____ _____ _____ tomorrow if you like.

M

20

M Is that a remote control car?

W Yes, it is. Here, _____ _____ _____.

M Wow! How does it work?

W Just put batteries in the car and in the remote control. Then, press the power button to turn it on. And move this stick to the direction you want your car to move. _____ _____ _____ _____?

M

영어듣기 모의고사

정답 및 해설 p.36

Take Notes

1 대화를 듣고, 남자가 선택한 쿠키를 고르시오.

① 　　② 　　③

④ 　　⑤

2 대화를 듣고, 여자의 장래 희망으로 적절한 것을 고르시오.

① 　　② 　　③

④ 　　⑤

3 대화를 듣고, 남자의 심정으로 가장 적절한 것을 고르시오.

① tired　　② happy　　③ excited　　④ worried　　⑤ surprised

4 대화를 듣고, 여자가 가장 좋아하는 음악 장르를 고르시오.

① pop　　② jazz　　③ hip-hop　　④ classical　　⑤ rock

5 다음을 듣고, 무엇에 관한 설명인지 고르시오.

① 추석　　② 설날　　③ 단오　　④ 성탄절　　⑤ 동지

6 대화를 듣고, 두 사람이 대화하는 장소를 고르시오.

① 우체국　　② 옷 가게　　③ 식당　　④ 병원　　⑤ 노래방

7 대화를 듣고, 두 사람의 관계로 알맞은 것을 고르시오.

① 비행기 승무원 - 승객
② 교사 - 학부모
③ 서점 주인 - 손님
④ 음식점 종업원 - 손님
⑤ 경찰관 - 택시 기사

8 대화를 듣고, 뮤지컬이 시작되는 시각을 고르시오.

① 4:00　　② 5:00　　③ 6:00　　④ 7:00　　⑤ 8:00

9 대화를 듣고, 남자가 여름에 방문하고자 하는 나라를 고르시오.

① Japan　　② France　　③ India
④ America　　⑤ Australia

10 다음을 듣고, 무엇에 관한 안내 방송인지 고르시오.

① 미아　　② 분실물　　③ 특별 할인
④ 안내소 위치　　⑤ 당첨자 확인

11 대화를 듣고, 대화의 내용과 메모가 일치하지 <u>않는</u> 것을 고르시오.

Take Notes

> Memo
>
> To: ① <u>Tony</u>
> From: ② <u>Karen</u>
> Message: She will ③ <u>visit Tony</u> on ④ <u>Saturday the 17th</u>.
> Date: She called on ⑤ <u>Thursday the 14th</u>.

12 대화를 듣고, 여자가 이용할 교통수단을 고르시오.

① by car ② by subway ③ by taxi ④ by bus ⑤ on foot

13 대화를 듣고, 여자가 파티에 가져가기로 한 것을 고르시오.

① cake ② peaches ③ a tree ④ flowers ⑤ juice

14 대화를 듣고, 남자의 형에 관해 알 수 <u>없는</u> 것을 고르시오.

① 외모 ② 키 ③ 나이 ④ 직업 ⑤ 취미

15 대화를 듣고, 내용과 가장 잘 어울리는 속담을 고르시오.

① Better late than never.
② No news is good news.
③ A little knowledge is dangerous.
④ Do not judge a book by its cover.
⑤ A bad workman always blames his tools.

16 대화를 듣고, 남자가 주말에 할아버지 댁을 방문하려는 이유를 고르시오.

① 농장 일을 도우려고　　② 할머니 생신을 축하하려고

③ 친척들을 만나려고　　④ 휴식을 취하려고

⑤ 딸기를 판매하려고

17 다음을 듣고, 두 사람의 대화가 <u>어색한</u> 것을 고르시오.

①　　　　②　　　　③　　　　④　　　　⑤

18 대화를 듣고, 남자가 전화를 건 목적을 고르시오.

① 안부를 전하려고　　② 책을 빌리려고

③ 채점을 부탁하려고　　④ 도움을 요청하려고

⑤ 약속 시간을 변경하려고

19-20 대화를 듣고, 여자의 마지막 말에 이어질 남자의 응답으로 가장 적절한 것을 고르시오.

19 Man: _____

① Oh, he's nearly seven.

② Of course. He's my son.

③ I'm not good at drawing.

④ I'm sure you'll like them.

⑤ They look good. I'll take them.

20 Man: _____

① Try to change what you eat.

② Hamburgers are my favorite, too.

③ I don't like exercising a lot, either.

④ Sorry to hear that. You should eat more.

⑤ I went there before and the food was really nice.

1

W These cookies are nice. _____ _____ _____ _____ _____ _____ ?

M I like the heart shape. But the rabbit is really cute.

W The rabbit? Which one do you mean?

M I mean the rabbit _____ _____ _____ _____ . Can I have that one please?

2

W Wow! Your hair looks great. Where did you get it cut?

M My mom _____ _____ _____ _____ . She cuts my hair. I want to be a hair stylist like my mom. How about you?

W I want to be a fashion model. I like wearing beautiful clothes.

M Oh! You _____ _____ _____ _____ .

3

W Hey, Harry! You _____ _____ _____ . What are you looking for?

M I'm looking for my wallet. Have you seen it?

W No, but do you remember where you put it last?

M No. If I can't find it, _____ _____ _____ _____ _____ !

4

M _____ _____ _____ _____ this music?

W So-so. But you really like it, don't you?

M Yes, hip-hop is my favorite. What's your favorite kind of music?

W _____ _____ _____ _____ _____ . I think piano jazz music is wonderful.

5

M This is the most important holiday in Korea. The date is different every year, but it's always in January or February. It's in winter time. Millions of people _____ _____ _____ _____ . Children bow to their parents and grandparents. Everyone eats rice cake soup and _____ _____ _____ _____ _____ ahead.

6

M May I help you?

W Yes. I like this coat. I'm not sure _____ _____ _____ _____ .

M This is medium. Would you like to try it on?

W Yes, please.

M The fitting room is to your left.

W Oh, may I _____ _____ _____ _____ , too?

M Sure. Here it is.

7

M _____ _____ _____
_____ _____, ma'am?

W Yes. Orange juice, please.

M Here you are, ma'am. And the beef or the chicken for you?

W Chicken, please. By the way, what city is that down there?

M _____ _____ _____
Phoenix, Arizona right now, ma'am.

W Oh. It's very big.

8

M Would you like to come to a musical on Saturday? _____ _____ _____
_____ _____.

W Sure! What time shall we meet?

M I can pick you up. How about 6? It's

_____ _____ _____ _____

_____.

W Great! Then we can have dinner at my house before we go.

M Really? That would be nice. See you at 6.

9

M How was your summer vacation in Japan?

W It was very hot. But Kyoto was beautiful.

M Are you _____ _____ _____
_____ this summer, too?

W Yes, I'm going to Australia with my mother. How about you?

M I'm going to France to _____ _____
_____ in Paris.

10

W Attention, shoppers! We _____ _____
_____ _____ at the information desk on the first floor. He is wearing blue shorts and a white T-shirt with green stripes. He is

_____ _____ _____ _____.

If you are his mother, please come to the information desk. Thank you.

11

W Hello, Tony. How was your trip to Egypt?

M Great! I want to go there again.

W Good. By the way, Karen called you

_____ _____ _____ _____.

M What was it about?

W She will visit you on Saturday.

M This Saturday, the 17th? When did she call?

W Yesterday. _____, _____ _____.

12

W Excuse me. _____ _____ _____
_____ _____ St. James' Park from
here?

M St. James' Park? You can take a bus or the
subway.

W Then, which is faster?

M I think _____ _____ _____
_____ _____. The traffic is very bad
right now.

W OK. Could you tell me where the nearest
station is?

M Sure. Just _____ _____ in this
direction. It's on the next corner.

W Thank you.

13

M Are you coming to my birthday party?

W Of course! Shall I bring a cake?

M No, _____ _____ _____ _____.
Mom is making me a birthday cake.

W Then I'll _____ _____ _____, OK?
Our peach tree has lots of peaches on it.

M Really? That would be great! Thanks!

14

M Did you see my brother yesterday?

W Yes. He's really _____ _____
_____.

M Yeah. He is 185 cm tall.

W How old is he?

M Ten years older than me. He's 26.

W Really? I thought he was about 20! What
does he like to do?

M He _____ _____ _____ _____
_____. Mostly he plays soccer.

15

W Do you know that boy? _____ _____
_____.

M He's not mean. He's really nice.

W How do you know?

M He's my brother's friend.

W Oh, really? What's his name?

M Charlie Simpson. _____ _____
_____ _____ _____. All of my
family likes him.

16

W Do you have any plans for the weekend?

M Yes, I'm going to _____ _____
_____ _____.

W You went there last weekend, didn't you?

M Yes, it was Grandma's birthday. This
weekend, I'm going to help on the farm.
There are _____ _____ _____
_____ _____.

W Wow! You didn't tell me they have a
strawberry farm!

17

① M What time shall we meet?
   W At the front of the theater.

② M What's wrong? _____ _____

   _____.

   W My friend, Sally, lied to me.

③ M Who's calling, please?
   W This is Karen Spencer.

④ M What kind of coffee would you like?
   W Iced latte, please.

⑤ M Did you _____ _____ _____

   _____?

   W Of course I did.

18

[Telephone rings.]

W Hello.

M Hi, Kelly. It's Jim.

W Hi, Jim. What's up?

M I have math homework due tomorrow, but

_____ _____ _____ some of the

questions. Can you help me?

W Sure. Let's _____ _____ _____

_____ in an hour.

19

W How may I help you, sir?

M _____ _____ _____ _____

_____ something for my son.

W How old is he?

M He'll be seven on Saturday.

W How about this lovely _____ _____

_____ and a sketchbook?

M _____

20

M What's the matter? You look depressed.

W I've _____ _____ _____ _____

_____ lately. I feel so fat.

M Have you eaten a lot lately?

W I'm not sure.

M _____ _____ _____ _____

_____ for lunch?

W I always eat fast food. I love hamburgers.

M _____

1 대화를 듣고, 여자가 바자회에 가져갈 물건을 고르시오.

Take Notes

①  ②  ③

④   ⑤

2 대화를 듣고, 여자가 방문한 곳의 날씨로 가장 적절한 것을 고르시오.

①  ②  ③

④  ⑤

3 대화를 듣고, 남자의 마지막 말에 드러난 심정으로 가장 적절한 것을 고르시오.

① bored ② sorry ③ relaxed ④ excited ⑤ disappointed

4 대화를 듣고, 두 사람이 대화하는 장소로 가장 적절한 곳을 고르시오.

① 미용실 ② 커피숍 ③ 병원 ④ 옷 가게 ⑤ 사진관

5 대화를 듣고, 남자가 지불할 금액을 고르시오.

① $6 ② $8 ③ $10 ④ $20 ⑤ $50

6 대화를 듣고, 남자가 묘사하는 사람을 고르시오.

① 　② 　③ 　④ 　⑤

7 대화를 듣고, 남자가 전화를 건 목적으로 가장 적절한 것을 고르시오.

① 상품을 교환해 주려고　　② 특별 세일을 알리려고

③ 배송 지연을 사과하려고　　④ 배송 시간을 확인하려고

⑤ 구매 만족도를 조사하려고

8 대화를 듣고, 대화 후 여자가 할 일로 가장 적절한 것을 고르시오.

① 요리하기　　② 메뉴 정하기　　③ 파티장 꾸미기

④ 장보러 가기　　⑤ 초대장 만들기

9 대화를 듣고, 두 사람의 관계로 가장 적절한 것을 고르시오.

① 세차장 직원 - 손님　　② 치과 의사 - 환자

③ 구두 수선공 - 손님　　④ 식당 점원 - 손님

⑤ 안내 요원 - 관광객

10 다음을 듣고, 도표의 내용과 <u>다른</u> 것을 고르시오.

Students' Favorite Amusement Parks

	Greenland	Star Land	Fantasy World	Children's Park
	10	5	7	3

①　　②　　③　　④　　⑤

**영어듣기
모의고사**

11 대화를 듣고, 여자가 남자를 위해 할 일로 가장 적절한 것을 고르시오.

① 노트 빌려 주기   ② 교실 청소하기
③ 숙제 제출해 주기   ④ 선생님 모셔오기
⑤ 역사 숙제 도와주기

Take Notes

12 다음을 듣고, 안내 방송의 내용과 일치하지 <u>않는</u> 것을 고르시오.

① 마라톤이 곧 개최될 예정이다.
② 모든 자원봉사자에게 증명서가 수여된다.
③ 자원봉사자는 방문객 안내인으로 일할 수 있다.
④ 학교 웹사이트를 통해서 신청할 수 있다.
⑤ 자원봉사자에게 소정의 기념품이 주어진다.

13 대화를 듣고, 대화 후 두 사람이 할 일로 가장 적절한 것을 고르시오.

① 사진관에 가기   ② 에세이 쓰기   ③ 역사 숙제 하기
④ 예배 드리기   ⑤ 성당 사진 찍기

14 다음을 듣고, 두 번째로 많이 팔린 과일을 고르시오.

① peaches   ② apples   ③ kiwis   ④ oranges   ⑤ watermelons

15 대화를 듣고, 여자의 자전거에 대한 설명으로 일치하지 <u>않는</u> 것을 고르시오.

① 새 자전거이다.
② 초록색이다.
③ 앞쪽에 바구니가 달려 있다.
④ 학교에 타고 가려고 샀다.
⑤ 할인 중이라서 싼 가격에 구입했다.

⑯ 다음을 듣고, 두 사람의 대화가 <u>어색한</u> 것을 고르시오.

①   ②   ③   ④   ⑤

⑰ 다음을 듣고, 오늘 오후 2시에 학생들이 있을 장소로 가장 적절한 곳을 고르시오.

① 운동장   ② 버스 안   ③ 피크닉 장소

④ 퍼레이드 행진   ⑤ 호숫가

18-19 대화를 듣고, 여자의 마지막 말에 이어질 남자의 응답으로 가장 적절한 것을 고르시오.

⑱ **Man:** _____

① I ordered a large pizza.

② I don't want to eat there.

③ The pizza is your favorite.

④ Yeah, I have one on my phone.

⑤ The delivery guy is here already.

⑲ **Man:** _____

① I always do that easily.

② That's not good for you.

③ I heard you are very busy.

④ I have to study math today.

⑤ Then, call me before you go there.

⑳ 다음을 듣고, David가 Laura에게 할 말로 가장 적절한 것을 고르시오.

David: _____

① That's a great idea.

② Why don't we go hiking instead?

③ I'd rather spend the day with him.

④ There's too much traffic downtown.

⑤ You can borrow mine whenever you need it.

 **Dictation**

정답 및 해설 p.43

1

M Here, you can take my sweaters to the charity sale.

W Let me see. I don't think I can take them. They _____ _____ _____.

M Then how about my blanket?

W No. I think it is too worn.

M Okay. Then, why don't you _____ _____ _____ _____? They are like new.

W That would be good.

M I'll go and get them for you.

2

W I went to Singapore _____ _____ _____. What did you do?

M I just stayed home. So, did you do something interesting in Singapore?

W Shopping, mostly. _____ _____ _____ _____. I couldn't do any outdoor activities.

M I'm sorry to hear that. During the holiday, it was clear and sunny in Korea.

3

M Your mother and I are so sorry we missed the song contest.

W That's OK, Dad. You had to _____ _____ _____.

M So, how was it?

W We won first prize! Four out of five judges gave us ten out of ten.

M Wow! _____ _____! I can't wait to tell your mom.

4

M What can I do for you?

W Can I show you a picture?

M Of course! Oh, that's my favorite actress.

W Can you do that style on me?

M Sure. It will be _____ _____ _____ from your long hair.

W I love this short style.

M OK. First, _____ _____ _____ _____ _____.

5

M Hi! I want two tickets, please. One adult and one student.

W It's 10 am, so you can _____ _____ _____ _____ _____.

M Great! What's the discount?

W It's 50 percent off.

M Adult tickets are usually ten dollars and students are usually six dollars, right?

W Yes, sir. So you _____ _____ _____ _____ _____ _____.

6

M I think I met your father at my gym the other day.

W You met my dad at the gym? _____
_____ _____ ? He's really tall.

M Yeah, the man was very tall and looked
strong, too.

W Did he wear sunglasses?

M Yes, the man _____ _____ _____ .

W Well, I think you're right. My father often
goes to the gym.

7

[Telephone rings.]

M Ms. Lawrence? This is Bob from Best
Furniture.

W Yes, Bob.

M _____ _____ _____ _____
_____ you'll be home around 10 am.

W I'm sorry, but I'm still out. I'll be home after
3 pm.

M I see. Then, can we _____ _____
_____ tomorrow instead?

W That would be much better. I'll be home all
day.

M Great. I'll call when the truck is on its way.

8

W Well, everyone we invited is coming to our
party.

M Great. What can I do?

W Will you go to the grocery store and
_____ _____ _____ for me?

M Sure. Just give me a shopping list.

W Well, that's the problem. I _____
_____ _____ _____ _____ yet.

M Okay. Just hurry up. Would you include
sausages on the menu for me? I love grilled
sausages.

W Sure. I'll do it right away. Just wait a minute.

9

W What can I do for you, sir?

M Just clean and _____ _____ _____ ,
thank you.

W OK. Have a seat, please. It'll take a few
minutes.

M How much is it?

W Ten dollars. Look! Your shoes have holes.

M I know. _____ _____ _____
_____ tomorrow? I'm too busy today.

W Sure. Just drop them off when you have time.

10

① M "Greenland" is the most favorite place in
the class.

② M "Star Land" was chosen by five students.

③ M Ten students chose "Greenland" as
_____ _____ _____ _____
_____ .

④ M "Fantasy World" was chosen by three
more students than "Children's Park."

⑤ M "Children's Park" was chosen by
_____ _____ _____ _____
_____ .

11

M   What class have you got next?

W   History with Mr. Thompson.

M   Great. Will you _____ _____ _____ _____?

W   Sure, what is it?

M   Would you give this to Mr. Thompson? It's my history homework.

W   No problem. By the way, what class have you got next?

M   Music. _____ _____ _____!

12

[Chime rings.]

M   Can I have your attention please, everyone? As you know, our city's world-famous marathon _____ _____ _____ _____, and we need many volunteers. This year, all students who volunteer will be _____ _____ _____. Volunteers can work as visitor guides. I _____ _____ _____ _____ _____ today on the school's website! It will be a good experience for you.

13

W   Have you been to St. Patrick's?

M   The beautiful old Catholic Church on the hill? I haven't been inside it.

W   I've been _____ _____ _____. It's really interesting.

M   You should write a story about it.

W   I think I will do it later. I'm going up there now to _____ _____ _____. Do you want to come?

M   Sure. I'd love to.

14

M   I'm Julian Rowe, owner of the Lucky Fruit Store. _____ _____ _____ this year was the watermelon. They sold for up to twenty dollars each, depending on their size. We also _____ _____ 1,500 oranges, 1,000 apples, 700 peaches and 500 kiwis. It was a great year for the Lucky Fruit Store!

15

W   How do you like my brand-new bike?

M   I like that color. I love green.

W   Actually, the thing I like best is _____ _____ _____ _____ _____.

M   Why did you buy it?

W   I plan to ride it to school.

M   Oh, really? How much did you pay for it?

W   I don't know. My father bought it _____ _____ _____ _____.

M   Nice. Do you mind if I ride it?

16

① M What are you going to do today?

W I'm going to _____ _____ _____

_____.

② M How long does it take to get there?

W We can get there on foot.

③ M How many times have you played that song?

W Why, don't you like it?

④ M Shall we _____ _____ _____

_____?

W That would be great.

⑤ M Where are you going?

W Down to the village.

17

W Students, please listen carefully. This is today's schedule. At 10 o'clock, students should be _____ _____ _____. At 10:30, buses leave for Central Park. At 12, we will have a picnic lunch. At 2, students will _____ _____ _____ to sketch pictures around the lake. At 4, there will be the Great May Parade. I hope you all enjoy it!

18

M I don't feel like cooking tonight.

W We can _____ _____ if you like.

M I'd rather stay home and order pizza.

W Actually, _____ _____ _____.

M Would you? I don't mind. That sounds good, too.

W _____ _____ _____ _____

_____ _____ of a Chinese restaurant?

M _____

19

M You look really healthy. _____ _____

_____ _____ _____?

W I run nearly every day. I try to stay healthy.

M Do you _____ _____ _____

_____ _____?

W Yes. There's one in my apartment building.

M I want to join that gym. Can I come with you?

W Of course. I usually go to the gym _____

_____ _____.

M _____

20

W David and Laura _____ _____

_____ together a lot. But David's brother borrowed David's bike today. Laura and David still want to _____ _____

_____ together. David knows that Laura likes to go to the mountain. In this situation, what would David say to Laura?

David _____

영어듣기 모의고사

정답 및 해설 p.43

1 다음을 듣고, 금요일의 날씨로 가장 적절한 것을 고르시오.

Take Notes

①   ②   ③   ④   ⑤

2 대화를 듣고, 두 사람이 구입할 돗자리를 고르시오.

①   ②  ③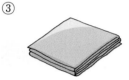

④  ⑤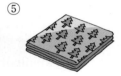

3 대화를 듣고, 여자의 심정으로 가장 적절한 것을 고르시오.

① upset　　② proud　　③ happy　　④ scared　　⑤ bored

4 대화를 듣고, 여자가 지난 일요일에 한 일로 가장 적절한 것을 고르시오.

① 아르바이트　　② 집안일　　③ 유럽 여행
④ 영화 보기　　⑤ 숙제 하기

5 대화를 듣고, 두 사람이 대화하는 장소로 가장 적절한 곳을 고르시오.

① 은행　　② 식당　　③ 기차역　　④ 공항　　⑤ 영화관

6 대화를 듣고, 남자의 마지막 말의 의도로 가장 적절한 것을 고르시오.

① 사과　　② 충고　　③ 칭찬　　④ 허락　　⑤ 감사

7 대화를 듣고, 남자가 주문할 피자의 수를 고르시오.

① 2　　　② 3　　　③ 4　　　④ 5　　　⑤ 7

8 대화를 듣고, 대화 후 남자가 할 일로 가장 적절한 것을 고르시오.

① 전화하기　　　　　② 출장 가기
③ 호텔 예약하기　　　④ 여행사 방문하기
⑤ 친구와 여행하기

9 대화를 듣고, 여자가 가장 좋았다고 생각하는 것을 고르시오.

① 전통 시장　　② 박물관　　③ 등산　　④ 고성　　⑤ 축제

10 다음을 듣고, 무엇에 관한 안내인지 가장 적절한 것을 고르시오.

① 가구 소개　　② 식사 예절　　③ 요리 방법
④ 여행 장소　　⑤ 관광 일정

11 대화를 듣고, 여자가 주문한 것이 <u>아닌</u> 것을 고르시오.

① 샌드위치　　② 샐러드　　③ 수프　　④ 국수　　⑤ 음료수

Take Notes

12 대화를 듣고, 여자가 전화를 건 목적으로 가장 적절한 것을 고르시오.

① DVD를 함께 보려고
② DVD 구매를 부탁하려고
③ DVD 대여료를 물어보려고
④ DVD 대여 기간을 연장하려고
⑤ DVD를 본 적이 있는지 물어보려고

13 대화를 듣고, 남자가 기차역에 가는 이유로 가장 적절한 것을 고르시오.

① 여행을 가려고
② 기차표를 예매하려고
③ 봉사 활동을 하려고
④ 잃어버린 물건을 찾으려고
⑤ 사촌 동생을 마중하려고

14 대화를 듣고, 두 사람의 관계로 가장 적절한 것을 고르시오.

① 간호사 - 환자
② 교사 - 학부모
③ 점원 - 손님
④ 여행사 직원 - 고객
⑤ 경찰 - 시민

15 대화를 듣고, 여자가 남자에게 부탁한 일로 가장 적절한 것을 고르시오.

① 장보기
② 빨래하기
③ 집 청소하기
④ 저녁 준비하기
⑤ 아버지에게 전화하기

16 대화를 듣고, 두 사람이 요리 재료로 사용하지 <u>않은</u> 것을 고르시오.

① 쇠고기　　② 시금치　　③ 당근　　④ 버섯　　⑤ 달걀

17 다음을 듣고, 두 사람의 대화가 <u>어색한</u> 것을 고르시오.

①　　　②　　　③　　　④　　　⑤

18 대화를 듣고, 남자가 겪은 상황과 가장 잘 어울리는 속담을 고르시오.

① 돌다리도 두들겨 보고 건너라.
② 서투른 일꾼이 연장을 탓한다.
③ 사공이 많으면 배가 산으로 간다.
④ 가는 말이 고와야 오는 말이 곱다.
⑤ 어려울 때 돕는 친구가 진정한 친구이다.

19-20 대화를 듣고, 남자의 마지막 말에 이어질 여자의 응답으로 가장 적절한 것을 고르시오.

19 Woman: _____

① What a great idea!
② I'm sorry to hear that.
③ I need to borrow money.
④ Thank you for your help.
⑤ You can see it right away.

20 Woman: _____

① No, it's not good.
② Sorry! I have no idea.
③ She's the best dancer.
④ Really? That's perfect for me.
⑤ Wait a second. It's not that easy.

1

W   Here's the weather forecast for the week ahead. Wednesday will _____ _____ _____. The rain will continue through Friday night and Saturday morning. Saturday afternoon the rain will clear, and the sun will shine. Sunday will be _____ _____ _____.

2

M   I think we _____ _____ _____ _____. Let's buy the cheapest one.

W   I don't want dolls or teddy bears on it. It's not for a baby.

M   How about a plain one, then?

W   It'll get dirty easily. I _____ _____ _____ _____.

M   A checked pattern? Okay, let's buy that one.

3

W   Dad, _____ _____ _____!

M   Is this the model airplane you made?

W   Yes, for my science project. Jane kicked it. It's broken!

M   You _____ _____ _____ _____ _____ your sister. Where's she now?

W   She ran away to hide from me!

4

W   Hello, Peter!

M   Hi, Ann. Did you _____ _____ _____?

W   Sure. I did it on Sunday. How about you?

M   I haven't done it yet. _____ _____ _____ _____ _____ _____.

W   Yeah, we have more days to finish it. But I'll be in Europe next week.

M   Ah, that's why.

5

W   Wow! Look at the line. It's really long.

M   Yeah, but we have no choice. We have to wait to _____ _____.

W   What time is the train?

M   Three o'clock. We still have time.

W   I'll go and get some food. I'm really hungry.

M   Then, I'll buy tickets. You go and get some food. We can _____ _____ _____ _____.

W   Okay. Look! Window number 4 is free! Go!

6

M   Get up, Maggie! You'll _____ _____ _____ _____ _____!

W   Please, I just want to sleep a little longer.

M   What time did you _____ _____ _____?

W Around midnight. I had to do my homework.

M You always do your homework late at night.

_____ _____ _____ _____

homework right away from now on.

7

M I'll buy pizza. _____ _____ _____
should I order?

W Well, who is coming to watch the game?

M Let's see. Three of my friends are coming.

W Then your friends are three, and my friends
are two. Plus you and me. _____ _____
_____ _____ . I think three pizzas
would be enough.

M Do you think it'll be enough?

W Okay, then _____ _____ _____ .

8

W Hey, your sister Jessica is _____ _____
_____ , isn't she?

M Yes, she is. Why?

W I have to go to Hong Kong next weekend.

M You'll _____ _____ _____
_____ .

W That's what I thought. But all of the tickets
are sold out.

M Seriously? OK, _____ _____ _____
now and see what she can do for you.

9

M I heard you went to Scotland with your
family.

W Yes, we did! We were gone for two weeks.

M What did you do there?

W We stayed in Edinburgh and toured around.
We _____ _____ _____ _____
_____ .

M What was the best part?

W _____ _____ _____ in Edinburgh!

10

W Hello, everyone! Today we are going to
_____ _____ _____ _____
_____ in England. In the UK, you should
wait to eat until the host starts to eat. It is not
polite to move your hand over someone's
food to pick up something. _____
_____ _____ _____ when you
travel to England.

11

W I'd like a sandwich and salad please.

M OK. Anything else?

W Yes, _____ _____ _____ _____ ,
please.

M Is that to have here or to go?

W To go, please.

M You _____ _____ _____ _____
_____ with your order. Coke or Sprite?

W Thank you, but I don't want a soft drink.

12

[Cell phone rings.]

M   Hey, what's up?

W   Have you seen the DVD I rented on Friday?

M   Yes, I've got it in my bag.

W   Well, I just got a phone call from the store.
_____ _____ _____ _____
_____ today.

M   Really? I'm on the way to Danny's to watch it with him.

W   Can you return it before the store closes tonight? I don't want to _____ _____
_____ .

M   Of course. I'll do it. Don't worry.

13

W   Where are you going now?

M   To Central Station.

W   Central Station? Are you _____ _____
_____ ?

M   No. My cousin is coming to visit me, so I'll pick her up at the station.

W   What time does her train get in?

M   It will be _____ _____ _____ .
I should hurry, or I'll be late.

14

[Telephone rings.]

M   Hello?

W   Hello. This is Timothy's mother.

M   Hi, Ms. Anderson. Is everything OK?

W   Not really. I'm worried about Timothy's English.

M   Yes, he _____ _____ _____
_____ _____ .

W   What do you suggest we do?

M   I can place him in our after-school program.

W   OK. _____ _____ _____ _____
Tim's father. Thank you.

15

[Cell phone rings.]

W   Hello, Chris. Are you home?

M   Yes. I just got home.

W   Oh, good.

M   Why? Do you want me to _____ _____
_____ _____ ?

W   Yes. Today, your father will come home with his co-workers. I think the house is pretty messy.

M   So, you _____ _____ _____
_____ _____ _____ , right?

W   Yes. I have to drop by the grocery store. So, I don't think I have time to do it.

M   Don't worry. I'll do it, Mom.

16

M   Do you remember _____ _____
_____ bibimbap?

W   Sure. Here's a big bowl. Put in cooked rice first.

M   Then _____ _____ .

W We've got spinach, carrots, mushrooms, and a fried egg.

M Now red pepper paste and a few drops of sesame oil.

W And finally, _____ _____ _____ really well. Let's eat!

17

① M Can I read this magazine?
　W No, I can't.

② M Was it a funny movie?
　W No, _____ _____ _____.

③ M How do I look in this jacket?
　W It fits you perfectly.

④ M Why isn't Harry in class?
　W _____ _____ _____ _____ today.

⑤ M Do you like your present?
　W It's lovely, thanks.

18

W How was your English speech test today?

M It was excellent. I got an A! Terry _____ _____ _____ _____.

W Really? I know you were really worried about the test.

M Yes. I'm not good at speaking English. I couldn't do it without his help.

W He is a really good friend!

M Yeah. _____ _____ _____ _____, he is always there for me.

19

W Excuse me. _____ _____ _____ _____ _____?

M Let me see. Go straight two blocks and turn left at the corner.

W Go two blocks and turn left?

M Yes. You will _____ _____ _____ _____ _____. It's next to the bank.

W

20

M What are you watching?

W It's my favorite show, *Dancing with the Stars*.

M Oh, is it on now? I love that show, too!

W Really? Do you know how to dance?

M Actually, _____ _____ _____. I signed up for a class.

W Did you? Can I join, too?

M Sure. You can come with me. _____ _____ _____ _____ _____.

W

13 영어듣기 모의고사

정답 및 해설 p.47

1 대화를 듣고, 남자가 아침으로 먹을 음식으로 가장 적절한 것을 고르시오.

Take Notes

①   ②   ③

④    ⑤

2 대화를 듣고, 남자가 여행할 곳의 날씨로 가장 적절한 것을 고르시오.

①   ②   ③   ④   ⑤

3 대화를 듣고, 여자의 마지막 말에 드러난 의도로 가장 적절한 것을 고르시오.

① 동의   ② 제안   ③ 칭찬   ④ 불평   ⑤ 감사

4 대화를 듣고, 두 사람이 대화하는 장소를 고르시오.

① 학교   ② 호텔   ③ 은행   ④ 슈퍼마켓   ⑤ 레스토랑

5 대화를 듣고, 두 사람의 대화에 등장하는 동물로 가장 적절한 것을 고르시오.

①    ②    ③

④   ⑤

6 대화를 듣고, 여자가 남자에게 줄 금액으로 가장 적절한 것을 고르시오.

① $10   ② $30   ③ $40   ④ $50   ⑤ $60

7 대화를 듣고, 남자가 전화를 건 목적으로 가장 적절한 것을 고르시오.

① 방문을 알리려고   ② 음식을 주문하려고

③ 합격 소식을 알리려고   ④ 여행 일정을 변경하려고

⑤ 약속 시간을 변경하려고

8 다음을 듣고, 광고문의 내용과 일치하지 <u>않는</u> 것을 고르시오.

BOB'S FISH and CHIPS

Metro Awards Winner
"The Best Fish and Chips"

Open: Tuesday - Sunday
11 am - 10 pm
99 Queen Street, Oxford
Tel: 09-630-6601

①   ②   ③   ④   ⑤

9 대화를 듣고, 두 사람의 관계로 가장 적절한 것을 고르시오.

① 교사 - 학생   ② 조종사 - 승무원   ③ 택시 기사 - 승객

④ 점원 - 고객   ⑤ 의사 - 환자

10 다음을 듣고, 사람들이 지하철에 가장 많이 놓고 내리는 물건으로 적절한 것을 고르시오.

① bags   ② umbrellas   ③ clothing

④ cell phones   ⑤ books

13 영어듣기 모의고사

11 대화를 듣고, 여자가 남자를 위해 할 일로 가장 적절한 것을 고르시오.

① 콜라 사 오기　② 테이블 정리하기　③ 피자 만들기
④ 설거지하기　⑤ 샐러드 만들기

Take Notes

12 다음을 듣고, 안내하는 내용과 일치하지 <u>않는</u> 것을 고르시오.

① 승객은 안전벨트를 착용해야 한다.
② 승객은 식사 테이블을 제 위치에 놓아야 한다.
③ 승객은 안전벨트 등이 꺼질 때까지 대기해야 한다.
④ 승객은 짐을 의자 밑이나 선반에 넣어야 한다.
⑤ 승무원도 안전벨트를 착용해야 한다.

13 대화를 듣고, 남자가 대회를 위해 할 일로 가장 적절한 것을 고르시오.

① 파트너 구하기　② 선생님께 상담하기　③ 참가 자격 확인하기
④ 집에서 연습하기　⑤ 대회 일정 확인하기

14 대화를 듣고, 여자가 앞으로 할 일로 가장 적절한 것을 고르시오.

① 쇼핑　② 식이요법　③ 봉사 활동　④ 요리　⑤ 운동

15 대화를 듣고, 남자가 만든 영화에 대한 설명으로 <u>틀린</u> 것을 고르시오.

① 제작에 하루가 걸렸다.
② 친구와 함께 제작했다.
③ 공원과 친구의 집에서 촬영했다.
④ 자신의 목소리가 삽입되었다.
⑤ 영상에 음악이 포함되어 있다.

16 대화를 듣고, 두 사람의 대화가 <u>어색한</u> 것을 고르시오.

①   ②   ③   ④   ⑤

Take Notes

17 다음을 듣고, 오후 강연이 진행될 장소로 가장 적절한 것을 고르시오.

① Mercury Room   ② Venus Room
③ Earth Room   ④ Conference Room
⑤ Science Room

18-19 대화를 듣고, 남자의 마지막 말에 이어질 여자의 응답으로 가장 적절한 것을 고르시오.

18 Woman: _____

① No, they won't be there.
② No problem. I'll do that.
③ Yes. That would be so great!
④ Cats are not allowed in the cafe.
⑤ I'm glad that you can travel with them.

19 Woman: _____

① The apartment is quite small.
② I'm free if you need any help.
③ There's nothing wrong with it.
④ It takes only ten minutes on foot.
⑤ I can't come to your party tomorrow.

20 다음을 듣고, Joan의 엄마가 Joan에게 할 말로 가장 적절한 것을 고르시오.

Joan's mom: _____

① With my mom, I think.
② You're welcome. I made it myself.
③ Thank you. It looks really delicious.
④ That's true. I hope to see them soon.
⑤ I disagree. My classmates enjoyed it.

1

W   Dave, what do you want for breakfast?

M   Cereal and milk would be good, Mom.

W   But we _____ _____ _____ _____ _____.

M   Then, I will drink just a glass of milk.

W   _____ _____ _____ _____? I'll make it for you.

M   That sounds good.

W   OK. I'll make it right away.

2

W   Is it true that you are going to Australia?

M   Yes, it will be nice to _____ _____ _____ this hot weather!

W   Isn't it hot in Australia?

M   Yes, in summer. But _____ _____ _____ _____.

W   Does it snow there in winter?

M   Yes, it does. I heard that _____ _____ _____ _____ at this time of year.

3

W   Did you invite many friends to your birthday party?

M   No, not many, only a few.

W   You should _____ _____ _____.

M   It's hard for me to make many friends.

W   Why is that?

M   Maybe it's because I'm shy.

W   _____ _____ _____ _____ changing yourself? It's not difficult. Just smile and talk to others first.

4

[Telephone rings.]

W   How may I help you?

M   This is Daniel from room number 204. Can I _____ _____ _____ _____?

W   Sure. When would you like to have it?

M   Six-thirty tomorrow morning, please. And when do you _____ _____ _____ _____?

W   It is served between 7 to 10 am.

M   That's perfect!

W   Anything else to help you?

M   That's all. Thank you.

5

W   Come and take a look at my pet! Isn't it cute?

M   It looks like it can hurt you. Its back _____ _____ _____ something like needles. They are so sharp.

W   Right. These needles _____ _____ _____ _____ _____.

M   Can I pick it up? Or will the needles hurt me?

W   Just pick it up gently, and it won't hurt.

M   Oh, I can see its face! It has tiny eyes and a cute long nose.

6

M Mom! I have to pay my soccer club membership fee.

W OK. How much is it?

M Here's the notice from the club.

W Let's see. _____ _____ _____ . Do you need it now?

M Yes, it's due today. There's a $10 fine for paying late.

W Well, I'm glad you _____ _____ _____ _____ today.

7

[Cell phone rings.]

W Hello.

M Grandma? Hi, it's Jeremy.

W Jeremy! How are you? Is everything all right?

M Yes. I'm good. I miss you and Grandpa a lot. So, _____ _____ _____ during the summer vacation.

W That would be wonderful. Is there anything you want to eat? I'll cook it for you.

M Your apple pie is _____ _____ .

8

① W The store is in Oxford.

② W The store is open every day.

③ W Bob's Fish and Chips _____ _____ _____ .

④ W The phone number is shown in the ad.

⑤ W You can find Bob's Fish and Chips at 99 Queen Street.

9

M Where would you like to go?

W The airport, please. My flight is at 9. _____ _____ _____ _____ _____ to get there?

M It's about 40 minutes to the airport from here.

W Good. _____ _____ _____ _____ _____ ? I don't have cash.

M Of course. The fare is usually around forty dollars.

W Thank you.

10

W Lots of passengers _____ _____ _____ on public transport. The Lost and Found Department in the subway collects around 70,000 items a year. _____ _____ _____ _____ _____ are umbrellas. Other common lost items are bags, clothing, and cell phones.

11

W This pizza is delicious. Did you really _____ _____ _____?

M Sure. Don't you know my mother is Italian?

W No, I didn't know. Can you _____ _____ _____ _____ _____ _____?

M Of course. Just let me know when you're free.

W I will!

M I think we _____ _____ _____ _____. Would you buy some Coke for me?

W Sure, no problem.

12

M Attention, please. This is your captain speaking. Please _____ _____ _____ _____ and put tray tables back in the upright position. It will be shaking _____ _____ _____, so please stay seated and remain calm until the seat belt lights are turned off. Please remember, _____ _____ _____ _____.

Cabin crew, please check passengers and then fasten yourselves in your seats.

13

M Have you heard about the Creative Contest?

W Yes, I heard that it will start next week. Right?

M Yeah, I've been considering whether I should enter or not.

W You should do it!

M I really want to. But _____ _____ _____ _____, someone with creative ideas.

W Hey, you should ask my friend Toby! He's a creative genius.

M That's a great idea! Give me his number. _____ _____ _____ _____.

14

W Wow! _____ _____ _____ _____! You look so different.

M Really? I've been running and doing weight training at the gym.

W Did you _____ _____ _____, too?

M Not really. I think the key to losing weight is weight training.

W Really? Where's your gym? I'll join and _____ _____ _____, too.

M Good for you!

15

W Your video clip is great. Did it take long to make?

M _____ _____ _____ _____ _____.

W Really? I thought it would be longer.

M My friend Andy helped me a lot.

W Where did you make the video?

M At Victoria Park and Andy's house.

W The music is really nice. _____ _____ _____ _____?

M I did! I'm glad you like it.

16

① M Is it OK to _____ _____ _____?
   W Of course. The fitting room is over there.

② M Have you been to Spain?
   W No. I've never been abroad.

③ M Excuse me, _____ _____ _____
   _____?
   W No, feel free to sit here.

④ M My favorite color is yellow.
   W I like yellow, too.

⑤ M How about visiting our grandparents this
   weekend?
   W Yes. They are doing great!

17

M Welcome to the Climate Science Conference. Lunch will be served at 12:30 in the Mercury Room on the second floor. The main lecture _____ _____ _____ in the Venus Room at 1:30 pm. Afternoon tea will be served at 3 pm in the Earth Room. _____ _____ _____ will be held in the Mars Room. Thank you.

18

W I told you that I'm going home to Hawaii to see my family, right?

M Yes, of course. _____ _____ _____ _____.

W Yes. And I'll be away for 10 days.

M Hey, you have cats, don't you?

W Yeah. I need someone to _____ _____ _____ _____ _____.

M Do you want me to look after them for you?

W _____

19

W _____ _____ _____ _____ _____ _____. I love it!

M I told you I would help you move!

W I know, but I decided to pay for a moving company. They were great.

M That's OK then. I'm glad you're happy.

W I'm having a housewarming party Friday. Can you come?

M Of course! _____ _____ is your place from mine?

W _____

20

W Today is Joan's mom's birthday. Joan wants to make her mother something special, so she _____ _____ _____ _____ _____. She gets the recipe on the Internet, and she bakes a cake. Finally, her mother gets home after work. Joan takes the cake and _____ _____ _____ _____ _____. In this situation, what would her mother say to Joan?

Joan's mom _____

영어듣기 모의고사

Take Notes

1 다음을 듣고, 화요일의 날씨로 가장 적절한 것을 고르시오.

①   ②   ③   ④   ⑤

2 대화를 듣고, 여자가 찾는 물건으로 가장 적절한 것을 고르시오.

①  ②  ③

④  ⑤

3 대화를 듣고, 남자의 심정으로 가장 적절한 것을 고르시오.

① angry   ② confident   ③ worried   ④ excited   ⑤ tired

4 대화를 듣고, 대화 직후 남자가 할 일로 가장 적절한 것을 고르시오.

① 팬케이크 만들기   ② 은행 다녀오기   ③ 동생 돌보기
④ 우유 사 오기   ⑤ 아침 식사하기

5 대화를 듣고, 두 사람이 대화하는 장소로 가장 적절한 곳을 고르시오.

① shopping mall   ② bus stop   ③ train station
④ airport   ⑤ bank

112

6 대화를 듣고, 남자의 마지막 말의 의도로 가장 적절한 것을 고르시오.

① 허락　　② 반대　　③ 제안　　④ 사과　　⑤ 감사

7 대화를 듣고, 두 사람이 만날 시각으로 가장 적절한 것을 고르시오.

① 6:45 am　　② 7:00 am　　③ 7:15 am
④ 7:30 am　　⑤ 7:45 am

8 대화를 듣고, 남자가 캠프에서 한 일이 <u>아닌</u> 것을 고르시오.

① 하이킹하기　　② 낚시하기　　③ 바비큐 파티
④ 캠프파이어　　⑤ 수영하기

9 대화를 듣고, 여자가 가장 여행해 보고 싶어 하는 나라를 고르시오.

① Colombia　　② Bolivia　　③ Brazil　　④ Peru　　⑤ Argentina

10 다음을 듣고, 무엇에 관한 안내 방송인지 가장 적절한 것을 고르시오.

① 학교 안전 수칙　　　② 에너지 절약 방법
③ 교내 경시대회　　　④ 재활용품 분리수거
⑤ 학교 축제 일정

11 대화를 듣고, 여자가 평소에 하는 것이 <u>아닌</u> 것을 고르시오.

① 운동하기 　　　　　② 일찍 자기
③ 음악 듣기 　　　　　④ 충분한 수면 취하기
⑤ 규칙적으로 식사하기

Take Notes

12 대화를 듣고, 여자가 전화를 건 목적으로 가장 적절한 것을 고르시오.

① 내일 면접 일정을 잡으려고 　　② 세탁물을 맡기려고
③ 옷을 찾아 오라고 부탁하려고 　　④ 저녁을 같이 하려고
⑤ 식당 예약을 하려고

13 대화를 듣고, 여자가 동물 병원에 가려는 이유로 가장 적절한 것을 고르시오.

① 찾을 물건이 있어서 　　　　② 그 병원에서 일을 해서
③ 고양이를 데리러 　　　　　④ 고양이가 아파서
⑤ 친척을 만나려고

14 대화를 듣고, 두 사람의 관계로 가장 적절한 것을 고르시오.

① 점원 - 손님 　　② 의사 - 환자 　　③ 아들 - 엄마
④ 학생 - 교사 　　⑤ 직원 - 상사

15 대화를 듣고, 여자가 할 일로 가장 적절한 것을 고르시오.

① 배달 음식 주문하기 　　　② 온라인으로 요리법 찾기
③ 온라인 게임 하기 　　　　④ 온라인으로 식당 찾기
⑤ 영화 감상하기

16 대화를 듣고, 남자가 챙기지 <u>않을</u> 것을 고르시오.

① 양말   ② 속옷   ③ 수건   ④ 헤어드라이어   ⑤ 책

17 다음을 듣고, 두 사람의 대화가 <u>어색한</u> 것을 고르시오.

①   ②   ③   ④   ⑤

18 대화를 듣고, 두 사람의 상황과 가장 잘 어울리는 속담을 고르시오.

① 모르는 게 약이다.
② 무소식이 희소식이다.
③ 말보다 행동이 중요하다.
④ 가는 말이 고와야 오는 말이 곱다.
⑤ 낮말은 새가 듣고 밤말은 쥐가 듣는다.

19-20 대화를 듣고, 여자의 마지막 말에 이어질 남자의 응답으로 가장 적절한 것을 고르시오.

19 Man: _____

① That's too bad.
② You can choose it.
③ It's so important for you.
④ What did you do for Dad?
⑤ Then I'll get up early and make it.

20 Man: _____

① I'll book a table there for six.
② I think it will be over by five.
③ Dad prefers Tony's restaurant.
④ Everyone says it is a good movie.
⑤ You have to ask him what he wants.

1

W I'm Jennifer, and now here's the weather report. It's a very cold and cloudy Monday today, and this weather pattern will _____ _____ _____. Wednesday will see light snow. The snow will increase, and Thursday will _____ _____.

2

W I think I _____ _____ _____ here the other day.

M I'll have a look for you. _____ _____ _____ _____?

W They're black, and the lenses are round.

M Anything else? A brand name or decorations?

W Yes, there's a "VL" logo _____ _____ _____.

M Then I think these are the ones. Here you are.

3

W How are you feeling about the quiz contest tomorrow?

M I have been _____ _____ in all the pre-tests.

W You relieve my worries. I wish you good luck.

M Thank you, Mom. I'll _____ _____ _____ home.

4

M Are you making pancakes for breakfast, Mom?

W Well, I was going to, but _____ _____ _____ in the fridge.

M I'll run down to the grocery store and get some.

W Thank you. Here's some money and a shopping bag.

M OK, Mom. _____ _____ _____ in a minute!

5

W Excuse me. Is this going to Cool Springs Shopping Mall?

M No, ma'am.

W _____ _____ _____ _____ that go there?

M No, you had better take the subway. There's a station connected to the Mall.

W How can I get to the nearest subway station?

M It takes only five minutes on foot. _____ _____ _____.

W Thanks for your help!

6

W I heard you started volunteering at the hospital.

M I did! Thanks for helping me to _____
   _____ _____.

W How is it so far?

M Kind of hard, but really interesting. I get
   along well with everyone.

W I knew you would do well.

M _____ _____ _____
   _____.

7

[Telephone rings.]

M Hello.

W Hello, Shane! _____ _____ _____
   _____ the ski trip tomorrow?

M I think so. What time does the bus leave?

W It leaves at 7:40, but we have to be there
   _____ _____ _____ _____
   _____.

M Shall I meet you at 7:30, then?

W That would be good.

M OK. See you then.

8

W How was the camp?

M It was great. We hiked a lot in the desert and
   canyons.

W Wow. Did you _____ _____ _____?

M No, but we caught some fish and had a
   barbecue party at night.

W What was the best thing of all?

M Swimming in a pool _____ _____
   _____! It felt awesome!

9

M Have you ever been to South America?

W No, but I really want to.

M Me, too. What country would you pick first?
   Brazil?

W _____ _____ _____ in Bolivia. Oh,
   and Colombia, too.

M I think Bolivia and Brazil are my top two
   picks.

W Oh! I almost forgot! Peru! _____
   _____ _____ _____.

M So let's plan a trip to Bolivia and Peru.

10

M Students and teachers, let's work together
   to make our school _____ _____
   _____ _____ _____. Turn off lights
   when you don't need them, walk or ride your
   bikes to school when you can, and keep air
   conditioners and heaters down low. _____
   _____ _____ are most welcome. Let's
   go green!

11

M _____ _____ _____ _____ the exams. You don't seem to get stressed. Do you have any secret?

W _____ _____ _____ every morning. While I am jogging, I listen to music. It helps with stress.

M What else do you do?

W Well, I try to _____ _____ _____ .

M How about food?

W I eat meals regularly. That's all.

12

[Cell phone rings.]

M Hi, Maggie.

W Hey, sweetie, are you still at work?

M No, I just left. Do you need anything?

W If you don't mind, can you _____ _____ the dry cleaner's?

M Sure, what do I need to pick up?

W My grey skirt and jacket. I forgot they were there.

M Do you need them tonight?

W Yes, _____ _____ _____ _____ tomorrow morning.

M Oh, I see.

13

M Katie? What are you doing around here?

W Oh, hey, Jeff. I'm going to Alice's Animal Clinic.

M Isn't there a pet clinic in your neighborhood?

W Yes, there is. That's where I _____ _____ _____ when she's sick.

M Then why are you going to Alice's Animal Clinic?

W It's my aunt's clinic. She's an animal doctor. I'm _____ _____ _____ _____ .

14

M Joan, can I ask you something?

W Sure, Alan. What's up?

M _____ _____ _____ _____ _____ is next week. We can finish it on time, can't we?

W Yes, we can. What do you really want to say? Tell me.

M Can I _____ _____ _____ _____ ?

W Sure. What date are you looking at?

M May first. It's my wedding anniversary.

15

W Do you want to _____ _____ _____ _____ tonight?

M Sure. How about that Indian curry place around the corner?

W No, I don't want to eat Indian food.

M How about Japanese?

W The Japanese restaurant is too far away.

M Why don't you _____ _____ ? I don't care where we go.

W OK. Let me check the website.

16

M   Mom? What should I _____ _____ _____ _____ ?

W   Well, you need clothes, socks, slippers, and underwear.

M   How about a towel and shampoo?

W   You don't need them. _____ _____ _____ _____ _____ .

M   Then, what else do I need?

W   Will you pack the blow dryer for me? My bag is already full.

M   Sure. And I'm going to read this book _____ _____ _____ _____ .

W   Sounds good!

17

① M   What time do you get home from school?
　 W   I'm usually home by 4.

② M   Is there a movie theater around here?
　 W   _____ _____ _____ _____ , actually.

③ M   Would you like a piece of chocolate cake?
　 W   That will be five dollars.

④ M   I'd like two tickets for the 5 pm show.
　 W   Two adult tickets, sir?

⑤ M   Which way is it to City Hall?
　 W   _____ _____ _____ .

18

M   Wow! You play the guitar really well.

W   Thank you. I think you also told me you _____ _____ _____ _____ the guitar, right?

M   Yeah. I told you that.

W   And I think you also told me that you would like to learn the piano. So, how is it going?

M   I haven't started yet. I envy you a lot.

W   I think _____ _____ _____ _____ what you want to do. Just start doing what you want to do.

19

W   What are you thinking about?

M   I'm _____ _____ _____ _____ a birthday present for Dad.

W   It's hard, isn't it?

M   I asked him what he wants, but he _____ _____ _____ _____ .

W   You know what? He loves breakfast in bed.

M   _____

20

W   Don't forget Grandma's birthday dinner at six.

M   At six tonight? Where?

W   At Tony's restaurant. Is there a problem?

M   Well, I'm _____ _____ _____ _____ with my friends.

W   Then, you just have to cancel it.

M   No, Mom. Actually, I don't have to. The movie starts at 3 o'clock.

W   _____ _____ _____ _____ for dinner?

M   _____

Take Notes

1 대화를 듣고, 남자가 사려고 하는 선물을 고르시오.

① ② ③

④ ⑤

2 대화를 듣고, 여자의 심정으로 가장 적절한 것을 고르시오.

① worried   ② thankful   ③ tired
④ angry   ⑤ nervous

3 다음을 듣고, 말하는 사람의 의도로 가장 적절한 것을 고르시오.

① 부탁   ② 조언   ③ 추천   ④ 감사   ⑤ 사과

4 다음 일기 예보를 듣고, 일치하지 않는 것을 고르시오.

①   ②   ③   ④   ⑤

Monday   Wednesday   Thursday   Saturday   Sunday

5 대화를 듣고, 남자가 지불해야 할 금액을 고르시오.

① $7   ② $8   ③ $9   ④ $10   ⑤ $11

6 대화를 듣고, 두 사람이 만나기로 한 시각을 고르시오.

① 12:30 pm   ② 1:00 pm   ③ 2:00 pm   ④ 4:00 pm   ⑤ 6:00 pm

7 대화를 듣고, 두 사람이 할 일로 가장 적절한 것을 고르시오.

① 음식 준비하기   ② 의상 빌리러 가기   ③ 은행 가기
④ 의상 사러 가기   ⑤ 파티 계획 세우기

8 대화를 듣고, 두 사람이 대화하는 장소를 고르시오.

① 시청   ② 분실물 센터   ③ 공항
④ 우체국   ⑤ 백화점

9 대화를 듣고, 두 사람의 관계로 가장 적절한 것을 고르시오.

① 엄마 - 아들   ② 점원 - 손님   ③ 경찰관 - 시민
④ 교사 - 학생   ⑤ 의사 - 환자

10 다음을 듣고, 표의 내용과 일치하지 <u>않는</u> 것을 고르시오.

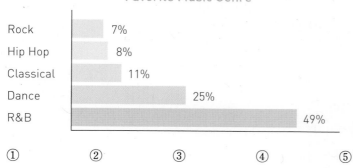

Lakeview Middle School Student Poll
Favorite Music Genre

Rock 7%
Hip Hop 8%
Classical 11%
Dance 25%
R&B 49%

①   ②   ③   ④   ⑤

11 대화를 듣고, 여자의 장래 희망을 고르시오.

① 심리학자   ② 웨딩플래너   ③ 수학자
④ 컴퓨터 수리공   ⑤ 원예가

Take Notes

12 다음을 듣고, 여자의 어머니가 일주일 동안 받는 수업을 순서대로 나열한 것을
고르시오.

① 요가 - 중국어 - 요리 - 노래

② 요리 - 요가 - 노래 - 중국어

③ 요리 - 노래 - 요가 - 중국어

④ 노래 - 요가 - 중국어 - 요리

⑤ 노래 - 요리 - 요가 - 중국어

13 다음을 듣고, 남자가 주장하는 바를 고르시오.

① 일의 전문가가 되어야 한다.

② 인생의 목표를 세워야 한다.

③ 타인의 감정을 배려해야 한다.

④ 행복한 생활을 영위해야 한다.

⑤ 스스로 감정을 잘 다스려야 한다.

14 대화를 듣고, 여자가 남자에게 부탁한 것을 고르시오.

① 저녁 식사에 늦지 않기   ② 와인 사 오기
③ 저녁 준비 돕기   ④ 부모님 모셔오기
⑤ 식당 예약하기

15 다음을 듣고, 남자가 제안하는 내용을 고르시오.

① 자신의 감정을 잘 조절하라.

② 행복해지기 위해 미술관에 가라.

③ 생각하지 말고 미술품을 감상하라.

④ 작품은 조금 멀리 떨어져서 감상하라.

⑤ 누가 그 작품을 만들었는지 먼저 조사하라.

Take Notes

16 대화를 듣고, 남자가 Monica의 집에 가는 이유로 가장 적절한 것을 고르시오.

① Monica와 여행을 가려고　　② 카메라를 찾으려고

③ Monica의 엄마를 도우려고　　④ 카메라를 빌리려고

⑤ 여행 이야기를 들으려고

17 다음을 듣고, 두 사람의 대화가 어색한 것을 고르시오.

①　　　　　②　　　　　③　　　　　④　　　　　⑤

18-19 대화를 듣고, 여자의 마지막 말에 대한 남자의 응답으로 가장 적절한 것을 고르시오.

18 Man: _____

① It was very easy.

② He is our teacher.

③ That's a good idea.

④ That's how I did it.

⑤ My test results came back.

19 Man: _____

① He's an English teacher.

② I understand how you feel.

③ I took a rest on weekends.

④ I am going to ask the teacher.

⑤ I never put off doing my homework.

20 다음을 듣고, 선생님이 Angie에게 할 말로 가장 적절한 것을 고르시오.

Teacher : _____

① I'm glad you won.

② You have to practice more.

③ You can do better next time.

④ They really liked your voice.

⑤ You have to talk to them first.

Dictation

1

W　May I help you, sir?

M　Yes, I'm looking for a Christmas gift for my daughter.

W　How about this lovely rabbit doll? This is _____ _____ _____ _____.

M　Actually, my daughter loves dogs and cats.

W　Then, what about a white cat?

M　It's cute. But I think I'll take this _____ _____ _____ _____ _____.

2

M　How was your day, Mom? Dinner is almost ready.

W　You made dinner? Really? And the house is very clean!

M　Yes, I cleaned the house.

W　Wow! It's _____ _____ _____ _____ today. Thank you!

M　I know I don't help you a lot, but I'll try harder from now on, Mom.

W　Oh! You are _____ _____ _____ _____!

3

W　If you are having problems with your friends, _____ _____ _____ _____. Be honest. Tell them exactly how you feel. Then, put the letter away. Don't send it.

_____ _____ _____ and you'll find that the problems don't seem so bad. Try it. It works for me.

4

M　Here's your weekly weather report. Monday will be _____ _____ _____. Tuesday through Thursday will be hot and dry. Saturday will see heavy rain, but the rain will stop on Sunday. On Sunday, we'll _____ _____ _____.

5

W　Next, please. Will this be all?

M　Yes, thanks.

W　OK, we've got two notebooks _____ _____ _____ _____ and two pens for two dollars each.

M　Oh, I thought the pens were only one dollar.

W　Sorry, no. It's four dollars for these two pens. Do you still want them?

M　Yes, I need _____ _____ _____ _____.

6

M　When does your friend's art exhibition open?

W　The grand opening is tonight at 6 pm. Do you _____ _____ _____?

M I can't tonight. Can I go tomorrow?

W Sure, I'll go again with you. The gallery opens at 2 pm.

M Then, _____ _____ _____ _____.

W That would be great! How about Café French at 12:30?

M Perfect. See you there!

7

W Halloween is coming. Let's go and buy costumes.

M _____ _____ _____ _____ them? We are not going to wear the same clothes every year, right?

W Yeah, you're right. It could be _____ _____ _____ _____.

M So, do you want to go and rent our costumes?

W Okay. Let's go and get them.

8

M Hi. How may I help you?

W I _____ _____ _____ _____.

M Where did you lose it, ma'am?

W I was on the 11 am train from City Hall.

M _____ _____ _____ _____ for me?

W It's black and square shaped. It has a thick red strap, and my camera is in it.

M Oh, somebody just brought us a bag just

like you described. I'll _____ _____ _____ _____.

W Wow, thank you!

9

W Jay? I'd like to have a word with you, please.

M Yes, Ms. Jones.

W What's going on _____ _____ _____, Jay?

M I'm sorry. These days, I play computer games a lot.

W Then, you don't have _____ _____ _____ _____, right?

M Honestly, yes. I don't even have enough time to sleep.

W That's a big problem. Please try _____ _____ _____ _____ _____ too much.

M Okay, Ms. Jones. I'll try.

10

① **M** Rock is _____ _____ _____ _____.

② **M** Hip-hop is just one percent more popular than rock.

③ **M** R&B is the most favorite musical genre among the students.

④ **M** Classical music is _____ _____ _____.

⑤ **M** Dance is more popular than hip-hop.

11

M You're really good at computers. Do you want a job in the computer industry?

W I'm not sure. Mom and Dad always say "_____ _____ _____."

M That's cool. What does your heart say?

W I love _____ _____ _____ _____.

M My brother is a gardener. Have you considered that as a job?

W That's exactly _____ _____ _____ _____ _____!

12

W My mom _____ _____ _____ _____. She does a different class at the Community Center every day _____ _____ _____. Monday is cooking, and Tuesday is singing. Wednesdays she goes to the gym or swim center. Thursday is yoga class, and Friday is Chinese. Chinese is _____ _____ _____ _____ _____, but she enjoys it!

13

M What do you think is the most important thing when you live with others? I think _____ _____ _____ _____ _____ is most important. We can hurt other people's feelings when we only _____ _____ _____. And the opposite situation can also happen. If you don't want to get hurt, always think about others' feelings.

14

[Telephone rings.]

M Hey, honey. What's up?

W Do you remember your parents are coming for dinner tonight? Please _____ _____ _____.

M I'll leave work as soon as I can. What time are they coming?

W They'll be here around 6. You know they _____ _____ _____ _____.

M OK. I'll leave at 5:30. I'll stop and get wine _____ _____ _____ _____.

W Oh, good. Your dad likes a glass of red wine with dinner.

15

M How can we enjoy a work of art in a museum? _____ _____ _____ _____. Notice how it makes you feel. Sad, happy, mad, calm? _____ _____ _____ _____ _____. See which colors, shapes or lines create the feelings in you. You _____ _____ _____ _____ who made them, when they were made, and why they were made.

16

W Hey, Leo! Where are you going?

M I'm on my way to Monica's house. _____ _____ _____ _____ _____ to take on her travels.

W Oh, is she back?

M She's back, but she's not home at the moment.

W Then, how will you get your camera?

M Her mom is _____ _____ _____.

W Oh, okay. Later, let's get together with Monica. I'd love to hear about her travels.

17

① W What's the matter?
   M I _____ _____ _____.

② W How are your parents?
   M They're really well, thanks.

③ W Will you come home for Thanksgiving?
   M I stayed home for a week.

④ W My little boy needs to use the bathroom.
   M I'll give you the key.

⑤ W Are you looking for something?
   M No, _____ _____ _____, thanks.

18

M That math test was hard, don't you think?

W I thought I did OK _____ _____ _____ _____.

M Yes, that was the hardest!

W I _____ _____ _____ 15, but I'm not sure it's right.

M Uh-oh. My answer was 30.

W Let's ask Mr. Harris _____ _____ _____ _____.

M _____

19

W I'm really stressed about our English homework.

M Have you started it yet?

W No. I've just been _____ _____ _____. I didn't do anything. How about you?

M I finished it on the weekend.

W But it's not due until Friday! _____ _____ _____?

M _____

20

W Angie is a really good singer. This weekend, _____ _____ _____ _____ for a TV show. It's a famous show, and the winners become big stars. She wants to audition, but she's afraid her parents will be angry. She asks her teacher if _____ _____ _____ _____. In this situation, what is the teacher likely to say to Angie?

Teacher _____

 영어듣기 모의고사

정답 및 해설 p.58

1 대화를 듣고, 여자가 구입할 물건을 고르시오.

Take Notes

①   ②   ③

④   ⑤

2 대화를 듣고, 두 사람이 놀러 갈 지역의 주말 날씨를 고르시오.

①   ②   ③   ④   ⑤

3 대화를 듣고, 남자의 심정으로 가장 적절한 것을 고르시오.

① angry   ② happy   ③ excited   ④ worried   ⑤ surprised

4 대화를 듣고, 두 사람이 대화하는 장소를 고르시오.

① 공항   ② 서점   ③ 미술관   ④ 우체국   ⑤ 도서관

5 다음을 듣고, 무엇에 대한 설명인지 고르시오.

① 설탕   ② 간장   ③ 꿀   ④ 커피   ⑤ 홍차

6 대화를 듣고, 여자가 하고 싶어 하는 일을 고르시오.

① 다이어트 하기　　② 악기 배우기　　③ 수영 배우기
④ 음악 듣기　　⑤ 자원봉사

Take Notes

7 다음을 듣고, 말하는 사람의 의도로 가장 적절한 것을 고르시오.

① 칭찬　　② 축하　　③ 조언　　④ 격려　　⑤ 항의

8 대화를 듣고, 남자가 지불할 금액을 고르시오.

① $5　　② $10　　③ $15　　④ $20　　⑤ $50

9 다음을 듣고, 남자가 생각하는 십 대의 문제점으로 가장 적절한 것을 고르시오.

① 수면 부족　　② 영양 부족　　③ 물 섭취 부족
④ 인내심 부족　　⑤ 운동 부족

10 다음을 듣고, 팬케이크를 만들 때 세 번째로 해야 할 일을 고르시오.

① 팬을 달군다.
② 2분 동안 익힌다.
③ 팬에 반죽을 붓는다.
④ 버터와 우유를 넣는다.
⑤ 밀가루와 달걀을 넣는다.

11 대화를 듣고, 무엇에 관한 내용인지 고르시오.

① 지진　② 축제　③ 산사태　④ 태풍　⑤ 산불

Take Notes

12 대화를 듣고, 여자에 대한 설명으로 일치하지 <u>않는</u> 것을 고르시오.

① 첫 공연은 부모님 앞에서 했다.
② 성공할 때까지 부모님에게 직업을 말하지 않았다.
③ 사람들을 웃게 하는 것이 그녀의 철학이다.
④ 일상에 관한 농담을 주로 한다.
⑤ 폭력에 관한 농담은 하지 않는다.

13 대화를 듣고, 남자가 여자에게 부탁한 것으로 알맞은 것을 고르시오.

① 숙제 도와주기　② 영화 표 예매하기　③ 선물 사 주기
④ 결혼식 참석하기　⑤ 돈 빌려 주기

14 대화를 듣고, 여자가 할 행동으로 알맞은 것을 고르시오.

① to take her kitten to a clinic　② to check on her kitten
③ to lend him some money　④ to give her kitten milk
⑤ to call an animal doctor

15 다음을 듣고, 광고문의 내용과 일치하지 <u>않는</u> 것을 고르시오.

Exhibition
Artists of the Middle East

Opening Hours	Tickets
• Tue. - Fri.: 10 am - 5 pm • Weekends: 11 am - 7 pm • Mon. & Holidays: CLOSED	• Adults: $11 • Children: $5 (Age 6 - 12)

①　　②　　③　　④　　⑤

130

16 다음을 듣고, 무엇에 대한 설명인지 고르시오.

① clouds ② airplanes ③ stars ④ lightning ⑤ the moon

Take Notes

17 대화를 듣고, 두 사람의 대화가 <u>어색한</u> 것을 고르시오.

① ② ③ ④ ⑤

18 다음을 듣고, 선생님이 당부하는 내용이 <u>아닌</u> 것을 고르시오.

① 앞 좌석을 발로 차지 않기
② 휴대 전화는 버스에 두기
③ 영화 상영 중에는 말하지 않기
④ 옆 좌석에 가방을 놓지 않기
⑤ 화장실 갈 사람은 지금 가기

19-20 대화를 듣고, 남자의 마지막 말에 이어질 여자의 응답으로 가장 알맞은 것을 고르시오.

19 Woman: _____

① It's south of the city.
② I would love to go again.
③ You can learn a lot of science.
④ I think museums should be fun.
⑤ That's the best thing about science.

20 Woman: _____

① I guess you're right.
② The market is great.
③ It doesn't have a label on it.
④ I saw a documentary about it.
⑤ That's true, it's very expensive.

1

W Greg, did you _____ _____ _____ _____ for Dave?

M Yes. He is really interested in dinosaurs, so I bought a dinosaur puzzle.

W He will like it. Then, what should I buy for him?

M How about a soccer ball? He likes _____ _____.

W But he already has two balls. I'd like to give him something special.

M Ah! He told me that he wants to _____ _____ _____.

W That would be great. Thanks.

2

W I hope you didn't _____ _____ _____ at the resort.

M Why? You said there'll be storms all weekend.

W I know, but the forecast has changed.

M Really?

W Yes. _____ _____ _____ _____ _____.

M Then we're lucky! I forgot to cancel.

W Yay! It's going to be great!

3

W What's the matter, sweetie?

M _____ _____ _____ _____ _____ tomorrow. I can't sleep.

W Go back to bed and I'll get you a nice warm cup of milk. It'll help you sleep.

M Thanks, Mom.

W Your presentation _____ _____ _____. You prepared it so well.

M I hope so. It's really important that I get high marks on it.

4

W What's that _____ _____?

M It's a biography of Ban Ki Moon.

W Is it interesting?

M Yeah, I think I'll buy it. Have you seen _____ _____?

W I've got these magazines. I'd also like to _____ _____ _____ about French cooking.

M OK. Where's the food and cooking section?

5

W This is sweet liquid that is _____ _____ _____. The color of it varies, but it is usually golden brown. We put this into hot water and _____ _____ _____. And when we eat pancakes, we use this like syrup. In many cases, we use this _____ _____ _____.

6

W I wish I had a hobby. I have enough free time to learn a new skill.

M What are you interested in?

W I always wanted to learn to _____ _____ _____ _____.

M My cousin is a piano teacher. Why don't you take lessons with her?

W I'd love to. Can you introduce me?

M Of course. I'll _____ _____ _____ _____.

7

W I bought this iron from your store on Saturday. I think it's _____ _____ _____. Look at my daughter's new dress. I put the switch on "silk," but it almost burned the dress. If you do not believe me, just try it yourself. I _____ _____ _____ and also money to replace this ruined dress.

8

M May I have one large cafe latte?

W Sure. _____ _____ _____ _____ _____.

M Oh, how much is this travel mug? I like it.

W It's twenty dollars, but you can _____ _____ _____ _____ _____ because you bought coffee.

M Really? Fifty percent off? Then, it's ten dollars?

W Yes, that's right.

M Okay. I'll take the coffee and the mug.

9

M Many students are _____ _____ _____ _____ during the day. They drink sugary drinks like energy drinks and fruit juice instead of water. This causes weight gain, tooth decay, and _____ _____. Teens should drink two to three liters of water a day. When they drink enough water, they feel better, less tired, and _____ _____ _____.

10

W Let's make some pancakes. First, _____ _____ _____ and eggs into a bowl. Second, add the butter, sugar, and milk into the bowl and mix them together. Third, _____ _____ _____ _____. Fourth, pour the mixture into the frying pan. Finally, cook it for about two minutes or until the pancake is golden brown.

11

W _____ _____ _____ _____ the Smoky Mountain State Park?

M Well, why? I just know a lot of people were planning to celebrate Independence Day there.

W Right. Some children set off fireworks in the picnic area.

M Isn't that against the law?

W Of course! And it _____ _____ _____ _____ . Now it's burning out of control in the mountains.

M Oh, no! I'm sorry to hear that.

12

M Tell us how you started out.

W My first performance was at a tiny club with two people in the audience. I didn't tell my parents what I was doing until I _____ _____ _____ .

M What's your philosophy as a comedian?

W Just make people laugh! My best jokes are _____ _____ _____ .

M Is there anything you won't joke about?

W Yes. Violence and poverty. They're not funny.

13

M Have you ever _____ _____ _____ _____ ?

W I do it all the time. Why?

M I want to get movie tickets for my parents' wedding anniversary.

W What a lovely gift!

M Yes, but I don't know how to buy tickets online. _____ _____ _____ doing it for me? I'll give you the cash.

W No problem. I can do it right now if you like.

14

M How is your kitten?

W I'm really worried about her. _____ _____ _____ _____ .

M What is she eating?

W Lately, she has just drunk a few drops of milk.

M I think you'd better _____ _____ _____ _____ _____ .

W But I don't have enough money.

M I can help you if it's too expensive. Just take her there. I'll come with you.

W Really? You are _____ _____ _____ _____ .

15

① M The opening hour is 11 am _____ _____ .

② M On Tuesday, it is closed at 5 pm.

③ M The ticket price is $11 for adults.

④ M _____ _____ _____ _____ _____ younger than 6.

⑤ M Tickets for children over 13 are $5 each.

16

W Sometimes you can _____ _____
_____ _____ _____ and sometimes
you cannot. I come in many different shapes
and sizes. I can be pretty colors _____
_____, and I can be very dark before it
rains, but usually I'm white. I am made of
tiny water drops. I can _____ _____
_____ _____.

17

① M Excuse me, _____ _____ _____
_____ _____?

W Yes, it's 11 o'clock.

② M How may I help you?

W It helps a lot.

③ M I didn't like that movie.

W I didn't like it, either.

④ M I've finished the work you _____
_____ _____ _____.

W Thanks. Well done.

⑤ M I don't think I can make it today.

W That's OK, don't worry about it.

18

W Now, students, before we go in to see *Romeo
& Juliet*, I want to remind you of the rules.
_____ _____ _____ the seat in front
of you, and do not put your feet up on the
seat. Leave your bags and cell phones on the
bus. _____ _____ _____ during the
movie. If you need to go to the bathroom, go
now. Let's enjoy the movie!

19

W Have you ever been to "ScienceWorks"?

M What is that?

W _____ _____ _____ _____. It's
the best one I've ever visited.

M What's so good about it?

W It's like an adventure playground. You can
_____ _____ _____ there.

M I want to go! Do you want to go with me?

W _____

20

W Here, have an apple. _____ _____.

M Thanks. Do you usually buy organic food?

W Not really. It can _____ _____
_____ _____.

M But organic farming is so much better for the
earth.

W And organic food usually tastes better. And
farmers put much more effort into it.

M Then, maybe _____ _____ _____ a
little more for. What do you think?

W _____

영어듣기 모의고사

정답 및 해설 p.62

1 다음을 듣고, 목요일 독도의 날씨를 고르시오.

Take Notes

①  ②  ③

④  ⑤

2 대화를 듣고, 남자의 심정으로 가장 적절한 것을 고르시오.

① tired　　　② disappointed　　　③ hopeful
④ bored　　　⑤ proud

3 대화를 듣고, 여자의 마지막 말의 의도를 고르시오.

① 감사　　② 제안　　③ 비난　　④ 변명　　⑤ 축하

4 대화를 듣고, 남자가 하와이에 가서 한 활동 중 가장 좋아한 것을 고르시오.

① 해변 집에 머물기　　　② 번지점프 하기
③ 파도타기 하기　　　④ 돌고래와 수영하기
⑤ 화산 관광하기

5 대화를 듣고, 두 사람이 저녁에 만들 요리로 알맞은 것을 고르시오.

①   ②  ③

④   ⑤

6 다음을 듣고, 무엇에 관한 설명인지 고르시오.

① 얼음　　② 냉장고　　③ 에어컨　　④ 화상　　⑤ 근육통

7 대화를 듣고, 두 사람이 터미널에 도착할 시각을 고르시오.

① 12:00 pm　　② 12:30 pm　　③ 12:45 pm
④ 12:50 pm　　⑤ 1:00 pm

8 다음을 듣고, 광고문의 내용과 일치하지 <u>않는</u> 것을 고르시오.

BOW-*WOW*!

SALON for Cats & Dogs

The Best Pet Salon in Town

Mon, Wed, Fri 10 am - 6 pm
Tue, Thu 12 pm - 9 pm
Closed Weekends

32 Queens Street, Fort Collins
☎ 312-1280

①　　　　②　　　　③　　　　④　　　　⑤

9 대화를 듣고, 대화가 이루어지고 있는 장소를 고르시오.

① 서점　　② 음식점　　③ 미술관　　④ 백화점　　⑤ 영화관

10 다음을 듣고, Colin이 주말에 한 일의 순서를 바르게 나열한 것을 고르시오.

(A) He watched the basketball game at home.
(B) He went out to borrow a book from the library.
(C) He helped his mother do the laundry.

① (A)-(B)-(C)　　② (A)-(C)-(B)　　③ (B)-(A)-(C)
④ (B)-(C)-(A)　　⑤ (C)-(A)-(B)

Take Notes

11 대화를 듣고, 두 사람이 대화 후에 가장 먼저 할 일로 알맞은 것을 고르시오.

① 마라톤 연습하기　② 체육관 예약하기　③ 선생님께 여쭤 보기

④ 교통편 검색하기　⑤ 마라톤 등록하기

12 다음을 듣고, 부산의 유명한 것으로 언급되지 <u>않은</u> 것을 고르시오.

① 해변　② 해산물　③ 영화제　④ 맛집　⑤ 시장

13 대화를 듣고, 여자가 전화를 건 목적을 고르시오.

① to return his call　② to request a refund

③ to cancel an order　④ to exchange the item

⑤ to complain about the service

14 대화를 듣고, 두 사람의 관계로 가장 적절한 것을 고르시오.

① 교사 - 학생　② 시민 - 미아　③ 엄마 - 아들

④ 경찰관 - 시민　⑤ 의사 - 환자

15 다음을 듣고, 남자의 주장으로 가장 적절한 것을 고르시오.

① 혼자 여행을 다니지 마라.

② 여행을 위해서 저축을 하라.

③ 다양한 나라로 여행을 가라.

④ 여행 계획을 철저하게 세워라.

⑤ 가능한 한 자주 여행을 다녀라.

16 대화를 듣고, 여자가 지불할 금액을 고르시오.

① $18   ② $60   ③ $90   ④ $130   ⑤ $148

Take Notes

17 대화를 듣고, 두 사람의 대화가 <u>어색한</u> 것을 고르시오.

①   ②   ③   ④   ⑤

18 다음을 듣고, 내용과 일치하지 <u>않는</u> 것을 고르시오.

① A good friend tries not to hurt your feelings.
② A good friend doesn't keep you waiting.
③ A good friend will never talk behind your back.
④ A good friend is a good friend forever.
⑤ A good friend is someone you can trust.

19-20 대화를 듣고, 남자의 마지막 말에 이어질 여자의 응답으로 가장 알맞은 것을 고르시오.

19 Woman: _____

① I'll reply to it later.
② He'll be back in June.
③ I don't mind if you do.
④ He writes funny emails.
⑤ You met him at my party.

20 Woman: _____

① He liked them a lot.
② No way! I don't want them.
③ Nobody wants to wear them.
④ Thanks. I'll have black jeans.
⑤ Bingo! I bought new jeans for you.

1

W Here's Monday's weather forecast for the week ahead on Dokdo. Today is very _____ _____ _____ . Tomorrow will be cloudy but slightly warmer. Wednesday will see rain. _____ _____ _____ _____ through Friday. A late change will bring clear skies for the weekend.

2

[Telephone rings.]

M Hello.

W Hi, David. This is Linda from the Green Plaza manager's office.

M Thanks for calling me back.

W I may have good news for you, David. Someone _____ _____ _____ _____ _____ . It looks like yours.

M Really? It's just like I described?

W Yes, but we can't be sure. When can you come in to check?

M I'll be right there. I'm _____ _____ _____ _____ !

3

W Where's Max? He's your best friend.

M He _____ _____ _____ _____ . He's angry because I forgot his birthday.

W That's not so bad, is it?

M Yes, it is. I hung out with other friends instead of going to his party! I feel terrible about it.

W _____ _____ _____ _____ , I'd try to talk to him. Tell him how much you care about him. He'll understand.

4

W I heard that you and your family went to Hawaii.

M Yes, we did. It was great!

W _____ _____ _____ _____ there?

M We stayed in a beach house right on the beach and went surfing every day. Oh, and we saw real volcanoes! That was awesome.

W What was the best thing?

M Oh, I will never forget it! _____ _____ _____ _____ one day. It was unbelievable.

5

M How about making a big apple pie for our party tonight?

W Yes, I think people will really like it.

M Oh, oh. We should _____ _____ _____ for making it.

W We don't have time to go shopping. Guests are coming soon.

M Then _____ _____ _____ _____ with vegetables in the refrigerator?

W OK. Let's make it!

M Let me help you. I will make dough for the pizza.

6

M These are very cold and _____ _____ _____ _____ _____ . You can

140

make these at home. You just need a special container, water, and a freezer. In hot weather, you add these to your drinks. They _____ _____ _____. If you put these on burns, they will heal the burns. Also, if you have pain in your muscle, wrap these in clothes and put the clothes on it. These will help _____ _____.

7

M   What time are we going to Grandma's house?

W   I think we should catch the 1 pm express bus.

M   Do we need to _____ _____?

W   No. But we should get there at least 30 minutes earlier.

M   It's a four-hour trip. I want to eat before we leave.

W   OK, let's get there _____ _____ _____. We'll have lunch in the terminal.

8

① W   _____ _____ _____ on Tuesdays and Thursdays.

② W   It opens earlier on Mondays and Fridays.

③ W   _____ _____ _____ on Saturdays and Sundays.

④ W   You can find it at 32 Queens Street.

⑤ W   It's a pet salon in Fort Collins.

9

W   These sneakers are nice. I want to buy them.

M   Go ahead. They _____ _____ _____. *[pause]* I need a T-shirt.

W   Young fashion is on the 3rd floor. I'll _____ _____ _____ _____.

M   OK. And then let's get a sofa.

W   OK. The furniture is on the 6th floor.

M   Actually, I feel hungry all of a sudden. Let's go to the food court first.

10

M   Colin had a good weekend. On Friday night, he _____ _____ on TV. Saturday morning, he helped his mom do the laundry. His dad cooked bacon and eggs for the family. After breakfast, Colin _____ _____. His parents came to watch the game. Colin's team won! Sunday was relaxing. Colin _____ _____ _____ _____ and got a new book to read.

11

M   Do you want to _____ _____ _____ _____ today? I want to run 10 km along the City Marathon course.

W   Great idea, but I need to buy a new pair of running shoes first.

M   I'll go with you. Hey, _____ _____ _____ online for the September half-marathon?

W   No, I can do it later.

M   But there's a twenty-dollar discount _____ _____ _____. Today's the last day.

W   Really? Then let's do it now!

12

W Busan is Korea's second biggest city and the world's fifth busiest seaport. _____ _____ _____ its wide sandy beaches and its seafood. It hosts a major international film festival every summer, and all the biggest movie stars attend. Busan's Jagalchi Market is _____ _____ _____ _____ _____. It is the place to go to experience the exciting sights and sounds of a great Korean market.

13

[Telephone rings.]

M Best Mall Customer Service. How may I help you?

W Hi. I'm _____ _____ _____ _____ I bought for my daughter.

M Yes, ma'am.

W I ordered navy blue. But the bag you sent is purple.

M I'm so sorry. We do have the navy blue in stock.

W Well, please send it. I'll _____ _____ _____ by mail today.

M Yes, ma'am. We'll do it right away.

14

W Hi. What's your name?

M James.

W _____ _____ _____?

M I don't know.

W Hey, don't cry. Everything will be OK. How old are you, James?

M Nearly seven.

W You're a big boy! Don't worry. I'll call the police. They'll come soon and _____ _____ _____.

M Mom and Dad told me not to talk to strangers.

W I'm a teacher at the kindergarten over there. _____ _____ _____ _____ until the police come, OK?

M OK.

15

M I think traveling makes everyone a better person. How? It teaches you to _____ _____ _____ all kinds of people, young and old. It improves your self-confidence and intelligence, and makes you more easygoing. Most of all, _____ _____ _____ _____. It's exciting and challenging. The world becomes friendlier and brighter when you travel, so do it _____ _____ _____!

16

W How much do you _____ _____ _____ _____?

M Perms start at sixty dollars for short hair.

W But my hair is quite long.

M _____ _____ _____. Long perms are one hundred and thirty dollars. Medium is ninety dollars.

W　How much do you charge for a haircut?

M　It's eighteen dollars for a basic cut.

W　Then I'd like to _____ _____ _____ _____.

M　OK. Would you like to do it now?

W　Yes, please.

M　Then please follow me.

17

① M　Would you like some help?

　　W　Thanks, but I can do it by myself.

② M　Who do you think will _____ _____ _____?

　　W　I hope I do! But Jake probably will.

③ M　How old is your brother?

　　W　He'll be seven in June.

④ M　_____ _____ _____ _____ your new art teacher?

　　W　I think he's really nice.

⑤ M　What did you do on the weekend?

　　W　I always did that.

18

M　There are some things that a good friend always does for you. He always considers your feelings and does not try to hurt you. He _____ _____ _____ he makes to you. He tries to be on time and doesn't keep you waiting for him. He is honest with you and _____ _____ _____ _____ to you. And he never says bad things about you behind your back. _____ _____ _____ _____.

19

M　Hey, Mary. What are you smiling at?

W　I'm reading an email from my brother. He's in the States.

M　Oh, _____ _____ _____ _____?

W　He's doing really well.

M　That's good to hear. Say hello to him for me.

W　I will.

M　_____ _____ _____ _____?

W　

20

W　I have good news and bad news.

M　Really? Tell me the bad news first.

W　Your brother wore your black jeans and _____ _____.

M　Oh, my god! They are my favorite.

W　Don't you want to know the good news?

M　Not really, Mom. I'm angry at my brother now. But what is the good news? Will you _____ _____ _____ _____?

W

영어듣기 모의고사

정답 및 해설 p.66

1 대화를 듣고, 두 사람이 살 신발을 고르시오.

Take Notes

① ② ③

④ ⑤

2 날씨 예보를 듣고, 일치하지 <u>않는</u> 것을 고르시오.

①	②	③	④	⑤
Seoul	Suwon	Gwangju	Incheon	Jeju

3 대화를 듣고, 남자가 마지막에 느꼈을 심정으로 가장 적절한 것을 고르시오.

① funny   ② confident   ③ glad

④ disappointed   ⑤ embarrassed

4 대화를 듣고, 여자가 지불할 액수로 알맞은 것을 고르시오.

① $12   ② $14   ③ $16   ④ $18   ⑤ $20

5 대화를 듣고, 두 사람이 만날 시각으로 알맞은 것을 고르시오.

① 10 am   ② 11:30 am   ③ 5 pm   ④ 5:30 pm   ⑤ 6:30 pm

6 대화를 듣고, 두 사람의 관계로 가장 적절한 것을 고르시오.

Take Notes

① 손님 - 식당 종업원   ② 주부 - 방문 판매원

③ 직원 - 사장   ④ 여관 주인 - 여행객

⑤ 고객 - 수리기사

7 다음을 듣고, 방송이 이루어지고 있는 장소로 가장 적절한 곳을 고르시오.

① 공항   ② 버스터미널   ③ 영화관

④ 기차역   ⑤ 항구

8 다음을 듣고, 무엇에 관한 설명인지 고르시오.

① paper   ② pen   ③ cloth   ④ computer   ⑤ furniture

9 대화를 듣고, 두 사람이 사지 <u>않을</u> 것을 고르시오.

① cucumber   ② lettuce   ③ broccoli

④ mushrooms   ⑤ onion

10 대화를 듣고, 남자가 전화를 건 목적을 고르시오.

① 약속을 취소하려고   ② 종이를 주문하려고

③ 약속 시간을 변경하려고   ④ 직업에 대해 문의하려고

⑤ 약속 시간을 확인하려고

11 다음을 듣고, 온라인 쇼핑을 잘 하기 위한 방법으로 제시되지 <u>않은</u> 것을 고르시오.

① 상품명 정확히 입력하기　　② 할인 금액 확인하기
③ 결제 방법 확인하기　　　　④ 고객 리뷰 확인하기
⑤ 배송 사항 확인하기

12 대화를 듣고, 여자의 주말 계획으로 가장 적절한 것을 고르시오.

① 집들이　　② 하이킹　　③ 김장　　④ 스케이팅　　⑤ 요가

13 대화를 듣고, 내용과 일치하지 <u>않는</u> 것을 고르시오.

Donald Amusement Park

① Open Hours: 10 am ~ 11 pm
② Location: on Granville Street
③ Transportation: Free Shuttle Bus
④ Admission Fee (all ages): $20
⑤ Parade: at 2, 6 pm

14 대화를 듣고, 남자의 장래 희망으로 가장 적절한 것을 고르시오 .

① actor　　　　② doctor　　　　③ scientist
④ police officer　　⑤ lawyer

15 대화를 듣고, 전화 통화 후에 남자가 할 일로 가장 적절한 것을 고르시오.

① 미술 숙제 하기　　② 크레파스 사기　　③ 도서관 가기
④ 미술관 가기　　　⑤ 그림 그리기

16 대화를 듣고, 두 사람의 대화가 <u>어색한</u> 것을 고르시오.

①   ②   ③   ④   ⑤

Take Notes

17 다음을 듣고, 무엇에 관한 안내 방송인지 고르시오.

① 신상품 광고   ② 안전 점검   ③ 특별 세일
④ 영업 마감   ⑤ 분실물

18 다음을 듣고, 남자가 강조하는 바로 적절한 것을 고르시오.

① 자원 봉사   ② 환경 보호   ③ 건강 관리
④ 시간 관리   ⑤ 복습하기

19 대화를 듣고, 남자의 마지막 말에 대한 여자의 응답으로 가장 적절한 것을 고르시오.

Woman: _____

① You can see that.
② It is not my style.
③ I love watching TV.
④ Are those movies available online?
⑤ Next time, let's watch a film together.

20 다음을 듣고, Jack이 할 말로 가장 적절한 것을 고르시오.

Jack: _____

① I have no idea.
② Can I leave a message?
③ I think it's the wrong number.
④ It was really nice to meet you.
⑤ I'll be a few minutes late, sorry.

1

W   Dad, let's buy Mom _____ _____ _____ _____ _____ for her birthday.

M   OK. What kind?

W   How about a pair of sandals or high heel shoes?

M   I think a comfortable pair of shoes _____ _____ _____.

W   Then how about these fur shoes? They look so warm.

M   Winter is nearly over, darling. Spring is coming.

W   Oh! Then _____ _____ _____. She would love them!

2

W   Here's the weather around the country today. Seoul will have up to 15 centimeters of snow. Suwon will be _____ _____ _____ _____, Gwangju will be cold and windy, and Incheon will be cold and rainy. Finally, Jeju will have clear skies and _____ _____.

3

W   Hi! How was your school today?

M   Not so bad.

W   Did you do your science homework?

M   No, I couldn't do that. My computer _____ _____.

W   When is your homework due?

M   I have to do it by tomorrow. What should I do?

W   What about _____ _____ _____?

M   Really? Is that okay with you?

W   Sure. I don't need my computer this afternoon.

4

W   I'll have the sixteen-dollar sushi plate and the four-dollar vegetable salad, please.

M   There's a 10% discount for lunchtime, ma'am. Would you like _____ _____ _____?

W   How much is a pot of tea?

M   _____ _____ with your meal.

W   Then I'll have tea, please!

5

W   Hey, Tom. I've got free tickets to King's Water Park.

M   Really? Let's go together! What time does it open?

W   It opens at 10, but the tickets are _____ _____ _____ _____.

M   Then, what time shall we meet?

W   Six-thirty would be good.

M   How about having dinner together before entering the water park?

W   That's a good idea.

M   Then _____ _____ _____ _____ 5:30.

6

[Ding-dong.]

W _____ _____ _____?

M It's Dan from Mike's Appliances, Ms. Thompson.

W Come in. I'll show you to the laundry room.

M You said on the phone that there's something wrong with the heating part.

W Yes, I think so.

M OK. I'll _____ _____ _____ at the dryer and let you know how much it will cost to fix it.

W Would you like a drink? Water or juice?

M Water, please. Thank you.

7

W Attention, please. We will be departing in 20 minutes. Please get ready to board _____ _____ _____. The port staff will guide you. Passengers are not permitted to go to the vehicle deck _____ _____. We look forward to seeing you all aboard!

8

M I am one of the world's most useful inventions. Most people in the world use me every day. You can write on me and read things written on me. I am _____ _____ _____. I can be recycled and used again. I am very thin and flat. You can

make a kite with sticks and me. _____ _____ _____ _____ _____.
Toilet tissue is made of me, too. What am I?

9

W This cucumber looks nice and fresh. So does the lettuce.

M Put them in the shopping basket. I'll _____ _____ _____ for you.

W Let's get broccoli and mushrooms, too.

M Then we just need some onions.

W Wait. _____ _____ _____ onions.

M Oh, then we don't need to buy them.

10

W Alpha Paper Company, this is Pam.

M Hi, could I speak to Judy Davis, please?

W She's in a meeting right now. Can I take a message?

M It's Mike Lee. I _____ _____ _____ with Judy today.

W Yes, Mike. You're right here on her schedule.

M Oh, good. Is the meeting at 2:30? I lost the memo.

W No, it's at 2. Is that all right?

M Yes. I'm glad I _____ _____ _____.

11

W Do you like shopping online? Many people try to get the best deal. So how can we shop smarter online? There are just four things _____ _____ _____ _____. First, enter the exact name of the item. Second, check how much discount you can get. Third, make sure that you read the customer reviews. Finally, _____ _____ _____ _____. Many online shopping malls provide free delivery service.

12

W Do you have any plans _____ _____ _____?

M Yes. My mom's making kimchi for the winter. Would you like to come to my house on Saturday?

W I'd love to learn all about it. But I have to _____ _____ with my dad.

M All right then, maybe next time.

13

W I want to _____ _____ _____.

M How about going to Donald Amusement Park?

W Sounds cool. Let's check its website.

M We can use the _____ _____ _____! It is on Granville Street.

W Perfect! The admission fee is $20 for all ages, and it is open from 11 am to 11 pm.

M Wow! We can _____ _____ _____ late at night.

W There will be fantastic parades at 2 pm and 6 pm.

14

M What's your favorite drama series?

W I like anything about comedy. I like hospital dramas, too. How about you?

M All of my favorite TV shows and movies are _____ _____. That's my dream job.

W Not a scientist or a police officer?

M No, I just want to _____ _____ about the law.

15

[Telephone rings.]

W Hello.

M Hey, Jennifer, are you going to class at the art center today?

W Of course. I'm _____ _____ to go now. We can walk there together if you like. Don't forget your crayons and sketchbook.

M What? Do we have to _____ _____ _____ _____ today?

W You forgot, didn't you? Ms. Cooper told us to bring them. Students who don't bring them can't participate in the class.

M I totally forgot. I'd better go and _____ _____ now. I've got a sketchbook already.

W OK, see you soon.

16

① W Which do you like better, summer or winter?

　M Winter. I love winter sports.

② W _____ _____ _____ _____ the Winter Olympics?

　M Yes, especially the short-track skating.

③ W How many times do you eat out a month?

　M Let's go some other time.

④ W _____ _____ _____ sushi?

　M Just once.

⑤ W Will you teach me how to do it?

　M Sure. No problem.

17

W Customers, attention please. We _____ _____ _____ _____ with a gold chain strap. It has a wallet inside with a driver's license and other I.D. If you are _____ _____ _____, please come to the Customer Service Center on the 6th floor. Once again, it's a black bag with a gold chain strap. Thank you.

18

M Students, summer vacation is coming. You'll soon _____ _____ _____ _____. It's extremely important to develop time-management skills. I must tell you that students who _____ _____ _____ well cannot fail. Make a balanced schedule and follow it faithfully. I hope you don't waste your time.

19

M What do you usually do _____ _____ _____ _____?

W I love watching movies.

M Where do you watch them? At home or at the theater?

W I prefer the movie theater.

M Me, too. _____ _____ _____ _____ do you like?

W Action movies. How about you?

M Me, too!

W _____

20

M Sarah and Jack _____ _____ _____ today. On his way to meet Sarah, Jack sees an old woman who needs help. The woman is trying to carry a big box. Jack _____ _____ _____ with the box. After helping her, Jack realizes he is _____ _____ to meet Sarah. So he calls her cell phone. In this situation, what would Jack probably say to Sarah?

Jack _____

정답 및 해설 p.69

Take Notes

1 대화를 듣고, 두 사람이 부모님에게 줄 선물을 고르시오.

①   ②   ③

④ 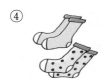 ⑤

2 대화를 듣고, 내일 오후의 날씨를 고르시오.

①   ②   ③   ④   ⑤

3 대화를 듣고, 남자의 심정으로 가장 알맞은 것을 고르시오.

① surprised ② confused

③ excited ④ angry

⑤ disappointed

4 대화를 듣고, 여자가 이번 주말에 할 일을 고르시오.

① 영화 감상 ② 숙제 ③ 등산

④ 파티 참석 ⑤ 권투

5 대화를 듣고, 여자가 이용할 교통수단을 고르시오.

① 기차 ② 버스 ③ 택시 ④ 승용차 ⑤ 지하철

6 다음을 듣고, 'I'가 무엇인지를 고르시오 .

① sushi ② bulgogi ③ cheese ④ kimchi ⑤ yogurt

7 다음을 듣고, 일치하지 않는 것을 고르시오.

① 큰 식당의 요리사이다.
② 손님을 기쁘게 하는 것을 좋아한다.
③ 모든 손님을 좋아하는 것은 아니다.
④ 손님에게 절대로 화를 내지 않는다.
⑤ 더 나은 서비스를 제공하려고 노력한다.

8 대화를 듣고, 여자가 가장 좋아했던 곳을 고르시오.

① Washington   ② Oregon
③ California   ④ Colorado
⑤ Arizona

9 대화를 듣고, 여자가 선택하게 될 책으로 알맞은 것을 고르시오.

① 이솝 우화   ② 어린 왕자
③ 정글북   ④ 셜록 홈즈
⑤ 오페라의 유령

10 대화를 듣고, 서점에 관한 내용과 다른 것을 고르시오.

① Located downtown
② Reopening next week
③ A seven-day sale
④ 50% off on DVDs
⑤ Free parking

11 대화를 듣고, 여자가 요리하게 될 음식을 고르시오.

① 쿠키　　　② 호박 파이　　　③ 샐러드
④ 샌드위치　　⑤ 케이크

Take Notes

12 대화를 듣고, 남자가 전화를 건 목적을 고르시오.

① 예약을 하려고
② 외식을 하려고
③ 승진을 알리려고
④ 약속을 취소하려고
⑤ 축하 인사를 하려고

13 대화를 듣고, 남자가 도와줄 수 없는 이유를 고르시오.

① 친구와 약속이 있어서　　② 보고서를 써야 해서
③ 축구를 해야 해서　　　　④ 영어 숙제를 해야 해서
⑤ 컴퓨터를 고쳐야 해서

14 대화를 듣고, 두 사람이 준비할 필요가 없는 물건을 고르시오.

① 수영복　② 모자　③ 수건　④ 구명조끼　⑤ 선글라스

15 대화를 듣고, 두 사람이 만나기로 한 시각을 고르시오.

① 8:30　　② 9:00　　③ 9:15　　④ 9:30　　⑤ 9:45

16 대화를 듣고, 두 사람의 대화가 <u>어색한</u> 것을 고르시오.

①   ②   ③   ④   ⑤

Take Notes

17 대화를 듣고, 두 사람의 관계로 가장 적절한 것을 고르시오.

① 선생님 - 학생   ② 점원 - 고객   ③ 경찰 - 시민
④ 의사 - 환자   ⑤ 관람객 - 여행 가이드

18 다음을 듣고, 무엇에 관한 내용인지 고르시오.

① 도서관 위치 안내   ② 문화 강좌 홍보   ③ 도서관 이용 예절
④ 신간 소개   ⑤ 예절 강의 홍보

19-20 대화를 듣고, 여자의 마지막 말에 이어질 남자의 응답으로 가장 알맞은 것을 고르시오.

19   Man: _____

① It's a good picture.
② I forgot what she said.
③ They don't allow pets.
④ We haven't decided yet.
⑤ My parents won't let me.

20   Man: _____

① Yes, I can make it.
② Thank you. I'll take it.
③ OK. Let's just stay home.
④ I need to go to the concert.
⑤ Yeah, I totally agree with you.

1

M   It's Parents' Day tomorrow.

W   I know. We should buy flowers.

M   Why don't we buy other things _____ _____? We did that before.

W   All right. Do you have anything in mind?

M   _____ _____ _____? They can help Mom and Dad stay healthy and live longer.

W   That's a good idea. Where should we buy them?

2

W   Look out the window! There's a beautiful _____ _____ _____ _____!

M   Wow! Does that mean it will be sunny tomorrow? I'm tired of the rain.

W   I don't know. Anyway, the weather forecast is for _____ _____ tonight.

M   Let me check the weather. Here's the weather—sunny tomorrow morning, _____ _____ _____ _____.

3

W   _____ _____ _____ _____! We'll never get there!

M   Of course, we will. Try to be patient.

W   But I have waited so long to do this!

M   Me, too. Everyone says it's the best roller coaster ride ever!

W   I know. _____ _____ _____.

M   Me, too. We're getting closer. We might even get on the next ride!

4

W   I heard you joined a boxing club.

M   I did. It's fun. There's no real fighting.

W   I _____ _____ _____ _____ _____.

M   Come with me this weekend! I go every Saturday.

W   _____ _____ _____ if I come Saturday next week? I can't do it this weekend.

M   That's right. You told me you would see a movie with your friends.

5

M   Where is your job interview?

W   It's downtown. I can _____ _____ _____ or a bus.

M   You could walk, too. It's a nice day.

W   Actually, I'll _____ _____ _____. I can't walk far in my high heels.

6

W   I am a _____ _____ _____. There are many different kinds of me. I am usually made of vegetables with many different kinds of spices. The most common is made of cabbages, hot red peppers, radishes, and salt. _____ _____ _____, _____, and sometimes sour. I am a really healthy food. What am I?

7

M Ms. Lawrence _____ _____ _____ _____ _____. She enjoys making her customers happy, and most customers are easy to please. But some are not. They always complain and call her name loudly _____ _____ _____. She doesn't like these customers, but she never gets angry at them and works harder to please them. She always tries to _____ _____ _____ to them.

8

M Where did you go during the holidays in America?

W I went to Washington, Oregon, California, and Colorado. _____ _____ _____.

M Which part of America did you enjoy most?

W California. I went to Death Valley for the first time. _____ _____ _____.

M Really? I always wanted to go there, too.

9

M What are you thinking, Lucy?

W I have to _____ _____ _____ _____ for homework.

M So, what's the problem? You love *Aesop's Fables*, don't you?

W Yes, but the stories are too easy, I guess.

M How about *the Little Prince* or *the Jungle Book*? Or *Sherlock Holmes*?

W I think I _____ _____ _____.

M Let's see. How about *Phantom of the Opera*?

W That's it. It's perfect for me. Thanks.

M I'm glad I could help.

10

M What are you looking at?

W It's an ad for the big bookstore downtown. They will _____ _____ _____.

M I heard the remodeling job was amazing.

W We should check it out. There's a seven-day sale.

M Do they _____ _____ _____ _____?

W Books are 50% off.

M That's great. Do they sell DVDs, too?

W Yes. And you can park _____ _____.

11

M Here's my favorite cooking website. There are _____ _____ _____ _____.

W Let's see. I'm looking for buffet dishes.

M It's for Mary's housewarming party, isn't it?

W Yes. Here are recipes for sandwiches, cakes, pies, and cookies.

M I think a pumpkin pie is a great choice for Mary's party buffet.

W But it will take too long to make. I should _____ _____ _____.

12

[Telephone rings.]

M Hey, what are you doing right now?

W I'm at the supermarket. What do you want for dinner?

M Don't worry about that. _____ _____ _____ tonight.

W Do you want to eat out tonight? Do we have any reason for eating out?

M I _____ _____ _____ _____ today! You can choose any restaurant you like.

W That's fantastic. Congratulations!

13

W It's too heavy. Can you help me move this box to the backyard, Harry?

M Mom, I'm busy _____ _____ _____ _____.

W It won't take a long time. Last time you were busy writing a report with a computer and then you went to play soccer with your friends, right?

M Sorry, Mom. But _____ _____ _____ _____ _____. I will ask Dad to help you.

14

M Yay! We're going to the water park today!

W _____ _____ _____ _____ to bring?

M Well, we need swimsuits, hats, towels, and sunglasses.

W Doesn't the park _____ _____ _____?

M No. It does provide life jackets. So we don't need to take them.

W Oh, good. I'm so excited!

15

M Today, we start our volunteer jobs at the Silver Care Center.

W I'm a little nervous. What time do we have to get there?

M 10 am.

W _____ _____ _____ _____ and go together? I don't want to go alone.

M Sure. What time shall we meet?

W My mom will drive us there. So how about 8:30?

M It's only 15 minutes from my house to the center. _____ _____ _____ _____.

16

① W Does this bus go to Olympic Park?

   M It goes very well.

② W How often do you go to the movies?

   M _____ _____ _____.

③ W How about this one?

   M I think it's too small.

④ W Where shall we meet?

M Let's meet in the gallery.

⑤ W _____ _____ _____ _____ ?

M I prefer the blue one.

17

W Excuse me. _____ _____ _____ _____ ?

M Yes, I am looking for sandals. Could you recommend a pair?

W Sure. This white strap one is the best-selling item in the store. It is very light. Do you want to _____ _____ _____ ?

M Yes, do you have size 10?

W I have to check in the back. Just wait for a second.

M Sure.

18

W Attention, please. This is Becky from the Culture Department. I'm going to tell you some etiquette _____ _____ _____ .
Please don't make noise when you read books. Also you should not underline in books or tear pages. When you leave the library, please _____ _____ _____ the other students. Thanks for your attention.

19

M We _____ _____ _____ over the weekend.

W Really? I love dogs. What kind of dog did you adopt?

M I'll show you a picture. I've got lots of them on my smartphone.

W Wow, _____ _____ _____ ! Is it a boy or a girl?

M It's a girl.

W What's her name?

M _____

20

M Did you hear about our concert hall? It's going to _____ _____ _____ .

W Oh, no! Why?

M The city council _____ _____ _____ the building. They said the money will pay for better schools.

W How could they do that? We need our concert hall. Don't you think we should _____ _____ about it?

M _____

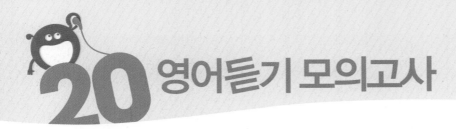

1 대화를 듣고, 여자가 선택한 케이크를 고르시오.

① 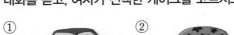 ② ③

④  ⑤

2 대화를 듣고, 남자의 장래 희망으로 적절한 것을 고르시오.

① ② ③

④  ⑤

3 대화를 듣고, 여자의 심정으로 가장 적절한 것을 고르시오.

① worried　　② excited　　③ disappointed
④ happy　　⑤ nervous

4 대화를 듣고, 여자가 가장 좋아하는 과일을 고르시오.

① bananas　　② apples　　③ strawberries
④ oranges　　⑤ grapes

5 대화를 듣고, 요가 수업이 끝나는 시각을 고르시오.

① 5:00　　② 5:10　　③ 5:50　　④ 6:00　　⑤ 7:00

6 대화를 듣고, 두 사람이 대화하는 장소를 고르시오.

① 가구점　② 옷 가게　③ 악세서리 가게　④ 도서관　⑤ 은행

Take Notes

7 대화를 듣고, 두 사람의 관계로 알맞은 것을 고르시오.

① 택시 기사 - 승객　　② 영어 교사 - 학생
③ 농구 코치 - 심판　　④ 음식점 종업원 - 손님
⑤ 서점 점원 - 고객

8 다음을 듣고, 무엇에 관한 설명인지 고르시오.

① a handle　② a car　③ a key
④ a puzzle　⑤ a computer

9 대화를 듣고, 여자가 다음 주에 관람하게 될 것을 고르시오.

① 연극　② 영화　③ 음악 축제　④ 뮤지컬　⑤ 축구 경기

10 다음을 듣고, 무엇에 관한 내용인지 고르시오.

① 병원 진료 안내　② 시험 장소 안내　③ 질병 예방 수칙
④ 마트 할인 행사　⑤ 위생 용품 판매

11 대화를 듣고, 대화의 내용과 안내문이 일치하지 <u>않는</u> 것을 고르시오.

Take Notes

> **Seoul City Library**
>
> Service Hours: ① 8 am ~ 7 pm
>
>   ② (Weekends: 8 am ~ 5 pm)
>
> Foreign Language Books: ③ Over 20,000 books
>
> Borrowing Period: ④ Two weeks
>
> Free Classes: ⑤ About culture every Sunday

12 대화를 듣고, 남자가 전화를 건 목적을 고르시오.

① 감사의 말을 하려고   ② 불평을 하려고

③ 파티에 초대하려고   ④ 약속을 취소하려고

⑤ 도움을 요청하려고

13 대화를 듣고, 남자가 학교에 지각한 이유를 고르시오.

① 지갑을 잃어버려서   ② 버스가 오지 않아서

③ 몸이 아파서   ④ 도로가 막혀서

⑤ 자전거가 고장 나서

14 대화를 듣고, 남자가 가진 사전에 대해서 알 수 <u>없는</u> 것을 고르시오.

① 총 페이지   ② 수록된 영어 단어 수

③ 구입처   ④ 가격

⑤ 구입 시기

15 대화를 듣고, 여자가 이용할 교통수단을 고르시오.

① by car   ② by train   ③ by airplane

④ by express bus   ⑤ by express train

16 대화를 듣고, 여자가 에세이에 쓰기로 한 주제를 고르시오.

① 장래 희망　　② 직업　　③ 가족　　④ 영화　　⑤ 취미

17 다음을 듣고, 두 사람의 대화가 <u>어색한</u> 것을 고르시오.

①　　　　②　　　　③　　　　④　　　　⑤

18 대화를 듣고, 내용과 가장 잘 어울리는 속담을 고르시오.

① Many hands make light work.
② Every cloud has a silver lining.
③ Too many cooks spoil the broth.
④ Actions speak louder than words.
⑤ Don't count your chickens before they hatch.

19-20 대화를 듣고, 여자의 마지막 말에 이어질 남자의 응답으로 가장 적절한 것을 고르시오.

19 Man: _____

① No, thanks.
② What's up?
③ That'll be great.
④ Sorry to hear that.
⑤ He'll be very happy.

20 Man: _____

① That's too bad.
② Of course, you can.
③ To eat here, thanks.
④ It was really delicious.
⑤ I like it with lots of cheese.

1

W   I'll buy a cake for Eric's birthday. He'll be 15 tomorrow.

M   Okay. I think he's too old for teddy bears. But _____ _____ _____.

W   Does he? Then, which one is better, the one with cars on it or the car-shaped cake?

M   Wait. Look! There's a cake with lots of stars on it.

W   _____ _____ _____. But I'll take the car-shaped one. It looks better.

2

W   Will you take classes during the summer vacation?

M   Sure. I will _____ _____ _____: a drawing class and a photography class.

W   Really? I didn't know you like drawing.

M   Well, I _____ _____ _____ _____ _____ someday.

W   I like drawing, too, but I want to be a writer. That's why I took a writing class last semester.

3

W   Hey, I'm really looking forward to our dinner date tonight.

M   Tonight? I'm so sorry! _____ _____! How about tomorrow instead? I can't make it tonight.

W   This is not the first time you forgot our appointment.

M   I know. I'm really sorry. I'll _____ _____ _____ _____ _____ next week.

4

M   What's your favorite fruit? My favorite one is strawberry.

W   I _____ _____ _____. They are very easy to eat.

M   Oh, orange is not bad, but sometimes they are too sour.

W   Yeah, sometimes. Just choose bright-colored ones without bruises. _____ _____ they are the delicious ones.

5

W   What time does yoga class start tonight?

M   It starts at 5 o'clock. Let's meet there 10 minutes _____ _____ _____.

W   Sure. How long is the class?

M   Well, there's a five-minute warm-up, then 40 minutes of yoga, and then a five-minute meditation.

W   So it's _____ _____ _____?

M   Yes. You're right.

6

M   What else do we need to buy?

W   I want to _____ _____ _____ _____.

M   That one looks good. What do you think?

W   Which one? The red fabric one?

M   No, the brown one. It's made of leather.

W   Oh, that one. But it looks quite expensive.

M   Yeah, but _____ _____? I'll ask the staff about the price.

7

M   Can I help you? Are you looking for something in particular?

W   Yes. I am _____ _____ _____ _____ _____.

M   Oh, it's right down there. What languages are you looking for?

W   English and Chinese.

M   Then, _____ _____ _____ the Chinese section next to the English section.

W   Great! Thanks.

8

M   This _____ _____ _____ all kinds of things. In the old days, this was usually made of metal. We needed this to _____ _____ and start our cars. These days, this can be a secret code, a fingerprint, or a special card.

9

W   I really like jazz music. It's my favorite.

M   I like blues, rock, and folk, _____ _____ _____ _____.

W   Actually, I'm going to a big music festival next week. I can't remember the name of it.

M   Is it the International Jazz festival at Olympic Park?

W   That's the one! My brother _____ _____ _____. I'm going with him.

10

W   _____ _____ _____ _____ at school. So, please, remember several rules. The number-one rule is to wash your hands, especially after using the toilet. Second, _____ _____ _____ when you cough or sneeze. If you don't, other students could get germs. Thank you for listening.

11

M   Is the Seoul City Library open on weekends?

W   Yes. It's open every day beginning at 8 am. It closes at 5 pm on weekends and 7 pm on weekdays.

M   Do they have foreign-language books?

W   Yes, more than 20,000. And _____ _____ _____ _____ for two weeks.

M   Great. I heard the library serves free culture classes. Is it true?

W   Yes, there are several _____ _____ _____ _____ _____. Let's check what classes they have.

12

[Telephone rings.]

W   Hey, Dean. What's up?

M   Hi, Wendy. _____ _____ my cousin.

W   I can hear her crying in the background.

M   That's why I called. I don't know _____

_____ _____ .

W   I'll come and see what I can do. I had lots of experience with my little brothers.

M   You're a great neighbor. Thanks.

13

W   You're late, Frank. Why?

M   I'm sorry, Ms. Lawrence. I usually ride my bike, but _____ _____ _____ this morning.

W   Then, how did you get to school?

M   I asked Mom to drive me.

W   I see. But didn't she give you a ride?

M   Yes, she did. But there was a _____

_____ . I'm sorry.

W   Well, hurry to your classroom.

14

W   Your dictionary is _____ _____

_____ .

M   Well, it is 1,100 pages long and has 100,000 English words.

W   The best thing is that it has lots of helpful pictures.

M   _____ _____ _____ _____ ?

Mine was 20,000 won. I bought it last month.

W   I'm not sure. I'll look it up online.

15

W   Hey, _____ _____ _____ _____

_____ Busan?

M   Sure. We drove down there for a family holiday.

W   I'm going this weekend. I'm going to book a flight.

M   Why? The train is much cheaper.

W   I want to get there and back quickly.

M   Then you can _____ _____ _____

_____ . It is really fast.

W   You changed my mind. Thanks! Where can I get a ticket?

16

W   I can't think of a topic for my English essay. I don't know _____ _____ _____ .

M   How about your dream job?

W   Well, I'd rather write about something I know well.

M   Then write about a family or a hobby or

_____ _____ _____

_____ .

W   Yes! I like watching movies. I'll write about that!

17

① M Who is speaking, please?
　W This is Anna Williams.

② M _____ _____ _____ with you?
　W I'm a little tired, that's all.

③ M Where would you like to meet?
　W We'll meet again someday.

④ M What's the _____ _____ _____ _____ _____?
　W I don't know. Let's ask the waiter.

⑤ M When does the show start?
　W It will start in a minute.

18

W Molly is making her favorite soup for some friends. Her friends help Molly cook it. All of them know _____ _____ _____ _____. Each friend adds a little something to the soup. But the friends all add extra salt every time they taste the soup. At last, the soup is done, and they all agree: _____ _____ _____! It's too salty!

19

W This is Dr. Anderson's clinic. _____ _____ _____ _____ _____?

M Hello. I want to see Dr. Anderson on Wednesday.

W What time do you want to come?

M _____ _____ _____ in the morning?

W Then, how about 10:30?

M _____

20

M Here's the breakfast menu.

W Thanks, Dad. I'm so hungry! What can I have?

M Order _____ _____ _____.

W Then I'll have the egg and bacon muffin set.

M And I'll have a cheese omelet and a juice.

W Oh! _____ _____ _____ orange juice, too?

M _____

1 대화를 듣고, 남자가 벼룩시장에 가져갈 물건을 고르시오.

① 　② 　③ 　④ 　⑤

2 대화를 듣고, 주말의 날씨를 고르시오.

① 　② 　③ 　④ 　⑤

3 대화를 듣고, 여자의 심정으로 가장 적절한 것을 고르시오.

① proud　② bored　③ angry　④ happy　⑤ thankful

4 대화를 듣고, 두 사람이 대화하는 장소로 가장 적절한 곳을 고르시오.

① 병원　② 호텔　③ 은행　④ 영화관　⑤ 도서관

5 다음을 듣고, 무엇에 대한 설명인지 고르시오.

① 삼계탕　② 칼국수　③ 불고기　④ 비빔밥　⑤ 매운탕

6 대화를 듣고, 여자가 지불한 금액을 고르시오.

① $3   ② $6   ③ $15   ④ $18   ⑤ $20

7 대화를 듣고, 여자의 마지막 말의 의도로 가장 적절한 것을 고르시오.

① 허가   ② 충고   ③ 기대   ④ 추천   ⑤ 동의

8 대화를 듣고, 여자가 대화 직후에 할 일로 가장 적절한 것을 고르시오.

① 짐 싸기   ② 전화 걸기   ③ 호텔 예약하기
④ 여행사 방문하기   ⑤ 비행기 표 예약하기

9 대화를 듣고, 두 사람의 관계로 가장 적절한 것을 고르시오.

① 약사 – 고객   ② 교사 – 학생   ③ 승무원 – 승객
④ 심판 – 운동선수   ⑤ 관광 안내원 – 관광객

10 대화를 듣고, 남자가 가장 좋았다고 생각하는 운동 경기를 고르시오.

① 농구   ② 야구   ③ 축구   ④ 탁구   ⑤ 배드민턴

11 대화를 듣고, 여자가 남자를 위해 할 일로 가장 적절한 것을 고르시오.

① 교실 청소하기   ② 노트 빌려주기   ③ 보고서 도와주기
④ 숙제 제출해주기   ⑤ 영어선생님 모셔오기

12 다음을 듣고, 오늘 오후 4시에 열릴 행사로 가장 적절한 것을 고르시오.

① 동아리 소개   ② 동영상 시청   ③ 그림 그리기
④ 글짓기 대회   ⑤ 글쓰기 수업

13 대화를 듣고, 여자가 전화를 건 목적으로 가장 적절한 것을 고르시오.

① DVD를 함께 보려고   ② DVD 반납을 부탁하려고
③ DVD 대여료를 물어보려고   ④ DVD 구입 방법을 물어보려고
⑤ DVD 가게 위치를 물어보려고

14 다음을 듣고, 도표의 내용과 다른 것을 고르시오.

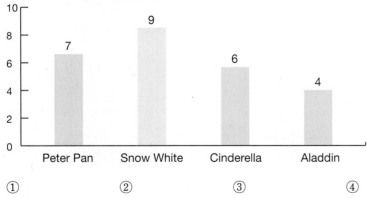

Storybooks that Students Have Read

Peter Pan	Snow White	Cinderella	Aladdin
①	②	③	④	⑤

15 대화를 듣고, 남자가 주문한 것으로 언급되지 않은 것을 고르시오.

① 스테이크   ② 크림수프   ③ 샐러드
④ 아이스크림   ⑤ 오렌지 주스

16 다음을 듣고, 두 사람의 대화가 어색한 것을 고르시오.

①   ②   ③   ④   ⑤

17 대화를 듣고, 남자가 기차역에 가는 이유로 가장 적절한 것을 고르시오.

① 가족 여행을 가려고   ② 봉사 활동을 하려고
③ 기차표를 예매하려고   ④ 할머니를 마중 나가려고
⑤ 잃어버린 물건을 찾으려고

18 다음을 듣고, 남자의 주장으로 가장 적절한 것을 고르시오.

① 경험보다는 독서가 더 중요하다.
② 될 수 있는 대로 책을 많이 읽자.
③ 정보를 활용하는 것이 더 중요하다.
④ 책을 통해서 얻은 지식은 오래 간다.
⑤ 실생활로부터 배우는 것이 더 중요하다.

19-20 대화를 듣고, 남자의 마지막 말에 이어질 여자의 응답으로 가장 적절한 것을 고르시오.

19 Woman: _____

① I'm glad you like it.
② I'm sorry to hear that.
③ Thank you for your help.
④ Help yourself to the cookies.
⑤ I hope you will get well soon.

20 Woman: _____

① He wants to be a doctor.
② My parents wish him well.
③ He spent a lot of time studying.
④ He's looking for a part time job now.
⑤ I want to be a good student like him.

1 대화를 듣고, 여자가 구입할 물건을 고르시오.

2 대화를 듣고, 여자가 방문한 곳의 날씨로 가장 적절한 것을 고르시오.

3 대화를 듣고, 여자의 마지막 말에 드러난 심정으로 가장 적절한 것을 고르시오.

① proud   ② bored   ③ sorry   ④ scared   ⑤ relaxed

4 대화를 듣고, 두 사람이 대화하는 장소를 고르시오.

① 공항   ② 서점   ③ 미술관   ④ 우체국   ⑤ 여행사

5 다음을 듣고, 무엇에 관한 설명인지 고르시오.

① 씨름   ② 널뛰기   ③ 줄다리기   ④ 그네뛰기   ⑤ 차전놀이

6 대화를 듣고, 남자가 지불해야 할 금액을 고르시오.

① $19   ② $20   ③ $21   ④ $22   ⑤ $23

7 다음을 듣고, 말하는 사람의 의도로 가장 적절한 것을 고르시오.

① 칭찬   ② 항의   ③ 조언   ④ 격려   ⑤ 축하

8 대화를 듣고, 남자가 할 일로 가장 적절한 것을 고르시오.

① 충고해주기   ② 휴식 취하기   ③ 약속 정하기
④ 병원에 가기   ⑤ 수학 숙제 하기

9 대화를 듣고, 두 사람의 관계로 가장 적절한 것을 고르시오.

① 교사 - 학부모   ② 간호사 - 환자
③ 경찰관 - 시민   ④ 우체국 직원 - 고객
⑤ 호텔 직원 - 투숙객

10 다음을 듣고, 학생들이 가장 많이 빌리는 책의 종류를 고르시오.

① novels   ② magazines   ③ dictionaries
④ comic books   ⑤ cooking books

11 대화를 듣고, 남자가 여자에게 부탁한 것으로 알맞은 것을 고르시오.

① 가방 들어 주기   ② 좌석 예약하기   ③ 이삿짐 옮기기

④ 자리 옮겨 앉기   ⑤ 의자 가져오기

12 대화를 듣고, 두 사람이 요리 재료로 사용하지 않은 것을 고르시오.

① 버터   ② 치즈   ③ 계란   ④ 소시지   ⑤ 토마토

13 대화를 듣고, 남자가 전화를 건 목적으로 가장 적절한 것을 고르시오.

① 주문을 취소하려고   ② 배송 날짜를 변경하려고

③ 방문 약속을 확인하려고   ④ 상품의 색을 선택하려고

⑤ 불만 사항을 건의하려고

14 다음을 듣고, 표의 내용과 일치하지 않는 것을 고르시오.

Favorite Subjects
(100 students in ABC Middle School)

English	36%
P.E.	22%
Math	19%
Music	15%
Science	8%

①   ②   ③   ④   ⑤

15 대화를 듣고, 남자의 휴대 전화에 대한 설명으로 일치하지 않는 것을 고르시오.

① 생일 선물로 받았다.   ② 책을 읽을 수 있다.

③ 목소리를 녹음할 수 있다.   ④ 사진을 찍을 수 있다.

⑤ 영화를 볼 수 있다.

16 다음을 듣고, 두 사람의 대화가 어색한 것을 고르시오.

①   ②   ③   ④   ⑤

17 다음을 듣고, 학교 방송의 내용과 일치하지 <u>않는</u> 것을 고르시오.

① 운동회 날은 다음 주 금요일이다.
② 자원 봉사 모집 인원은 30명이다.
③ 모두에게 신청 기회가 주어진다.
④ 지원자는 체육관에서 신청할 수 있다.
⑤ 모집 기간은 다음 주 화요일까지이다.

18 대화를 듣고, 남자가 겪은 상황과 가장 잘 어울리는 속담을 고르시오.

① 실패는 성공의 어머니이다.
② 사공이 많으면 배가 산으로 간다.
③ 가는 말이 고와야 오는 말이 곱다.
④ 로마는 하루아침에 이루어지지 않았다.
⑤ 어려울 때 돕는 친구가 진정한 친구이다.

19-20 대화를 듣고, 남자의 마지막 말에 이어질 여자의 응답으로 가장 적절한 것을 고르시오.

19 Woman: _____

① It's too expensive.   ② I don't have a ticket.
③ Buy one, get one free.   ④ How about next morning?
⑤ You can buy it at the train office.

20 Woman: _____

① That's right. It's not that easy.
② Sure! Come and enjoy the music.
③ Of course! I liked the food very much.
④ Okay. You can play the piano anytime.
⑤ Don't worry. You'll do better next time.

이것이 THIS IS 시리즈다!

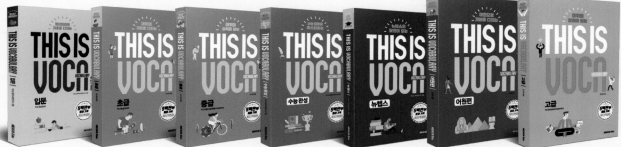
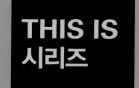

LEVEL CHART

	초1	초2	초3	초4	초5	초6	중1	중2	중3	고1	고2	고3
VOCA	초등필수 영단어 1-2 · 3-4 · 5-6학년용											
					The VOCA + (플러스) 1~7							
			THIS IS VOCABULARY 입문 · 초급 · 중급						고급 · 어원 · 수능 완성 · 뉴텝스			
				WORD FOCUS 중등 종합 5000 · 고등 필수 5000 · 고등 종합 9500								
Grammar			초등필수 영문법 + 쓰기 1~2									
			OK Grammar 1~4									
			This Is Grammar Starter 1~3									
					This Is Grammar 초급~고급 (각 2권: 총 6권)						
						Grammar 공감 1~3						
						Grammar 101 1~3						
						Grammar Bridge 1~3 (NEW EDITION)						
						The Grammar Starter, 1~3						
							한 권으로 끝내는 필수 구문 1000제					
							구사일생 (구문독해 Basic) 1~2					
								구문독해 204 1~2 (개정판)			
									고난도 구문독해 500		
							그래머 캡처 1~2					
								[특급 단기 특강] 어법어휘 모의고사			

LISTENING

영어듣기 모의고사 [20회＋2회]

Answers

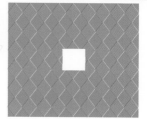

새 교과서 반영
중등 듣기 시리즈
공부감각

넥서스영어교육연구소 지음

Level **2**

NEXUS Edu

LISTENING

영어듣기 모의고사 [20회+2회]

Answers

Level 2

NEXUS Edu

01회 영어듣기 모의고사 p.8~11

01 ②	02 ①	03 ⑤	04 ④	05 ④
06 ②	07 ③	08 ①	09 ④	10 ⑤
11 ③	12 ⑤	13 ④	14 ③	15 ②
16 ⑤	17 ③	18 ③	19 ④	20 ⑤

1 ②

해석
남 피크닉에 또 뭐가 필요하지?
여 도시락이 필요해. 하나 사러 가자.
남 무늬가 없는 것과 무늬가 있는 것 중에 뭐가 더 좋아?
여 무늬가 있는 것. 음, 별 무늬가 있는 건 어때?
남 난 별을 안 좋아해. 파란색과 하얀색 줄무늬가 있는 도시락으로 사자!
여 좋아! 정말 좋아 보인다.

해설
두 사람은 파란색과 하얀색 줄무늬가 있는 도시락을 사기로 했다.

어휘
else 그 밖의, 또 다른 / prefer ~을 선호하다 / plain 무늬가 없는 / patterned 무늬가 있는 / stripe 줄무늬

2 ①

해석
남 겨울 방학 어땠어?
여 나는 엄마랑 이탈리아에 갔었어.
남 와! 날씨는 어땠어?
여 그렇게 춥지 않았어. 화창하고 꽤 따뜻했어.
남 오, 부럽다. 여기는 춥고 눈이 많이 왔어!

해설
여자는 방문한 곳이 화창하고 따뜻했다고 말했다.

어휘
vacation 방학 / Italy 이탈리아 / weather 날씨 / that 그렇게, 그만큼 / pretty 꽤 / envy 부러워하다 / a lot 많이

3 ⑤

해석
여 종이비행기 대회는 어땠니?
남 좋았어요. 우리는 굉장한 비행기를 만들었어요.
여 네 비행기는 어땠어?
남 음, 종이비행기의 비행 기록이 69미터였던 것을 기억하세요?
여 응. 너희 학교의 누군가가 그 기록을 깬 거니?
남 네. 제가 그 기록을 깨고 1등을 했어요!
여 잘했네! 정말 멋지구나!

해설
여자는 남자가 종이비행기 대회에서 1등을 했다는 소식에 남자를 자랑스러워하고 있다.
① 무서운 ② 편안한 ③ 미안한 ④ 피곤한 ⑤ 자랑스러운

어휘
paper airplane 종이비행기 / competition 대회, 시합 / record 기록 / flight 비행 (거리) / break 깨다 / win first prize 일등을 하다 / terrific 멋진, 훌륭한

4 ④

해석
남 실례합니다. 방해해서 죄송해요.
여 괜찮아요. 무엇을 도와 드릴까요?
남 여기 회원으로 가입하고 싶어서요.
여 네. 이 서류를 작성해 주세요.
남 알겠습니다. 제가 오늘 책을 빌릴 수 있나요?
여 네. 카드를 받으신 후에, 어떤 책이든 빌리실 수 있어요.
남 저 다 작성했어요.
여 알겠습니다. 여기 앉으세요. 사진을 찍어야 하거든요.

해설
책을 빌릴 수 있는 곳은 도서관이다.

어휘
bother 방해하다 / join 가입하다 / fill out ~을 작성하다, 기입하다 / form 양식 / borrow 빌리다

5 ④

해석
남 국립 박물관에 오신 것을 환영합니다.
여 안녕하세요. 학생 할인이 있나요?
남 네, 학생은 5달러입니다. 하지만 월요일에는 티켓 한 장에 1달러의 추가 할인이 있어요.
여 월요일에 와서 좋네요! 학생으로 4장 주세요.
남 총 16달러입니다. 학생증을 보여 주실래요?
여 네. 여기 있어요.

해설
학생 요금은 5달러이지만 월요일에는 4달러이므로 4달러짜리 4장은 16달러이다.

어휘
discount 할인 / extra 추가의 / per 당 / student ID 학생증(ID: Identification)

6 ②

해석
남 가방을 도둑 맞으셨다니 유감이군요. 누가 훔쳐 갔는지 아세요?
여 네. 나이가 있는 남자였어요. 한 50세 정도인 것 같아요.
남 알겠습니다. 그럼 젊은 남자는 아니라는 거죠?
여 네, 그리고 키가 작았고 뚱뚱했어요.

남 알겠습니다. 키가 작고, 뚱뚱하고, 나이가 많은 남자요. 머리 스타일은 어땠죠?

여 지저분하고, 어깨 정도 되는 길이에, 짙은 색이었어요.

해설

여자가 묘사한 사람은 키가 작고, 뚱뚱하며 어깨 정도의 머리 기장을 가진 50세의 중년 남성이다.

어휘

steal 훔치다(steal-stole-stolen) / messy 지저분한 / shoulder-length 어깨까지 오는 길이의

7 ③

해석

[전화벨이 울린다.]

여 안녕하세요? 로사즈 블랭킷입니다. 무엇을 도와 드릴까요?

남 안녕하세요. 주문을 좀 변경하고 싶어서요.

여 성함이 어떻게 되시죠?

남 Paul Stewart예요. 제가 어제 녹색 담요를 주문했거든요.

여 네. 여기 주문서가 있네요, Stewart 씨. 색상을 변경하고 싶으신 건가요?

남 아니요. 색은 괜찮아요. 배송 날짜를 바꾸고 싶어서요.

여 배송 날짜는 언제로 해 드릴까요?

남 다음 주로 바꿀 수 있나요?

해설

남자는 배송 날짜를 다음 주로 바꾸고 싶다고 말했다.

어휘

blanket 담요 / order 주문; 주문하다 / change one's mind 마음을 달리 먹다 / delivery date 배송 날짜

8 ①

해석

여 너 안 좋아 보인다. 괜찮아?

남 나 너무 피곤해. 그게 다야.

여 하지만 아파 보여. 집에 가서 좀 쉬어야겠다.

남 그럴 수 없어. 영어 시험이 목요일이야. 공부를 해야 해.

여 공부할 날이 나흘이나 더 있잖아. 가서 좀 쉬어.

남 네 말이 맞아. 지금 가야겠어. 더 심하게 아프고 싶지는 않아.

해설

남자는 여자의 말에 따라 휴식을 취하기로 했다.

어휘

look well 건강해 보이다 / take a rest 쉬다 / get sick 병에 걸리다

9 ④

해석

남 무엇을 도와드릴까요?

여 의사 선생님이 처방한 약을 받으려고요.

남 네. 잠시만요. [멈춤] 여기 있습니다. 하루에 세 번 이 약을 드세요.

여 알겠습니다. 감사합니다. 오, 이거 비타민 씨인가요?

남 네. 그거 좋은 거예요.

여 이것도 살게요. 얼마죠?

남 12달러입니다. 비타민 씨는 5달러, 이 약은 7달러입니다.

해설

의사가 처방한 약과 비타민을 사고 있으므로 약사와 고객의 대화이다.

어휘

medicine 약 / order 주문하다, 처방하다 / for a second 잠시 / take 먹다, 복용하다 / time 번

10 ⑤

해석

① 여 여섯 명의 학생이 「Monster」를 읽었다.

② 여 「Twilight」은 가장 적은 수의 학생이 읽었다.

③ 여 「Sherlock Holmes」는 가장 많은 수의 학생이 읽었다.

④ 여 「Jungle Book」을 읽은 학생의 수는 「Twilight」을 읽은 학생의 수보다 한 명 더 많았다.

⑤ 여 「Sherlock Holmes」는 열 명의 학생이 읽었다.

해설

Sherlock Holmes는 10명이 아니라 12명의 학생이 읽었다.

어휘

monster 괴물 / twilight 황혼 / least 가장 적은

11 ③

해석

남 정말 큰 파티야, 그렇지 않니?

여 맞아! 여기 정말 사람이 많다. Jane을 찾을 수가 없네.

남 그 애는 파티에 오지 않았어. 감기에 걸려서 병원에 갔거든.

여 정말이야? 그건 몰랐어. Jane한테 이 노트를 전해 줘야 하는데.

남 네가 원한다면 내가 집에 가는 길에 전해 줄 수 있어.

여 그렇게 해 주면 정말 고마울 거야.

해설

남자는 집에 가는 길에 Jane에게 노트를 전해 주기로 했다.

어휘

huge 큰, 거대한 / crowded 붐비는 / catch a cold 감기에 걸리다 / on one's way home 집에 가는 도중에 / appreciate 고마워하다

12 ⑤

해석

[종이 울린다.]

남 여러분, 좋은 아침입니다. 매년 열리는 우리 학교 축제가 이번 토요일로 다가왔습니다. 축제에는 50명의 자원봉사자를 위한 흥미진진한 일이 있습니다. 관심 있는 학생이라면 누구나 체육관 밖에 있는 리스트에 이름을 올리세요. 이미 15명의 학생이 등록했습니다. 재미도 챙기고, 축제도 멋지게 만들 수 있는 기회를 놓치지 마세요!

해설

참가자 리스트는 체육관 안이 아니라 체육관 밖에 있다.

어휘

annual 연간의 / school festival 학교 축제 / volunteer 자원봉사자 / sign up 등록하다 / gym 체육관 / already 이미, 벌써 / miss 놓치다 / have fun 재미있게 놀다

13 ④

해석

여 너 게시판 봤어? 연극 동아리에서 배우랑 가수를 찾고 있대.
남 알아. 그들은 올해 「Oliver」라는 뮤지컬을 할 거야.
여 배역을 맡고 싶어.
남 나도야. 나는 작년에 뮤지컬을 했었어. 우리는 「Chicago」라는 작품을 했어. 정말 재미있었어.
여 어떻게 하면 배역을 맡을 수 있어?
남 먼저, 오디션에 참가 신청을 해야 해.
여 지금 바로 참가 신청을 할게.

해설

여자는 배역을 맡기 위해 오디션에 참가 신청을 하기로 했다.

어휘

notice board 게시판 / drama 연극 / look for ~을 찾다 / actor 배우 / get a part 배역을 맡다 / sign up ~에 참가하다, 등록하다, 가입하다

14 ③

해석

여 우리 학교 도서관은 수천 권의 책을 보유하고 있다. 공상 과학 소설은 우리 도서관에서 가장 인기 있는 도서이다. 당신이 이 책을 대여하고 싶다면 최소 2주는 기다려야 한다. 다음으로 가장 인기 있는 책은 만화책이다. 세 번째는 수필집이고, 잡지가 그 다음이다.

해설

도서관에서 가장 인기 있는 도서는 공상 과학 소설이다.
① 수필 ② 만화책 ③ 공상 과학 소설 ④ 잡지 ⑤ 사전

어휘

thousands of 수천의 / science fiction 공상 과학 소설 / popular 인기 있는 / kind 종류 / borrow 빌리다 / at least 최소한 / comic book 만화책 / followed by 뒤이어

15 ②

해석

여 그거 새 휴대 전화야?
남 아니, 우리 누나가 쓰던 거야. 누나가 나한테 줬어.
여 좋아 보이는데.
남 쓸 만해. 최신 모델은 아니지만.
여 내가 한번 봐도 될까? 화면도 크고 카메라 화질도 좋아.
남 응, 나쁘지 않아.
여 넌 만족스럽지 않구나, 그렇지? 무슨 문제 있어?
남 배터리가 아주 오래 가지는 않더라고.

해설

남자의 휴대 전화는 새 것이 아니라 누나가 쓰던 휴대 전화이다.

어휘

latest 최신의 / though 그렇지만 / screen 화면 / be satisfied with ~에 만족하다 / last 계속하다, 지속하다

16 ⑤

해석

① 남 멕시코 음식을 먹어 본 적이 있니?
　 여 응, 많이 먹어 봤어.
② 남 그 뉴스를 텔레비전에서 봤니?
　 여 아니, 나는 그것을 온라인으로 읽었어.
③ 남 거기까지 가는 데 얼마나 걸리니?
　 여 한 시간 정도 걸려.
④ 남 넌 여가에 무엇을 하니?
　 여 난 그림 그리고 색칠하는 것을 좋아해.
⑤ 남 그가 어떻게 생겼니?
　 여 그는 자신의 아버지를 바라보았어.

해설

그가 어떻게 생겼냐는 질문에 아버지를 바라보았다는 답변은 적절하지 않다.

어휘

take (얼마의 시간이) 걸리다 / free time 여가 / look like ~처럼 생기다, ~을 닮다 / look at 쳐다보다

17 ③

해석

남 좋은 아침입니다, 학생, 교사 여러분! 오늘은 국제 산림의 날이에요. 9시 30분에 학생들은 학교 운동장에서 나무를 심을 겁니다. 11시에는 사생대회가 있을 거예요. 12시 30분에 점심을 먹고, 1시 30분에 숲으로 소풍을 가기 위해 버스를 탈 겁니다. 버스는 오후 5시에 돌아갈 거예요. 버스 시간에 늦지 마세요. 좋은 하루 보내세요!

해설

오전 11시에 미술 대회가 있을 예정이라고 했다.

어휘

international 국제적인 / forest 숲, 삼림 / plant 심다 / school ground 학교 운동장 / drawing contest 사생대회 / get on ~을 타다 / return 돌아가다

18 ③

해석

남 여름 방학이 정말 빨리 지나간다!
여 맞아. 다음 주에 학교에 가기 전에 너는 무슨 계획이 있니?
남 너 파파로아 국립공원 알아?
여 정말 좋다고 들었어.
남 음, 나 거기로 하이킹을 갈 거야.
여 정말? 누구랑 같이 갈 거야?
남 아빠랑 같이 갈 거야.

해설

누구와 함께 가냐고 물었으므로 아빠와 함께 갈 것이라는 응답이 가장 적절하다.
① 여행하기에 너무 멀어. ② 응, 나 거기 간 적 있어. ④ 겨울에는 폐쇄돼.
⑤ 제안해 줘서 고마워.

어휘

fast 빨리 / go back to ~로 돌아가다 / National Park 국립공원 / go
hiking 하이킹을 하러 가다, 도보 여행을 가다 / far 먼 / closed 닫힌 /
suggestion 제안

19 ④

해석

남 뭐하고 있어?
여 컴퓨터에서 괜찮은 가족사진을 찾고 있어.
남 아. 뭐 하게?
여 아빠 생신 선물로 앨범을 만들고 있거든.
남 정말 좋은 생각이다! 아빠가 좋아하실 거야.
여 나도 그렇게 생각해. 너는 아빠를 위해 뭘 준비할 거니?
남 아직 결정하지 못했어.

해설

아빠 생신 선물로 무엇을 준비할 것인지 물었으므로, 아직 결정하지 못했
다는 대답이 가장 적절하다.
① 그는 보통 그렇게 해. ② 좋은 생각이다. ③ 그것이 내 첫 앨범이야.
⑤ 그는 중국에 가 본 적이 있어.

어휘

look for 찾다 / album 앨범 / get 준비하다 / usually 보통, 대개 /
decide 결정하다

20 ⑤

해석

여 Tina와 Ben은 함께 배드민턴 치는 것을 좋아한다. 금요일마다 그들은
학교 운동장에서 함께 배드민턴을 친다. 비록 그들은 재미로 하는 것이
지만, 이번에 Tina는 이기고 싶었다. 하지만 Tina는 첫 번째 게임에서
졌다. 이 상황에서 Ben은 Tina를 격려하기 위해 뭐라고 말하겠는가?
Ben 실망하지 마, 더 많은 기회가 있어.

해설

Tina를 격려하기 위해 더 많은 기회가 있으니 실망하지 말라고 하는 것이
가장 적절하다.
① 난 게임에서 이기고 싶어. ② 나랑 같이 갈래? ③ 넌 그것보다 더 잘 할
순 없을 거야. ④ 굉장해! 배드민턴을 치는 것은 너한테 좋아.

어휘

badminton 배드민턴 / playground 운동장 / although ~이긴 하지만 /
for fun 재미로 / encourage 격려하다 / disappoint 실망하다 /
chance 기회

Dictation
p.12~15

1 need a lunch box / blue and white stripes
2 your winter vacation / sunny and pretty warm
3 made great planes / broke the record
4 sorry to bother you / borrow any books
5 a discount for students / will be sixteen dollars
6 your bag was stolen / a short, fat, older guy
7 change my order / change the delivery date
8 you look sick / take a rest
9 get the medicine / How much is it
10 the least number of / one more student
11 is so crowded / give her this notebook
12 is coming up / outside the gym
13 looking for actors / sign up to audition
14 the most popular kind / followed by magazines
15 the latest model / are not satisfied with
16 How long does it take / look like
17 a drawing contest / be late for
18 go back to school / going with
19 looking for / making an album / What will you get
20 play badminton / wanted to win / to encourage her

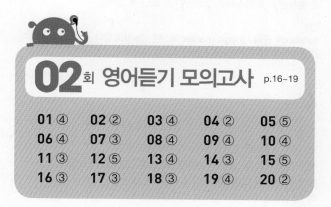

02회 영어듣기 모의고사 p.16~19

01 ④	02 ②	03 ④	04 ②	05 ⑤
06 ④	07 ③	08 ④	09 ④	10 ④
11 ③	12 ⑤	13 ④	14 ③	15 ⑤
16 ③	17 ③	18 ③	19 ④	20 ②

1 ④

해석

남 안녕하세요. 날씨를 알려 드립니다. 오늘은 서늘하고 흐리겠습니다. 오늘
밤에는 비가 내리겠고, 목요일까지 계속 오겠습니다. 금요일에는 기온
이 떨어져 비가 눈으로 바뀌겠습니다. 눈은 일요일 밤까지 계속 내리겠
습니다.

해설

금요일에서 일요일 밤까지 눈이 내린다고 했으므로, 일요일에는 눈이 올 것이다.

어휘

continue 계속되다 / temperature 기온 / drop 떨어지다 / fall 떨어지다

2 ②

해석

여 우리가 벼룩시장에서 무엇을 팔 수 있을까?

남 제 야구 글러브는 안 팔래요, 엄마.

여 알았다. 네 농구공은 어떠니?

남 전 아직도 그걸 가지고 놀아요. 제가 신던 스키 부츠를 팔아요.

여 그건 좀 더러운데. 우선 먼지를 좀 털어 줄래?

남 알겠어요. 제 오래된 만화책은 어때요?

여 그건 네가 가지고 있어야 할 것 같아. 네 스키 부츠면 충분할 거 같구나.

해설

남자는 여자에게 스키 부츠를 팔아도 좋다고 했다.

어휘

sell 팔다 / flea market 벼룩시장 / brush off (솔질로) 털다 / dirt 먼지 / comic book 만화책

3 ④

해석

남 무슨 일이야?

여 Sean이 매직펜으로 제 공책에 그림을 그렸어요!

남 싸우고 소리를 지른다고 일이 해결되지 않아. 게다가 걔는 겨우 네 살이잖니.

여 하지만 아빠, 제 숙제를 망쳤단 말이에요!

해설

여자는 동생이 숙제를 망쳐 놓았으므로 화가 났을 것이다.

① 행복한 ② 자랑스러운 ③ 미안한 ④ 화난 ⑤ 고마운

어휘

notebook 공책 / magic marker 매직펜 / fix 바로잡다 / besides 게다가, 또 / ruin 망치다, 엉망으로 만들다

4 ②

해석

남 좋은 아침이야, Emily. 오늘 학교에 일찍 왔구나.

여 안녕하세요, Jefferson 선생님. 저 오늘 자전거를 타고 왔어요.

남 정말? 하지만 넌 10킬로미터나 떨어진 곳에 살잖니!

여 아니에요, 주말에 새집으로 이사했어요.

남 정말? 그래서 지금은 거리가 얼마나 되니?

여 학교까지 5분밖에 안 걸려요.

해설

여자는 주말에 이사를 해서 학교에 자전거를 타고 올 수 있었다.

어휘

early 일찍 / ride 타다(ride-rode-ridden) / away 떨어져 / move 이사하다 / weekend 주말 / take (시간이) 걸리다

5 ⑤

해석

여 다음 분이요.

남 저는 이 소포를 뉴질랜드에 계신 엄마에게 보내고 싶어요.

여 특급 우편 주소 양식을 작성하셨나요?

남 네. 특급 우편으로 보내려고요.

여 알겠습니다. 우편물이 420그램 나가네요. 35달러입니다.

남 언제쯤 도착할까요?

여 보통은 뉴질랜드에 도착하는 데 3일에서 5일정도 걸려요.

해설

해외로 소포를 보낼 수 있는 곳은 우체국이다.

어휘

package 소포 / fill out 작성하다 / express mail 특급 우편 / address 주소 / form 양식 / weigh 무게가 ~이다

6 ④

해석

여 무슨 일이야?

남 나 어제 밤새웠어.

여 왜? 수업을 들으려면 충분히 자야지.

남 과학 숙제를 끝내야 했어. 너무 어려웠어. 시간도 엄청 걸렸어.

여 네 말이 맞아. 나도 그것 때문에 스트레스 엄청 받았어.

해설

여자는 과학 숙제가 스트레스였다고 말하며, 숙제가 어려웠다는 남자의 말에 동의하고 있다.

어휘

stay up 안 자고 깨어 있다 / I couldn't agree more. 전적으로 공감해. / stressful 스트레스가 많은

7 ③

해석

여 오늘 밤 생일 파티 준비는 다 된 거니?

남 네. 정말 재미있을 거예요!

여 치킨이랑 피자를 주문해 줄게. 친구 일곱 명 초대한 거 맞지?

남 네. 근데 Josh는 못 온대요.

여 그럼 친구가 여섯 명 온다는 거네, 맞지?

남 네, 엄마. 저까지 일곱 명이에요.

해설

친구 일곱 명을 초대했는데 한 명이 못 온다고 했으므로 여섯 명의 친구가 생일 파티에 올 것이다.

어휘

order 주문하다 / invite 초대하다 / mean 의미하다 / include ~을 포함시키다

8 ④

해석

남 너 여름 방학에 뭐 할 거야?

여 Kelly랑 나는 일본으로 여행을 갈 계획이야.

남 벌써 표를 예매했어?

여 응, 도쿄 항공으로. 그런데 숙박을 할 좋은 호텔을 못 찾았어.

남 Susan한테 전화해 봐. 그녀는 지금 호텔스닷컴에서 일해.

여 좋은 생각이다! 그녀가 우리를 위해서 뭔가를 찾아 줄 거야! 지금 당장 전화해 봐야겠어.

해설

여자는 호텔 정보를 얻기 위해 호텔스닷컴에서 일하는 친구 Susan에게 전화할 것이다.

어휘

plan 계획하다 / trip 여행 / Japan 일본 / book 예매하다 / airline 항공사

9 ④

해석

여 오늘 학교 운동회는 어땠어?

남 정말 재미있었어.

여 무슨 경기를 했는데?

남 배구랑, 농구, 탁구, 핸드볼, 축구를 했어.

여 어떤 게 가장 좋았어?

남 내가 제일 좋아하는 건 배구인데, 오늘은 핸드볼이 제일 좋았어. 정말 재미있더라!

해설

원래 남자가 좋아하는 경기는 배구이지만, 오늘은 핸드볼이 가장 재미있었다고 했다.

어휘

sports day 운동회 날 / game 경기 / volleyball 배구 / table tennis 탁구 / favorite 가장 좋아하는

10 ④

해석

여 좋은 아침입니다! 아침 뷔페를 드신 후에, 우리는 버스를 타고 버킹엄 궁전과 런던 타워, 하이드 파크에 갈 거예요. 공원에서 점심으로 도시락을 드신 후에 여러분은 혼자 쇼핑을 가셔도 좋습니다. 여러분이 저녁 식사를 하실 수 있도록 6시에 버스가 여기로 다시 데려다 줄 거예요.

해설

여자는 아침 식사 후 진행될 오늘의 관광 일정에 대해 안내하고 있다.

어휘

buffet 뷔페(식) / board ~을 타다 / palace 궁전 / free 자유로운 / bring something back ~을 다시 데려다 주다

11 ③

해석

여 주문하실 준비가 되셨나요?

남 네. 우선 브로콜리 스프를 먹을게요.

여 알겠습니다. 브로콜리 스프요.

남 그리고 오늘의 생선 요리를 주세요.

여 감자튀김과 샐러드도요?

남 샐러드만 주세요. 그리고 콜라 있나요?

여 네. 주문하신 내용을 넣고 바로 음료를 가져다 드리겠습니다.

해설

남자는 감자튀김과 샐러드 중 샐러드만 주문했다.

어휘

French fries 감자튀김 / place one's order 주문하다

12 ⑤

해석

[휴대 전화가 울린다.]

여 여보세요, Dave. 너 아직 도서관에 있어?

남 막 나가려던 참이야. 왜?

여 도서관에서 문자가 왔어. 내가 필요한 책이 지금 들어왔대.

남 미술 숙제에 필요한 그 책?

여 응. 그 책을 빌려다 줄 수 있어?

남 당연하지.

여 고마워. 내가 오늘 밤 너희 집에 들를게. 괜찮지?

해설

여자는 남자에게 미술 숙제에 필요한 책을 빌려다 달라고 부탁하기 위해 전화를 걸었다.

어휘

library 도서관 / borrow 빌리다 / drop by 잠깐 들르다

13 ④

해석

남 칠면조 고기 샌드위치를 어떻게 만드는지 알려 줄 수 있어?

여 쉬워. 먼저, 빵에 마요네즈를 발라.

남 좋아, 그러고 나서 빵 위에 치즈 두 장을 얹는 거지?

여 응, 그리고 칠면조 고기 조각을 올려. 피클도 넣을까?

남 아니, 상추만. 이제 다 된 거야?

여 아니. 여기 후추랑 소금이 있어. 다 됐어, 이제 먹어도 돼!

해설

남자는 샌드위치에 피클은 넣지 않겠다고 했다.

어휘

turkey 칠면조 고기 / mayonnaise 마요네즈 / slice 음식을 얇게 썬 조각 / pickle 피클 / lettuce 상추 / pepper 후추 / salt 소금

14 ③

해석

[전화벨이 울린다.]

남 세븐스프링스입니다. 무엇을 도와드릴까요?

여 저는 Ann Smith인데요. 예약을 확인하려고 전화했어요.

남 날짜가 언제인가요?

여 다음 주 주말로 예약을 했어요.

남 Smith 부인... 죄송합니다만, 당신의 정보를 찾을 수가 없네요.

여 다시 확인해 주세요. 분명히 2인용 방을 예약했어요.

남 안 보이는데요. 제가 지금 바로 예약해 드릴게요.

해설

방을 예약한 사람은 손님이고 확인을 해 주는 사람은 호텔 직원이다.

어휘

reservation 예약 / make a reservation 예약하다 / book 예약하다 / confirm ~을 확인하다

15 ⑤

해석

남 Belle, 너 우울해 보인다. 무슨 일이야?

여 요즈음 내 미래에 대해 생각하고 있어.

남 그래서, 무엇이 될지 결정했어?

여 아니, 결정 못 하겠어. 우리 엄마는 내가 의사가 되길 바라셔. 우리 아빠는 내가 변호사가 되길 바라시고.

남 왜! 너 진짜 혼란스럽겠다.

여 응. 심지어 우리 할머니는 자신처럼 간호사가 되라고 하셨어. 나는 무엇을 해야 할지 못 정하겠어.

해설

여자는 여러 사람의 말에 혼란스러워하고 있으므로 '사공이 많으면 배가 산으로 간다.'가 가장 적절하다.

어휘

depressed 우울한 / lawyer 변호사 / confused 혼란스러운

16 ③

해석

여 너 어디를 그렇게 서둘러 가는 거야?

남 학교에 가는 중이야.

여 근데 일요일이잖아. 너 그건 아는 거야?

남 응, 근데 오늘 아침에 축구 시합이 있거든. 우리 반 친구들은 모두 이미 그곳에 있어.

여 너희 선생님도 오셔?

남 응. 사실 선생님이 우리한테 오늘 축구를 하자고 제안하신 거야. 미안한데 나 가 봐야겠어.

해설

남자는 축구 시합이 있어 학교에 간다고 했다.

어휘

in such a hurry 그렇게 서둘러 / match 시합 / propose 제안하다 / get going ~하기 시작하다

17 ③

해석

① 남 영화 어땠니?

　여 괜찮았어.

② 남 넌 생일 선물로 뭘 받았니?

　여 새 자전거를 받았어.

③ 남 너희 방학은 언제 시작해?

　여 우리는 브라이튼해변에 갔었어.

④ 남 내 친구 Tommy를 만난 적이 있니?

　여 아니, 없어.

⑤ 남 이 근처에 편의점이 어디 있나요?

　여 죄송하지만, 저도 여기 처음이에요.

해설

방학이 언제 시작하는지 물었는데 방학 때 한 일에 대해 대답하는 것은 적절하지 못하다.

어휘

present 선물 / vacation 방학 / convenience store 편의점

18 ③

해석

[휴대 전화가 울린다.]

남 여보세요.

여 James, 너 벌써 학교로 출발했니?

남 아니요, 막 샤워 끝내고 나왔어요.

여 오, 잘됐다! 집에 아직 누군가 있길 바랐어.

남 왜요?

여 오븐 불 끄는 거 깜박했거든. 불 좀 꺼 줄래? 나 두 시간 동안은 집에 없을 거야.

남 알았어요, 엄마. 지금 바로 할게요.

해설

여자는 남자에게 오븐 불을 꺼 달라고 부탁했다.

어휘

leave for ~로 떠나다 / out of ~의 밖으로 / turn off 끄다

19 ④

해석

여 실례합니다. 저는 시청을 찾고 있어요. 어디 있는지 아세요?

남 물론이죠. 그런데 거기에 걸어가실 순 없어요.

여 아, 그래요? 그럼 지하철을 타야 하나요?

남 음, 버스가 더 나아요. 사실 저도 시청에 가고 있어요. 길을 알려드릴까요?

여 그래 주시면 좋죠, 감사합니다.

해설

길을 안내해 주겠다는 남자에게 고맙다고 응답하는 것이 가장 적절하다. ① 그것 참 유감이네요. ② 네, 그건 제 회사 근처에 있어요. ③ 아니요, 저는 친구를 만날 거예요. ⑤ 죄송합니다만, 저도 여긴 처음이에요.

어휘

city hall 시청 / subway 지하철

20 ②

해석
남 너 요즘 정말 바빠 보여.
여 맞아. 나는 매일 바이올린을 연습하고 있어.
남 정말? 왜?
여 나는 주에서 열리는 음악 경연대회에 참가하거든.
남 와! 하루에 몇 시간씩 연습을 하니?
여 최소한 두 시간. 그리고 주말에는 여섯 시간까지 해.
남 대회가 언제야? 내가 가서 봐도 될까?
여 <u>물론이지. 누구든 환영이야.</u>

해설
남자가 음악 경연대회에 가서 봐도 되느냐고 물었으므로 누구나 환영한다는 답변이 가장 적절하다.
① 훌륭해. 너 먼저 가. ③ 물론이지! 나는 그 대회를 좋아했어. ④ 맞아. 그건 나한테 어려워. ⑤ 괜찮아. 다음번에 더 잘 할 수 있을 거야.

어휘
these days 요즘에 / practice ～을 연습하다 / violin 바이올린 / competition 대회 / at least 적어도, 최소한 / up to ～까지 / welcome 환영받는

Dictation p.20~23

1 cool and cloudy / change the rain to snow
2 flea market / brush the dirt off
3 What's going on / ruined my homework
4 rode my bike / moved into a new house
5 send this package / by express mail / When will it get there
6 stayed up all night / I couldn't agree more
7 invited seven boys / Seven kids including me
8 planning a trip / Call our old friend
9 school sports day / I liked handball best
10 board a bus / free to go shopping
11 ready to order / French fries and salad / place your order
12 The book I need / drop by your house
13 how to make / Do you want pickles
14 confirm my reservation / booked a room
15 you look depressed / very confused / cannot decide what to do
16 in such a hurry / have a soccer match / get going
17 as a birthday present / I'm new here
18 have you left for / forgot to turn off
19 you can't walk there / show you the way
20 seem very busy / How many hours a day / come and watch

03회 영어듣기 모의고사 p.24~27

01 ④	02 ②	03 ③	04 ③	05 ③
06 ④	07 ②	08 ②	09 ③	10 ④
11 ④	12 ⑤	13 ④	14 ④	15 ④
16 ⑤	17 ②	18 ④	19 ⑤	20 ⑤

1 ④

해석
남 나 먹을 것 좀 만들려고 해. 뭐 먹고 싶어?
여 피자! 너 피자 만들 줄 알아?
남 응. 그런데 시간이 오래 걸려. 좀 더 빨리 먹을 수 있는 건 어때?
여 핫도그는 어떨까?
남 글쎄. 난 별로야. 좀 신선한 걸 만들고 싶어.
여 그럼 샐러드는 어때? 난 신선한 야채가 들어간 샐러드를 좋아해.
남 좋아! 지금 널 위해 만들어 줄게.

해설
남자는 여자를 위해 샐러드를 만들어 주겠다고 했다.

어휘
feel like ～하고[먹고] 싶다 / take 시간이 걸리다 / fresh 신선한 / vegetable 채소

2 ②

남 왜 그렇게 슬퍼 보여, Jane?
여 너도 알다시피 내가 뮤지컬을 좋아하잖아. 그리고 지금 「그리스」가 상영 중이고.
남 너 표를 못 구했구나, 그렇지?
여 응, 표를 팔기 시작하자마자 매진되어 버렸어.
남 너무 실망하지 마, 운 좋게도 내가 우리를 위해 표 두 장을 구했어.
여 와! 네가 최고야!

해설
여자가 구하지 못한 뮤지컬 표를 남자가 구해서 여자가 기뻐하고 있다.
① 슬픈 ② 기쁜 ③ 무서워하는 ④ 화난 ⑤ 실망한

어휘
musical 뮤지컬 / as soon as ～하자마자 / luckily 운 좋게도

3 ③

해석
남 무엇을 도와드릴까요?
여 목이 아파요. 정말 심하게 아프네요.
남 기침도 나시나요?
여 네. 하지만 당장은 목 통증에 대한 약만 있으면 돼요.
남 이 약이 목 아픈 데와 기침, 감기에 가장 좋아요.
여 좋아요. 그걸로 주세요.

9

남 6달러입니다. 목에 좋은 사탕도 있답니다.
여 사탕 한 봉지도 주세요.

해설
감기약을 구입하는 곳은 약국이다.

어휘
have a sore throat 목이 아프다 / hurt 아프다 / badly 심하게, 몹시 /
cough 기침 / cold 감기 / pack 묶음, 포장 꾸러미

4 ③

해석
여 실례합니다. 죄송하지만 제 자리에 앉아 계신 것 같네요. 제가 당신의
   표를 봐도 될까요?
남 물론이죠. 여기 있습니다.
남 이 자리는 24B이고 당신의 표에는 23B라고 되어있네요.
여 오, 죄송합니다. 제가 실수를 했네요.
여 괜찮습니다. 한 줄 앞으로 옮기시면 돼요.

해설
남자가 여자의 자리에 잘못 앉아 표를 확인하는 상황으로 보아 승객 간의
대화이다.

어휘
afraid 두려워하는, 걱정하는 / make a mistake 실수하다 / row 열, 줄 /
forward 앞으로

5 ③

해석
여 너 내일 괌에 간다고 들었어.
남 맞아! 얼른 가고 싶어. 여긴 너무 춥고 눈도 많이 와.
여 짐 싸고 준비는 다 한 거야?
남 아니. 반바지랑 샌들이 필요해. 살 거야.
여 괌에서 거대한 폭풍이 있었다는 이야기를 들었는데. 비가 올까?
남 아니. 일 년 중 이 기간은 날씨가 정말 끝내줘.

해설
남자는 요즘 시기의 괌의 날씨가 아주 좋다고 했다.

어휘
Guam 괌 / can't wait 빨리 ~하고 싶어 하다 / snowy 눈이 내리는 /
pack 짐을 싸다 / shorts 반바지 / sandals 샌들 / storm 폭풍(우)

6 ④

해석
남 여보, 사이판에서 할 파라세일링을 예약했어요?
여 아직요. 그런데 이 웹사이트에 좋은 게 하나 있네요.
남 얼마인데요?
여 성인은 60달러이고, 어린이는 30달러네요.
남 그러면, 당신이랑 나는 120달러겠네요? 괜찮네요. 그걸로 해요.
여 그래요. 지금 우리 티켓 두 장을 예약할게요.

해설
성인 한 명당 60달러이므로 성인 두 명의 티켓이 필요한 여자는 총 120
달러를 지불해야 한다.

어휘
book 예약하다 / parasailing 파라세일링(특수 낙하산을 매고, 달리는 보
트에 매달려 하늘로 날아오르는 스포츠) / Saipan 사이판 섬 / adult 성인

7 ②

해석
[휴대 전화가 울린다.]
여 안녕, Pete. 무슨 일이야?
남 미안, Katie. 근데 우리 7시에 만나기로 했지?
여 응, 오후 7시. 왜 묻는 거야?
남 나 7시까지 못 갈 것 같아.
여 약속을 취소하고 싶은 거야?
남 아니! 7시까지 끝내야 할 일이 있어서. 대신 7시 30분에 봐도 괜찮겠어?
여 문제없어. 빅 스퀘어에서 보자.
남 고마워, Katie. 거기서 봐.

해설
남자는 약속 시간을 7시 30분으로 미루려고 전화를 했다.

어휘
agree 동의하다 / make it 정해진 시간에 맞추다 / by ~까지 / cancel
취소하다 / instead 대신에

8 ②

해석
남 안녕, Kerry! 주말 잘 보냈어?
여 응. 난 엄마랑 쇼핑했어. 너는?
남 나는 고아원에서 봉사 활동 했어. 가여운 어린 아이들을 돕고 싶었거든.
   다음 주말에도 할 거야.
여 와, 좋은 일을 했구나! 나도 같이 가도 될까?
남 그거 좋은 생각이야! 다음 주에 같이 가자.

해설
여자는 다음 주말에 남자가 가는 봉사 활동에 따라가겠다고 했다.

어휘
go shopping 쇼핑을 가다 / volunteer 봉사 활동을 하다 / orphanage
고아원 / poor 불쌍한, 가난한

9 ③

해석
여 나와 저 동물이 나오도록 사진을 좀 찍어 줄래?
남 물론이지. 새끼랑 같이 찍어줄까 아니면 어미랑 같이 찍어줄까?
여 둘 다. 큰 귀와 코를 좀 봐.
남 저기 봐! 사육사가 있어.
여 동물들한테 먹이를 주고 있어.
남 그들이 코를 손처럼 쓸 수 있다는 게 놀랍지 않아?

큰 귀와 코를 가지고 코를 손처럼 쓸 수 있는 동물은 코끼리이다.

take a picture 사진을 찍다 / zookeeper 사육사 / feed 먹이를 주다 / amazing 놀라운

10 ④

여 사람들은 매일 교통사고로 인해 부상을 입는다. 문자 보내기, 음주, 그리고 과속이 사고의 주요한 원인들이다. 하지만 교통사고의 가장 큰 원인은 졸음운전이다. 운전 전에 충분한 잠을 자는 것은 매우 중요하다. 당신은 다른 사람뿐만 아니라 당신의 몸과 삶도 보호해야 한다.

교통사고의 가장 큰 원인을 졸음운전으로 꼽았다.

hurt 다치게 하다 / text 문자 메시지를 보내다 / alcohol 술 / speeding 속도위반 / leading 주요한 / cause 원인 / accident 사고 / sleepy 졸린 / protect ~을 보호하다 / B as well as A A뿐만 아니라 B도

11 ④

여 너 뭐 할 거야?
남 모형 비행기를 색칠할 거예요.
여 먼저 바닥에 신문지를 깔 수 있을까? 페인트가 바닥에 떨어질 거야.
남 네. [멈춤] 엄마, 신문지를 찾을 수가 없어요.
여 내가 찾아줄게. 너는 가서 낡은 셔츠로 갈아입고 오렴.
남 바로 그렇게 할게요.

여자는 신문지를 못 찾는 남자에게 신문지를 찾아 준다고 했다.

paint 물감을 칠하다 / model 모형 / airplane 비행기 / floor 바닥 / drop 떨어뜨리다

12 ⑤

여 올해 수학 경시대회가 크게 열린다고 들었어.
남 너 참가할 거니? 너 수학 정말 잘하잖아.
여 그 대회에는 1학년만 참여하는 것 같은데.
남 그래? 나는 모든 학생들이 참여할 수 있는 대회인 줄 알았어.
여 나도 잘 몰라. 우리가 참가할 수 있을지 확실히 모르겠네.
남 우리 수학 선생님인 Barry 선생님에게 물어보는 건 어때?
여 좋은 생각이다! 지금 선생님을 만나러 가야겠다.

여자는 경시대회의 참가 자격이 궁금해 선생님을 만나러 간다고 했다.

competition 경시대회, 시합 / be good at ~을 잘하다 / sure 확실한 / enter 출전하다, 응시하다

13 ④

남 프리미어 리그 축구 팬 클럽에 오신 것을 환영합니다! 제 이름은 Peter Parker입니다. 제가 동아리 회장이죠. 올해 우리 회원은 40명입니다. 모임은 금요일 방과 후에 있어요. 우리는 한 주에 한 경기를 관람합니다. 현재 우리는 동아리 웹사이트를 구축하고 있어요. 그래서 우리는 아직 그것을 이용할 수 없어요. 하지만 다음 주에는 사용할 수 있을 거예요.

동아리는 축구 경기를 하는 것이 아니라, 축구 경기를 보는 모임이다.

president 회장 / work on ~에 대한 작업을 하다 / website 웹사이트 / yet 아직, 벌써 / be able to ~할 수 있다

14 ④

① 여 토요일에 수업 두 개가 있다.
② 여 그리기 수업은 정오에 끝난다.
③ 여 요리 수업의 수업료는 24달러이다.
④ 여 가장 비싼 수업은 사진 수업이다.
⑤ 여 요리 수업은 토요일 오후에 열린다.

가장 비싼 수업은 사진 수업이 아니라 요리 수업이다.

finish 마치다 / noon 정오(낮 12시) / fee 요금, 금액 / photography 사진[촬영]술 / be held 열리다

15 ④

여 저 책장 멋지다. 어디에서 산 거야?
남 실은 내가 직접 만들었어.
여 왜! 언제 만들었는데?
남 지난 주말에 만들었어. 아버지의 도구를 사용했지.
여 아빠가 도와준 거겠네, 그렇지?
남 아니, 다 내가 한 거야.
여 정말? 저걸 만드는 데 얼마나 걸렸어?
남 한 6시간 정도 걸렸어.

남자는 아버지의 도움 없이 모든 작업을 혼자 했다.

bookshelf 책장 / tool 도구 / by oneself 혼자서 / take 시간이 걸리다

16 ⑤

① 남 너 필리핀에 가 본 적 있니?
   여 한 번, 어렸을 때.

② 남 너 괜찮아?
　여 단지 피곤할 뿐이야.
③ 남 오늘 비가 올 것 같니?
　여 응. 우산 챙겨.
④ 남 좀 더 오래 있어 줄래?
　여 알겠어. 하지만 여섯 시에는 가야 해.
⑤ 남 이 상자 옮기는 걸 좀 도와줄래?
　여 응, 나는 지금 너무 바빠.

해설
도와줄 수 있는지에 대한 질문에 도와줄 수 있지만 바쁘다고 한 응답은 어색하다.

어휘
the Philippines 필리핀 / tired 피곤한 / stay 머물다 / move 옮기다

17 ②

해설
남 웰링스 아트 센터에 오신 것을 환영합니다. 여기 1관에서는 학생들이 그린 그림을 보실 수 있습니다. 2관에서는, 동화 애니메이션 비디오를 시청할 수 있습니다. 3관에서는 자신만의 별을 그리고 장식해서 저희 센터의 은하계에 걸 수 있습니다. 즐거운 시간 보내세요!

해설
3관에서는 별을 그리고 장식할 수 있다고 했다.

어휘
animation 애니메이션 영화 / fairy tale 동화 / decorate 꾸미다 / hang 걸다 / Milky Way 은하(계)

18 ④

해석
여 이 식물은 뭐야?
남 이건 내 과학 과제로 키우는 토마토야.
여 상태가 좋아 보이지 않는데.
남 알아. 뭐가 잘못된 것 같니?
여 네가 물을 너무 많이 준 거 같아.
남 무슨 말이야?
여 과도한 수분은 식물에게 좋지 않아.

해설
물을 너무 많이 준 것이 문제라는 말이 무슨 뜻이냐고 물었으므로 과도한 수분은 식물에게 좋지 않다라고 대답하는 것이 적절하다.
① 다시는 그런 말 하지 마. ② 나의 과학 프로젝트는 물에 관한 것이야. ③ 나는 하루에 8잔의 물을 마시려고 노력해. ⑤ 토마토는 햇볕이 많이 필요해.

어휘
plant 식물 / too much 과도하게 / try ～을 하려고 애쓰다 / plenty of 많은

19 ⑤

해석
여 이 게임기에 무슨 문제가 있는 거니?
남 전혀요. 더 이상 가지고 놀지 않을 뿐이에요.

여 그럼. 여성 보호소에 기증하자꾸나.
남 왜요? 그건 아이들이 하는 게임기인데요.
여 많은 아이들이 엄마와 함께 보호소에서 지내야 한단다.
남 그렇다면, 모두 가져가세요! 거기에 언제 가실 건가요?
여 내일 아침에 가져가려고 해.

해설
언제 여성 보호소에 갈지 물었으므로, 내일 아침에 가져간다고 대답하는 것이 가장 적절하다.
① 그들은 게임이 필요치 않아. ② 응. 나는 그들을 보러 갈 거야. ③ 그것에는 아무 문제없어. ④ 우리는 우리가 좋아하는 게임을 할 수 있어.

어휘
any more 더 이상 / donate 기증하다, 기부하다 / shelter 보호소, 피난소 / plan 계획하다

20 ⑤

해석
남 Kevin은 집에 오는 길에 새 게임 CD를 샀다. Kevin은 정말 컴퓨터 게임을 하고 싶지만, 내일 기말고사가 있다. Kevin은 중요한 시험이 있음에도 불구하고 게임을 하기 시작했다. 그러고 나서 Kevin의 엄마가 방에 들어와서 Kevin을 보았다. 이 상황에서 Kevin의 엄마는 Kevin에게 뭐라고 말하겠는가?
엄마 시험공부해야지.

해설
내일 Kevin의 기말고사가 있으므로 엄마는 시험공부를 하라고 할 것이다.
① 너는 언제 갈 거니? ② 얼마나 자주 게임을 하니? ③ 같이 게임하자! ④ 내가 얼마를 지불해야 하니?

어휘
on the way home 집으로 오는 중에 / final exam 기말고사 / although 그럼에도 불구하고 / enter ～에 들어오다 / situation 상황 / pay ～을 지불하다

Dictation

p.28~31

1　takes a long time / how about a salad
2　like musicals / got two tickets
3　have a cough / good for your throat
4　took my seat / made a mistake
5　Are you all packed / heard about big storms
6　Sixty dollars for adults / book two tickets
7　agree to meet / have to finish
8　volunteered at the orphanage / come with you
9　take a picture / big ears and nose / nose like hands
10　hurt in traffic / have enough sleep
11　put some newspaper / change your new shirt
12　a big math competition / open to all students / Why don't you ask
13　have forty members / you cannot use it yet

14 finishes at noon / is held on Saturday

15 made it myself / How long did it take

16 Have you ever been to / Take an umbrella

17 see paintings and drawings / paint and decorate

18 for my science project / gave it too much water

19 let's donate them / When are you planning to go

20 on the way home / started to play

04회 영어듣기 모의고사 p.32~35

01 ③	**02** ③	**03** ②	**04** ①	**05** ③
06 ③	**07** ③	**08** ④	**09** ⑤	**10** ⑤
11 ④	**12** ③	**13** ⑤	**14** ④	**15** ④
16 ③	**17** ④	**18** ③	**19** ②	**20** ④

1 ③

해석

여 안녕하세요? 여러분. 저는 Lisa Jones입니다. 일기 예보를 전해 드립니다. 오늘의 날씨는 덥고 맑겠습니다. 이 무더운 날씨의 양상은 수요일까지 계속되겠습니다. 시원한 기후의 변화는 목요일 오후에 있을 예정이고 이 변화가 금요일 아침에 비를 가져오겠습니다.

해설

덥고, 맑은 날씨가 수요일까지 계속된다고 했으므로 수요일은 덥고, 맑은 날씨가 예상된다.

어휘

weather forecast 일기 예보 / pattern 양식, 패턴 / continue 계속되다 / bring 가져오다

2 ③

해석

남 지하철 2호선 분실물 보관소입니다. 무엇을 도와 드릴까요?

여 안녕하세요. 제가 오늘 플래너를 지하철에 두고 내린 거 같아요.

남 플래너요? 생김새에 대해 설명해 주시겠어요?

여 네. 초록색이고 정사각형 모양이에요. 제 이름이 표지에 적혀 있어요.

남 성함이 어떻게 되시죠?

여 Michelle Robinson이에요.

해설

여자가 찾는 물건은 초록색 정사각형 모양의 플래너이고, 표지에 여자의 이름인 Michelle이 적혀 있다.

어휘

subway 지하철 / lost and found 분실물 보관소 / leave 두고 오다 (leave-left-left) / daily 일상의 / describe 묘사하다 / cover 표지

3 ②

해석

여 너 괜찮아? 무슨 일이니?

남 내일 있을 영어 기말고사 때문에. 난 분명 낙제할 거야.

여 어리석은 생각하지 마. 큰 시험을 앞두고 불안해지는 건 자연스러운 거야. 밤에 잠을 잘 자도록 해 봐.

남 그렇게. 하지만 잠을 잘 수 없을 것 같아.

해설

남자는 내일 있을 영어 기말고사 때문에 걱정하고 있다.

① 피곤한 ② 걱정스러운 ③ 기쁜 ④ 지루한 ⑤ 놀란

어휘

matter 문제 / final exam 기말고사 / fail 낙제하다 / silly 어리석은, 바보 같은 / natural 자연스러운 / nervous 불안한, 초조한

4 ①

해석

남 지금 무엇을 만들고 있어? 냄새 좋다.

여 케이크야. 오븐에서 거의 꺼낼 때가 됐어.

남 Toby의 깜짝 파티를 위한 거야?

여 응. 아직 파티에 마실 것을 좀 사야 해. 너 시간 있니?

남 물론. 쇼핑 목록만 주면 지금 다녀올게.

여 여기 있어.

해설

남자는 쇼핑 목록을 받고, 필요한 물건을 사러 가게에 갈 것이다.

어휘

nearly 거의 / come out of ~ 에서 나오다 / drink 음료, 마실 것 / list 목록

5 ③

해석

여 실례합니다. 이 티켓 발매기 사용하는 것 좀 도와주실 수 있나요?

남 네. 어디로 가려고 하시나요?

여 스펜서 거리역이요. 편도로요.

남 알겠습니다. 먼저 이 단추를 누르세요. 요금은 5달러네요. 이제 돈을 여기에 넣으세요.

여 감사해요! 아. 표에 10번 승강장이라고 쓰여 있네요. 어디죠?

남 저쪽이에요. 표지판이 보이세요?

여 아, 네. 보여요. 고맙습니다!

해설

스펜서 거리역에 가기 위해 기차표를 사고 기차를 타는 곳은 기차역이다.

① 은행 ② 꽃 가게 ③ 기차역 ④ 우체국 ⑤ 도서관

어휘

one-way 편도의 / press 누르다 / fare 요금 / insert 끼워 넣다 / platform 승강장, 플랫폼

6 ③

해석

여 너 아주 뿌듯해하는 것 같구나.
남 응! 이제 내가 제일 좋아하는 곡을 기타로 연주할 수 있어.
여 잘했어! 있잖아, 나에게 좋은 생각이 있어.
남 뭔데?
여 할머니는 분명 네 연주 듣는 걸 좋아하실 거야.
남 응, 나도 그렇게 생각해.
여 음, 할머니를 뵈러 가자. 할머니를 위해 네 애창곡을 연주할 수 있잖아.

해설

여자는 할머니를 방문해서 기타 연주를 들려드리자고 제안하고 있다.

어휘

be pleased with oneself 스스로에게 뿌듯해 하다, 만족해하다 / play 연주하다

7 ③

해석

여 여보세요.
남 안녕, Ella. 나 Justin이야. 내일 밤에 시간 있니?
여 응. 하고 싶은 것이 있니?
남 나한테 레전드 극장에서 하는 쇼의 공짜 표가 생겼거든. 나랑 같이 갈래?
여 좋지. 쇼가 몇 시인데?
남 일곱 시에 시작이야. 쇼가 시작하기 20분 전에 만나자.
여 좋아! 그때 보자.

해설

쇼는 7시에 시작하고, 쇼 시작 20분 전에 만나자고 했으므로 두 사람은 6시 40분에 만날 것이다.

어휘

free 공짜의, 한가한 / theater 극장 / then 그때

8 ④

해석

남 네가 고아원에서 봉사 활동을 한다고 들었어.
여 응, 맞아. 힘들고 좀 슬프기도 해. 하지만 나는 아이들을 좋아하거든.
남 거기에서 무엇을 하니?
여 아이들이랑 놀아 주고, 책도 읽어 주고, 방도 청소하고 아이들 빨래도 해.
남 와, 너는 많은 일을 한다! 아이들을 위해 요리도 해?
여 아니, 나는 요리를 잘 못해서 설거지만 해.

해설

여자는 요리를 잘 못해서 요리는 하지 않는다고 했다.

어휘

volunteer work 봉사 활동 / orphanage 고아원 / do the laundry 빨래를 하다 / be good at ~을 잘하다 / wash the dishes 설거지 하다

9 ⑤

해석

남 유럽 여행 어땠어?
여 환상적이었어.
남 어느 나라에 갔었니?
여 나는 프랑스, 스페인, 이탈리아와 그리스 4개국에 갔었어.
남 오, 나 그리스에 정말 가 보고 싶어. 그리스 빼고 다른 데는 가 봤어.
여 그리스의 해변은 정말 아름다웠어. 그 해변이 내가 제일 좋아하는 장소야.
남 나한테는 스페인에 있는 건물이 최고로 멋졌었어.

해설

여자는 그리스의 해변이 가장 아름답고, 가장 좋아하는 장소라고 했다.
① 영국 ② 프랑스 ③ 이탈리아 ④ 스페인 ⑤ 그리스

어휘

fantastic 환상적인 / except for ~을 제외하고는

10 ⑤

해석

여 주목해 주세요. 오늘은 금요일 대청소의 날 입니다. 학생들은 모든 종이와 캔, 유리병, 그리고 플라스틱을 모아야 합니다. 모든 것을 하나의 쓰레기통 안에 버리지 마시고 각각을 적절한 재활용 쓰레기통에 분류해 주세요. 재활용 쓰레기통은 도서관 뒤로 가져 오세요. 감사합니다.

해설

쓰레기를 재활용 쓰레기통에 분류하라고 했으므로 분리수거를 안내하는 방송이다.

어휘

attention 주목 / collect 모으다 / bottle 병 / trash can 쓰레기통 / proper 적절한 / recycling 재활용 / bin 쓰레기통 / behind 뒤에

11 ④

해석

여 안녕, 네가 학교에서 최고 성적을 받았다고 들었어. 축하해!
남 고마워. 이제 난 거의 모든 대학에 갈 수 있어.
여 나에게 해 줄 조언이 있어?
남 가장 중요한 건 공부 일정을 짜서 그걸 지키는 거야.
여 그게 다야?
남 아니. 운동이나 스포츠를 하는 것도 중요해.
여 어째서?
남 너는 스트레스를 해소하고 에너지를 얻을 수 있거든.

해설

남자는 운동을 하는 것이 좋은 성적을 받는 데 중요하다고 언급했다.

어휘

score 점수 / almost 거의 / tip 조언 / stick to 굳게 지키다, 고수하다 / how come 어째서, 왜 / release 풀어 주다

12 ③

해석

[휴대 전화가 울린다.]
여 여보세요.
남 어디에 계세요, 엄마?
여 저녁 차릴 장을 보러 슈퍼마켓에 와 있어.
남 그래요? 그러면 슈퍼마켓에서 색종이도 파나요?
여 내 책상 서랍에 몇 장이 있어.
남 알아요, 그런데 노란색, 빨간색 색종이는 다 떨어졌어요. 미술 숙제 때문에 그것이 필요해서요.
여 알았어. 집에 가는 길에 사다 줄게.

해설

남자는 색종이를 사 달라고 부탁하기 위해 엄마에게 전화를 걸었다.

어휘

colored paper 색종이 / drawer 서랍 / run out of ~을 다 써 버리다 / on one's way 도중에

13 ⑤

해석

남 우리 캠핑 여행에 필요한 짐은 다 싼 건가?
여 거의. 내가 텐트랑 조리도구를 쌌어.
남 침낭은?
여 물론 쌌지. 그리고 여분의 담요도. 차 안에서 먹을 간식을 챙길까?
남 많이 있어. 간식은 이미 차에 있어. 우산은?
여 비가 올 것 같지 않아. 우리는 우산이 필요 없어.

해설

여자는 비가 올 가능성이 없어서 우산이 필요 없다고 했다.

어휘

pack 싸다, 챙기다 / equipment 장비, 용품 / sleeping bag 침낭 / extra 여분의 / blanket 담요 / plenty 충분한 양 / no chance ~할 가능성이 없는

14 ④

해석

남 실례합니다.
여 네? 무엇을 도와드릴까요?
남 책을 한 권 찾고 있어요.
여 제목이 뭐가요?
남 David Watson이 쓴 「지구에서의 삶」이에요. 조사 보고서에 필요해서요.
여 확인해 볼게요. [멈춤] 죄송하지만, 지금은 재고가 없네요.
남 아. 주문할 수 있나요?
여 그럼요! 성함이랑 연락처 좀 알려주세요.

해설

사려던 책이 품절되어 주문을 하는 것으로 보아 서점 점원과 손님간의 대화임을 알 수 있다.

어휘

title 제목 / research 조사, 연구 / report 보고서 / out of stock 품절이

되어 / order 주문하다 / copy (책이나 신문의) 한 부 / detail (무엇에 대한) 정보 사항

15 ④

해석

여 너 어디에 가니?
남 병원에 가야 해.
여 너 무슨 문제 있는 거야?
남 아니. 엄마가 장갑을 거기에 두고 오셔서.
여 그래서 네가 찾으러 가는 거구나?
남 응. 엄마는 밤늦게야 일이 끝나시거든.

해설

남자는 엄마가 두고 온 장갑을 가지러 병원에 간다고 했다.

어휘

leave 두고 오다(leave-left-left) / gloves 장갑

16 ③

해석

여 우리 나가서 점심 먹자.
남 뭐 먹고 싶은데?
여 마켓 거리에 식당이 있어. 나 거기에 한번 가보고 싶어.
남 무슨 종류의 음식인데?
여 태국 음식이야. Kate가 어제 갔었어. 그녀의 말로는 거기가 좋대.
남 예약할 수 있어?
여 그럼. Kate가 식당 전화번호를 줬어. 지금 전화할게.

해설

남자가 식당 예약을 할 수 있냐고 묻자 여자는 Kate가 준 식당 전화번호로 예약 전화를 하겠다고 했다.

어휘

try 시도하다 / Thai 태국의 / reserve 예약하다

17 ④

해석

① 남 이 여자는 누구야?
　여 내 사촌동생 Suzy야.
② 남 너 지난 주말에 뭐 했니?
　여 집에 있었어.
③ 남 너 아일랜드에 가본 적 있니?
　여 아니, 그렇지만 언젠가 한번 가 보고 싶어.
④ 남 너는 직장에서 몇 시에 집에 오니?
　여 나는 주로 걸어서 출근해.
⑤ 남 여기 근처에 국립 박물관이 있나요?
　여 죄송하지만, 전 모르겠어요. 저도 여기 처음입니다.

해설

회사에서 몇 시에 퇴근하느냐는 물음에 걸어서 출근한다는 대답은 적절하지 않다.

cousin 사촌 / Ireland 아일랜드 / one day 언젠가 / usually 보통, 대개

18 ③

해석

여 너 Jamie 소식 들었어?

남 아니. 그에게 무슨 일이 있는 거야?

여 국가 대표 수영 팀에 뽑혔대!

남 왜! 어떻게 거기에 들어갔지?

여 그는 12살 이후로 학교가기 전 매일 아침 두 시간, 주말에는 여덟 시간씩 연습해 왔어.

남 우와! 정말 노력파구나!

해설

Jamie는 어릴 때부터 열심히 노력해서 국가 대표 수영 팀에 뽑혔으므로 '연습은 완벽을 만든다.'라는 속담이 가장 적절하다.

① 낮말은 새가 듣고 밤말은 쥐가 듣는다. ② 무소식이 희소식이다. ③ 연습은 완벽을 만든다. ④ 시간은 화살처럼 빠르게 흐른다. ⑤ 어려울 때 친구가 진정한 친구이다.

어휘

happen (일이) 생기다, 발생하다 / select 선발하다 / get in 선출되다, 들어가다 / train 훈련하다

19 ②

해석

여 도와 드릴까요?

남 네. 제 여동생 생일 선물을 사야 해서요.

여 이 향수 어떠신가요?

남 얼마예요?

여 70달러입니다.

남 오, 너무 비싸요. 돈이 충분하지 않은 것 같아요.

여 그럼, 이 핸드크림으로 하세요. 이게 훨씬 저렴해요.

남 좋아 보이네요. 이걸로 살게요.

해설

여자가 저렴한 핸드크림을 추천했으므로 이걸로 사겠다는 응답이 가장 적절하다.

① 제가 언제 그녀를 만날 수 있나요? ③ 그녀는 아이스크림을 안 좋아해요. ④ 전 그녀를 위해 어느 것도 원하지 않아요. ⑤ 그건 제게 안 어울려요. 다른 것을 입어 볼게요.

어휘

present 선물 / perfume 향수 / enough 충분한 / take 사다

20 ④

해석

여 토요일에 할머니 댁에 가는 거 잊지 마라.

남 제가 안 가도 괜찮을까요?

여 아니. 그 날은 할머니 생신이야.

남 그렇지만 써야 하는 보고서가 있단 말이에요.

여 일요일에 해도 되잖아, 그렇지?

남 아뇨, Jeff와 Mike랑 인체 전시회에 갈 거예요.

여 그 전시회는 5월까지 하잖아. 다음 주에 가면 안 되니?

남 그래도 될 것 같아요. Jeff와 Mike에게 말할게요.

해설

전시회는 5월까지 하니 다음 주에 전시회에 가라는 제안을 고려해 보겠다는 남자의 대답이 가장 적절하다.

① 네, 그때까지 집에 있을 거예요. ② 네. 당신은 다음 주에 갈 수 있어요. ③ 아니요. 저는 전시회에 걸코 가지 않아요. ⑤ 제가 그걸 몰랐네요. 저는 그것을 다 썼어요.

어휘

forget 잊어버리다 / exhibition 전시회 / be on 진행 중이다 / until ~까지

Dictation

p.36~39

1 hot and sunny / bring rain

2 Lost and Found / left my daily planner / on the cover

3 What's the matter / It's natural to be nervous

4 come out of / give me a shopping list

5 with this ticket machine / insert your money here

6 play my favorite song / let's go and visit her

7 got free tickets / before the show starts

8 do volunteer work / do the laundry / I'm not good at

9 What countries did you visit / The beaches in Greece

10 collect all paper / Bring the recycling bins

11 got the top score / make a study schedule / release stress

12 does the supermarket sell / ran out of

13 the sleeping bags / There's no chance of rain

14 looking for a book / out of stock

15 go to the hospital / left her gloves there

16 What kind of food / reserve a table

17 Have you ever been to / I'm a stranger here

18 How did he get in / What a hard worker he is

19 buy a present / too expensive / It's much cheaper

20 Don't forget / a report to write / The exhibition is on

01 ④	02 ⑤	03 ②	04 ⑤	05 ④
06 ③	07 ①	08 ②	09 ④	10 ⑤
11 ③	12 ④	13 ③	14 ②	15 ⑤
16 ④	17 ⑤	18 ③	19 ③	20 ⑤

1 ④

해석

여 도와 드릴까요?

남 네. 조카딸에게 귀여운 컵을 하나 사 주고 싶어요.

여 그러시군요. 강아지가 그려진 이 컵은 어떠세요?

남 실은, 손잡이가 있는 컵을 사고 싶어요.

여 알겠습니다. 그러면 이걸 추천해 드릴게요. 여자아이들은 모두 꽃 장식을 좋아하죠.

남 나쁘지 않지만, 제 조카는 하트 모양을 더 좋아하는 것 같아요. 저걸로 살게요.

해설

조카가 하트 모양을 좋아해서 남자는 하트 무늬가 있는 컵을 사려고 한다.

어휘

niece 조카딸 / puppy 강아지 / would rather 차라리 ~하겠다 / recommend 추천하다 / decoration 장식 / shape 모양 / take 사다

2 ⑤

해석

남 여기요, 엄마. 엄마를 위한 거예요.

여 세상에! 네가 구운 거니?

남 네. 엄마 생신에 특별한 걸 드리고 싶었어요.

여 정말 놀랍구나! 내가 받아 본 최고의 생일 케이크야!

남 정말이요? 사랑해요, 엄마. 생신 축하 드려요!

해설

여자는 아들이 직접 만든 생일 케이크를 받고 기뻐하고 있다.

① 지루한 ② 실망한 ③ 화난 ④ 걱정하는 ⑤ 기쁜

어휘

bake 굽다 / special 특별한 / amazing 놀라운 / ever 여태까지

3 ②

해석

남 실례합니다. 아동 도서 구역이 어디인가요?

여 바로 저쪽입니다.

남 제 딸이 책을 몇 권 보고 싶어 해서요. 아동용 도서를 빌릴 수 있나요?

여 물론이죠. 도서관 회원카드만 있으면 됩니다.

남 한 번에 몇 권까지 빌릴 수 있죠?

여 음, 책은 세 권까지, 14일 동안 빌릴 수 있어요.

해설

도서를 대출하는 곳은 도서관이다.

어휘

section 구역 / borrow 빌리다 / up to ~까지

4 ⑤

해석

남 이번 주의 일기 예보입니다. 월요일에는 비가 오겠지만 밤새 개겠고 화요일부터는 맑고 화창하겠습니다. 수요일에는 더 많은 비가 내리겠지만 그 후에는 맑고 따뜻하며 화창하겠습니다.

해설

수요일 이후에는 날씨가 맑다고 했으니 금요일에는 날씨가 맑다.

어휘

weather forecast 일기 예보 / ahead 앞의 / clear 맑은 / overnight 밤사이에 / fine 맑은 / rest 나머지

5 ④

해석

여 피자 캐슬입니다. 주문하시겠습니까?

남 네, 큰 사이즈의 하와이안 피자와 큰 사이즈의 샐러드를 주세요. 얼마인가요?

여 피자는 14달러이고 샐러드는 5달러입니다.

남 네. 그리고 큰 사이즈의 포도 맛 탄산음료도 두 개 주세요.

여 그건 각각 2달러예요. 근데요 손님, 저희 가게에 런치 콤보가 있어요. 피자, 샐러드, 큰 탄산음료 한 병이 겨우 20달러랍니다.

남 정말인가요? 그러면 그걸로 할게요.

해설

남자는 런치 콤보를 주문했으므로 20달러를 지불해야 한다.

어휘

take one's order 주문 받다 / soda 탄산음료 / each 각각 / combo 콤보(여러 종류의 음식을 섞어서 제공하는 음식) / only 겨우 / bottle 병

6 ③

해석

남 오늘 영화 볼래?

여 좋아. 몇 시에?

남 영화관 밖에서 4시 30분에 만나는 건 어때?

여 미안해, 하지만 난 안 될 거 같아. 4시 40분까지 요가 수업이 있어. 영화관에 도착하는 데는 10분이 걸릴 거야.

남 그럼 4시 50분에 보자. 영화가 5시에 시작하니까 늦으면 안 돼!

여 그럼 이따 보자.

해설

남자는 여자에게 4시 50분에 만나자고 했다.

어휘

outside 밖에서 / cinema 영화관, 극장 / yoga 요가

7 ①

해석

여 이것이 집들이 파티를 위해서 우리가 해야 할 일의 목록이야.

남 목록이 기네. 너는 다음으로 뭐 할 거니?

여 음식이랑 마실 것을 사러 갈 거야. 도와줄래?

남 파티를 위해 집을 좀 꾸며야 하지 않을까? 장 보는 거 대신 내가 그걸 할게.

여 좋아, 고마워! 한 시간쯤 뒤에 돌아올게.

해설

남자는 쇼핑을 가지 않고 대신에 파티를 위해 집을 꾸미겠다고 했다.

어휘

list 목록 / housewarming 집들이 / decorate 꾸미다 / instead 대신에 / back 돌아와서

8 ②

해석

여 영화 「호빗」을 보셨나요? 이것은 J.R.R Tolkien의 책을 바탕으로 한 「반지의 제왕」 시리즈의 한 부분입니다. 호빗은 괴물과 요정, 마법사와 호빗으로 가득한 판타지 이야기입니다. 이 영화는 아주 훌륭합니다. 당신은 이 영화를 좋아하게 될 거예요! 반드시 가서 보셔야 합니다!

해설

여자는 영화가 훌륭하다고 말하면서 영화를 보라고 추천하고 있다.

어휘

series 시리즈 / based on ~에 기초하다 / fantasy 공상 / elf 요정 / wizard 마법사

9 ④

해석

남 여권과 입국 신고서를 주세요.

여 여기 있어요.

남 고맙습니다. 방문하신 목적이 뭐죠?

여 휴가를 위해서예요.

남 그리고 얼마나 머물 계획이신가요?

여 14일이요. 귀국 항공편은 5월 19일이에요.

남 알겠습니다. 비자는 90일 동안 유효합니다. 머무시는 동안 즐거운 시간 보내세요.

여 감사합니다.

해설

여권과 입국 신고서를 요구하고, 방문 목적과 기간을 묻고 있는 것으로 보아 입국 심사관과 여행자의 대화이다.

어휘

passport 여권 / arrival card 입국 신고서 / purpose 목적 / visit 방문 / plan 계획하다 / flight 항공편 / valid 유효한

10 ⑤

해석

① 남 영어는 음악보다 더 인기가 있다.

② 남 과학은 12명의 학생에게 인기 있는 과목이다.

③ 남 체육은 학생들 사이에서 가장 인기 있는 과목이다.

④ 남 역사는 음악만큼 인기가 있지 않다.

⑤ 남 음악은 과학보다 인기가 훨씬 덜하다.

해설

음악은 과학보다 인기가 있다.

어휘

popular 인기 있는 / favorite 가장 좋아하는 / subject 과목 / P.E. 체육 (Physical Education의 약자) / among ~의 가운데에 / less 더 적은

11 ③

해석

남 너 어디 가니, Sally?

여 Andy네 집에 가는 길이야. 그가 수학 숙제를 도와주기로 약속했거든.

남 오. 내가 같이 가도 될까?

여 왜? 지루할 텐데.

남 아니, 그렇지 않을 거야. Andy가 최신 게임 CD를 샀다고 했거든.

여 최신 게임 CD?

남 응. 과학 경시대회에서 우승했다고 부모님이 사 주셨대.

여 좋다! 우리 나중에 같이 게임할 수 있겠다!

해설

여자는 Andy가 수학 숙제를 도와주겠다고 해서 Andy의 집으로 가는 중이다.

어휘

promise 약속하다 / math 수학 / boring 지루한 / latest 최신의 / later 나중에

12 ④

해석

여 점심시간 전에는 수업이 세 개가 있었다. 오늘 우리 반의 첫 번째 수업은 실험실에서 있었고 우리는 화학 실험을 했다. 다음 수업은 운동장에서 있었다. 우리는 축구 기술을 배웠다. 그 후에 우리는 교실로 돌아와 가족에 관한 이야기를 읽기 시작했다. 그것은 정말 감동적이었다.

해설

화학 실험을 하고, 축구 기술을 배우고, 가족 이야기를 읽었다는 것으로 보아 여자가 받은 수업은 과학, 체육, 국어이다.

어휘

lab 실험실 / chemistry 화학 / experiment 실험 / playground 운동장 / skill 기술 / touching 감동적인

13 ③

해석

남 "당신이 저지를 수 있는 최고의 실수는 실수할까 봐 너무 두려워하는

것이다."라는 훌륭한 문장이 있다. 너무나도 많은 사람은 실패를 두려워하여 새로운 것을 시도하려 하지 않는다. 무언가를 하고 싶다면, 바로 해라. 유일한 실패는 아무것도 하지 않는 것이다.

해설

실수를 두려워하지 말고 하고 싶은 것을 해야 한다고 주장하고 있다.

어휘

wonderful 훌륭한 / sentence 문장 / mistake 실수 / afraid 겁내는 / fear 두려워하다 / failure 실패 / at all 전혀

14 ②

해석

[전화벨이 울린다.]

여 여보세요?

남 여보, 나 아직 사무실이에요. 뭐 하고 있어요?

여 아이들 저녁 준비하고 있어요. 좀 이따 집에 오는 거예요?

남 미안해, 여보. 나 늦을 거예요. 사장님이 방금 회의를 소집했어요.

여 괜찮아요. 그런데 집에 오는 길에 우유 좀 사다 줄래요?

남 알았어요. 회의 끝나고 봐요.

해설

여자는 남자에게 집에 오는 길에 우유를 사다 달라고 부탁했다.

어휘

still 아직, 여전히 / call a meeting 회의를 소집하다 / pick up 사 오다 / on the way ~하는 길에

15 ⑤

해석

남 나는 굉장한 상품이 걸린 대회의 링크가 있는 이메일을 받았다. 나는 대회에 관련된 링크를 클릭했다. 이내 내 컴퓨터가 아주 느리게 작동하기 시작했다. 그러고 나서 컴퓨터는 완전히 고장이 났다. 내가 클릭했던 링크 때문이었다. 이제야 나는 이메일에 들어 있는 링크를 클릭하는 것이 위험할 수 있다는 것을 안다. 안전을 위해 낯선 사람에게서 온 링크는 클릭하지 마라!

해설

남자는 마지막 말에 낯선 사람으로부터 온 링크를 클릭하지 말라고 당부했다.

어휘

click on ~을 클릭하다 / in a moment 곧 / break down 고장 나다 / completely 완전히 / dangerous 위험한 / stranger 낯선 사람

16 ④

해석

① 여 잠깐 펜 좀 쓸 수 있을까?

남 물론이지. 여기 있어.

② 여 여기 주변에 화장실이 있나요?

남 잘 모르겠어요. 저도 여기 처음 와서요. 죄송합니다.

③ 여 Smith 부인과 얘기할 수 있을까요?

남 죄송하지만 그 분은 여기 안 계십니다.

④ 여 넌 보통 몇 시에 집에 도착하니?

남 두 시간 동안.

⑤ 여 뭐 좀 드시겠어요?

남 아뇨, 괜찮습니다. 배가 불러요.

해설

집에 몇 시에 오냐는 질문에 두 시간 동안이라는 대답은 어색하다.

어휘

get 도착하다 / full 배부른

17 ⑤

해석

남 나는 어른이 되면 사람들의 건강을 보호하고 생명을 살리는 일을 하고 싶어.

여 너 대학에서 음악을 공부하고 싶은 거 아니었어?

남 전에는 바이올린 연주자가 되고 싶었지. 그리고 난 일곱 살 때부터 연주를 했거든.

여 그런데 지금은 의학을 공부하고 싶은 거야?

남 응. 우리 아빠는 의사이고, 아빠는 내가 훌륭한 의사가 되길 원하셔.

여 음. 바이올린을 포기하지는 마. 넌 굉장한 음악가야.

해설

남자는 한때 바이올린 연주자가 되는 게 꿈이었지만, 지금은 의사가 되고 싶어 한다.

① 안전요원 ② 바이올린 연주자 ③ 교수 ④ 작곡가 ⑤ 의사

어휘

grow up 성장하다 / protect 보호하다 / life 생명(pl. lives) / violinist 바이올린 연주자 / since ~부터 / medicine 의학, 의술 / give up 포기하다

18 ③

해석

남 일요일에 뭐 할 거야?

여 계획한 건 없는데. 너는?

남 자전거를 탈 거야. 너도 같이 갈래?

여 나야 좋지. 너, 올드레일웨이 자전거 도로 알아?

남 알지. 일요일 아침에 도로 입구에서 만날까?

여 그래. 10시 어때?

남 좋아.

해설

10시에 만나는 것이 괜찮은지 묻는 여자의 물음에 좋다는 대답이 가장 적절하다.

① 다음에. ② 그건 철길이었어. ④ 그녀는 몰라. ⑤ 나는 자전거를 탈 줄 몰라.

어휘

plan 계획 / ride 타다 / railway 철도 / trail 길, 경로

19 ③

해석

여 다음 주 3일간의 연휴에 뭐 할 거야?

남 진짜 특별한 걸 할 거야.

여 정말? 뭔데?

남 열기구를 타러 갈 거야. 빨리 하고 싶어. 정말 멋질 거야.

여 열기구를 탄다고? 왜? 누구랑?

남 내 친구랑 함께 할 거야.

해설

누구와 열기구를 타러 가는지 물었으므로 친구와 갈 거라고 한 대답이 가장 적절하다.

① 나는 온라인으로 표 샀어. ② 이번에 말고, 나 무서워. ④ 너는 괜찮겠어? ⑤ 관광객 사이에서는 정말 인기가 좋아.

어휘

holiday 휴일 / special 특별한 / balloon ride 열기구 타기 / can't wait 빨리 하고 싶다 / awesome 엄청난 / go ballooning 열기구를 타러 가다 / afraid 무서워하는

20 ⑤

해석

여 Mike는 축구를 하다가 발을 헛디뎌 넘어졌다. 그는 발목을 다쳤고, 너무 아팠다. 그의 코치인 Dave는 엑스레이를 찍기 위해 Mike를 병원에 데려갔다. 그들은 오랫동안 엑스레이 결과를 기다렸다. Mike는 발목이 매우 걱정되었다. 이 상황에서 Dave가 Mike에게 할 말은 무엇인가?

Dave 모든 게 다 괜찮을 거야.

해설

Mike가 자신의 발목을 심하게 다쳐 검사 결과를 기다리고 있는 상황이므로, 괜찮을 거라고 격려해 주는 것이 가장 적절하다.

① 좋은 생각이야. ② 다음번에 더 열심히 하자. ③ 나한테 말해 줘서 기뻐. ④ 너는 기다릴 필요가 없어.

어휘

trip and fall 헛디뎌 넘어지다 / injure 다치다 / ankle 발목 / coach 코치 / drive 태워다 주다(drive-drove-driven) / be worried about ~에 대해 걱정하다 / likely ~할 것 같은

Dictation
p.44~47

1　I'd like to buy / with a handle / prefer a heart shape

2　bake it yourself / I've ever had

3　need a library card / borrow up to three books

4　it will clear overnight / the rest of the week

5　How much will that be / It's only twenty dollars

6　I have a yoga class / meet at ten to five

7　a list of things to do / need to decorate

8　based on / You must go and see it

9　the purpose of your visit / is valid for

10　more popular than / as popular as

11　promised to help me / got the latest game CD

12　did a chemistry experiment / reading a story

13　being too afraid to make one / not trying at all

14　getting dinner ready for / pick up milk

15　clicked on the link / broke down completely / don't click on

16　I'm also new here / I'm full

17　protect people's health / want to study medicine / don't give up

18　ride a bike / How about 10 o'clock

19　What are you doing / I can't wait / Who are you going

20　tripped and fell / worried about his ankle

06회 영어듣기 모의고사
p.48~51

01 ⑤	02 ⑤	03 ②	04 ③	05 ②
06 ③	07 ②	08 ③	09 ④	10 ③
11 ④	12 ③	13 ①	14 ⑤	15 ⑤
16 ③	17 ②	18 ①	19 ⑤	20 ①

1 ⑤

해석

여 여보, 컴퓨터가 고장 났어요. 새 컴퓨터를 사야 해요.

남 하지만 이건 아직 새것이에요. 지난달에 샀잖아요. 내가 고쳐볼게요.

여 알겠어요. 그러면 우리 식탁을 사야 할까요?

남 내 생각엔 식탁은 괜찮은 것 같아요.

여 나도 상태가 나쁘지 않다는 건 알아요. 하지만 이건 10년도 더 되었고 네 식구에게는 좀 작아요.

남 네, 당신 말이 맞아요. 새 걸로 하나 삽시다. 그럼 의자는요?

여 아니에요. 새 의자는 필요 없어요.

해설

여자와 남자는 새 식탁을 사기로 했다.

어휘

broken 고장 난 / fix 수리하다

2 ⑤

해석

여 내 여동생과 나는 이번 주말에 찰스 호수에 갈 거야.

남 그곳이 정말 좋다고 들었어.

여 정말 그래. 우리는 호수에서 윈드서핑을 할 거야.

남 근데 너 최근 일기 예보 못 들었니? 이번 주말에 허리케인이 찰스 호수를 덮칠 거래.

여 정말? 그럼 나 윈드서핑 못 하겠네.

해설

일기 예보에서 여자가 가려는 찰스 호수에 허리케인이 올 거라고 했다.

어휘

lake 호수 / windsurf 윈드서핑을 하다 / latest 최근의 / hurricane 허리케인 / hit 타격을 주다

3 ②

해석

여 무슨 일이야?

남 치통이 있는데 너무 아파.

여 내가 약을 좀 가져올게.

남 벌써 두 알 먹었어. 오늘 오후에 치과에 가려고. 근데 너무 겁이 나.

여 괜찮아. 걱정하지 마. 의사 선생님이 빠르게 치료해 주실 거야.

남 난 정말 치과 가는 게 무서워.

해설

남자는 치과에 가는 것이 무섭다고 했다.

① 들뜬 ② 무서워하는 ③ 화난 ④ 행복한 ⑤ 편안한

어휘

toothache 치통 / pill 약 / dentist 치과, 치과의사 / be scared 겁을 먹다 / fix 고치다 / quickly 재빨리 / be afraid of ~을 두려워하다

4 ③

해석

여 좋은 오후입니다. 무엇을 도와드릴까요?

남 휴가 때 싱가포르에 가고 싶어서요.

여 알겠습니다. 괜찮은 싱가포르 패키지 상품이 몇 가지 있어요. 천천히 한번 보세요.

남 한번 볼게요. 저는 이 "섬 여행 패키지"가 좋네요.

여 네, 그 상품은 홍콩도 포함되어 있어요. 그럼, 날짜는 어떻게 할까요?

남 7월 3일에 떠나고 싶어요. 7월 8일에는 돌아와서 출근을 해야 하거든요.

해설

관광 상품을 추천해 주고, 여행 일정을 알아보고 있는 것으로 보아 대화하는 장소는 여행사임을 알 수 있다.

어휘

several 몇몇의 / take one's time 천천히 하다 / island 섬 / include 포함하다 / July 7월

5 ②

해석

남 쇼핑몰은 어땠어?

여 음, 대규모 세일을 하는 날이더라고.

남 그럼 엄청 붐볐겠네, 맞지?

여 응. 하지만 살 만한 괜찮은 물건이 꽤 있었어.

남 너는 무엇을 샀는데?

여 나는 이 운동화를 샀어.

남 이거 120달러잖아! 너무 비싼데!

여 아냐. 그건 원래 가격이고, 거기서 50퍼센트 세일을 했어.

해설

120달러짜리 운동화를 50프로 세일해 샀다고 했으므로 운동화의 가격은 60달러이다.

어휘

crowded 붐비는 / stuff 물건 / running shoes 운동화 / usual 평상시의 / off 할인되어

6 ③

해석

여 나 3주 전에 다이어트를 시작했어.

남 잘 돼가?

여 별로. 항상 배고프고, 살도 하나도 안 빠졌어.

남 아마 운동을 더 해야 할 거야.

여 알아. 이제부터 학교에 자전거를 타고 가려고.

남 그거 좋다.

해설

여자는 다이어트를 위해 자전거를 타고 학교에 다닐 생각이다.

어휘

lose weight 체중이 줄다 / probably 아마 / exercise 운동 / from now on 이제부터

7 ②

해석

여 친구들과 잘 지내는 것을 걱정하는 것은 자연스러운 일이다. 특히 싸우고 난 뒤 더욱 그렇다. 여기 당신을 도와줄 몇 가지 팁이 있다. 먼저, 진정할 시간을 가지고, 친구의 입장에서 사건을 생각하려고 애써라. 이는 친구를 이해하는 데 도움이 될 것이다. 그리고 그 친구에게 솔직히 말하거나 편지를 써라. 당신은 친구와 서로 사과하고 더 가까워질 수 있을 것이다.

해설

친구의 입장에서 생각하고, 편지를 쓰는 등 친구와 싸운 뒤 화해할 수 있는 몇 가지 팁을 조언하고 있다.

어휘

natural 당연한 / get along with 잘 지내다 / calm oneself 진정하다 / from one's side ~의 입장에서 / honestly 솔직하게 / apologize 사과하다 / get close 가까워지다, 친해지다

8 ③

해석

여 이것은 캐나다의 가장 유명한 특산품 중 하나이다. 이것은 달콤하고 노란 색깔의 시럽이다. 이것은 캐나다와 미국에서 인기가 있다. 대부분의 캐나다 사람들과 미국 사람들은 이것을 아침 식사 때 팬케이크 위에 부어 먹는다. 이것은 꽤 비싼데, 왜냐하면 백 퍼센트 천연이기 때문이다. 이것은 단풍나무로부터 얻어진다.

캐나다의 특산물이며, 단풍나무에서 얻어지는 달콤한 액체는 메이플 시럽이다.

어휘

product 생산물, 상품 / syrup 시럽 / popular 인기 있는 / pour 붓다 / quite 꽤 / natural 천연의 / maple tree 단풍나무

9 ④

해석

여 대본을 처음 읽었을 때 어떻게 생각했나요?

남 솔직히 말해 좀 지루하다고 생각했죠. 그러나 지금은 완전히 다른 감정이에요. 이건 정말 훌륭한 이야기예요.

여 감독이 당신보다 젊죠?

남 맞아요. 하지만 그는 천재인 것 같아요. 그리고 그는 유머감각이 대단해요.

여 가장 힘들었던 점은 무엇인가요?

남 글쎄요, 맡은 캐릭터가 저와 전혀 같지 않아요. 그래서 연기하기에 매우 힘든 역할이에요.

해설

남자는 맡은 캐릭터가 자신과 달라 연기하기에 힘들었다고 했다.

어휘

script 대본 / boring 지루한 / director 감독 / genius 천재 / sense 감각 / tough 힘든 / role 역할

10 ③

해석

여 먼저, 영화를 선택한다. 두 번째, 당신이 보고 싶은 영화의 상영 시간을 고른다. 세 번째, 필요한 표의 장수를 선택한다. 네 번째, 어디에 앉을 지 좌석을 고른다. 초록색으로 된 좌석 번호가 이용 가능한 좌석이다. 마지막으로 돈을 집어넣는다. 기계가 당신의 표를 바로 출력하고 필요한 경우 거스름돈을 줄 것이다.

해설

네 번째로 해야 할 일은 앉고 싶은 좌석을 고르는 것이다.

어휘

choose 선택하다 / select 고르다 / seat 자리, 좌석 / available 사용 가능한 / insert 투입하다, 넣다 / instantly 즉시 / change 거스름돈 / necessary 필요한

11 ④

해석

여 영어 수업 첫 시간에 오신 여러분을 환영해요. 저는 여러분의 영어 선생님, Fiona예요. 시작하기 전에 몇 가지 기본적인 규칙을 알려 드리려고 해요. 우선, 수업 중에 휴대 전화를 사용해선 안 돼요. 다음은 결석을 하게 될 경우에는 저에게 미리 알려 주세요. 그리고 질문이 있으면 손을 들어 주세요. 마지막으로 매 수업에 교재와 공책을 가져오세요. 이게 다입니다. 질문 있나요?

해설

수업 시간에 떠들지 말라는 언급은 하지 않았다.

어휘

basic 기본적인 / rule 규칙 / first of all 우선 / cell phone 휴대 전화 / in advance 미리 / absent 결석한 / raise one's hand 손을 들다

12 ③

해석

남 나는 태양계의 중심에 있는데, 지구로부터 약 1억 5천만 킬로미터 떨어져 있다. 나는 기체로 된 거대한 공이다. 나는 어마어마한 양의 에너지를 방출한다. 지구에 사는 사람들은 내 열과 빛 덕분에 살아갈 수 있다. 나는 낮 동안 하늘에서 가장 밝은 물체이다.

해설

태양계의 중심에 있고, 낮 동안 하늘에서 가장 밝은 물체는 태양이다.
① 화성 ② 은하수 ③ 태양 ④ 지구 ⑤ 달

어휘

center 중심 / solar system 태양계 / million 백만 / giant 거대한 / gas 기체 / give off 방출하다 / thanks to 덕분에 / object 물체 / Mars 화성 / Galaxy 은하수

13 ①

해석

남 실례합니다. 여기 자리가 있나요?

여 뭐라고 하셨죠?

남 이 자리에 앉을 사람이 있나요?

여 아뇨, 없어요. 앉으셔도 돼요.

남 죄송하지만, 제가 친구와 같이 앉고 싶어서요. 옆자리로 옮겨 주시는 것이 언짢으신가요?

여 아니요. 전혀 상관없어요.

해설

남자는 친구와 같이 앉기 위해 여자에게 옆자리로 이동해 달라고 부탁하고 있다.

어휘

seat 자리, 좌석 / I beg your pardon. 다시 한 번 말씀해 주세요. / mind 꺼리다 / move 옮기다 / at all 전혀

14 ⑤

해석

남 그래서, Jasmine은 어때?

여 내 룸메이트 Jasmine? 난 그녀가 걱정돼.

남 왜? 무슨 일인데?

여 그녀는 몹시 우울해 해.

남 그것에 대해 그녀와 이야기하려고 해 봤어?

여 응. 근데 내 말에 반응도 안 해. 하루 종일 자기만 해.

남 그녀의 부모님에게 말씀 드린 적 있어? 그분들께 연락을 해야 할 것 같아.

여 난 그게 좋은 생각인지 잘 모르겠어. 학생 상담 선생님을 만나서 어떻게 해야 할지 물어볼 거야.

여자는 학생 상담소에 가서 친구에 관한 조언을 구할 것이다.
① Jasmine에게 사과하기 ② Jasmine에게 비타민 주기 ③ 새 룸메이트 소개하기 ④ Jasmine의 부모님께 말씀 드리기 ⑤ 상담 선생님께 조언을 구하기

어휘

roommate 룸메이트 / be worried about ~에 대해 걱정하다 / depressed 우울한 / respond 반응하다 / all day long 온종일 / counselor 상담 전문가

15 ③

해석

① 여 금요일에 11시부터 8시까지 연다.
② 여 일요일 오후 10시 이후에 들어갈 수 없다.
③ 여 휴일에는 열지 않는다.
④ 여 성인 표 가격은 10달러이다.
⑤ 여 어린이 표 가격은 6달러이다.

해설

전시회는 휴일에 열지 않는 것이 아니라 휴일에 운영되고, 화요일에 쉰다.

어휘

enter 들어가다, 입장하다 / holiday 휴일 / adult 성인 / each 각각 / exhibition 전시회

16 ③

해석

남 요즘 십 대는 인터넷을 사용해 거의 모든 것을 한다. 그들은 사교 활동, 쇼핑, 연구, 놀이를 한다. 하지만 너무 많은 온라인 활동은 수면에 좋지 않다. 많은 나라에서 청소년은 인터넷 때문에 극심한 수면 부족에 시달리고 있다. 건강 전문가는 학생들에게 저녁 10시 이후에 인터넷 사용을 하지 말 것을 권한다.

해설

늦은 시간까지 온라인 활동을 함으로써 십 대가 수면 부족에 시달리고 있다.
① 게임 ② 숙제 ③ 인터넷 ④ 텔레비전 ⑤ 쇼핑

어휘

these days 요즘 / socialize 사귀다 / do shopping 쇼핑하다 / research 조사하다 / nation 나라 / suffer from ~를 겪다, ~로 고통 받다 / lack 부족 / expert 전문가 / recommend 추천하다

17 ②

해석

① 남 그를 어디에서 만났어?
　여 동네에서. 우리 옆집에 살거든.
② 남 거기에 자주 가시나요?
　여 다음 주쯤이요.
③ 남 네가 가장 좋아하는 운동이 뭐야?
　여 나는 운동을 그렇게 좋아하지는 않아.
④ 남 Alex가 시험에서 만점을 받았대.
　여 잘됐다!

⑤ 남 한 달에 책을 몇 권 읽어?
　여 나는 매달 최소 두세 권을 읽으려고 노력해.

해설

자주 가느냐고 물었는데 다음 주에 간다는 응답은 어색하다.

어휘

neighborhood 동네 / next door 옆집에 / at least 최소한

18 ①

해석

여 오늘 아침에 뉴스 봤어?
남 아니. 왜? 무슨 일 있었어?
여 미국 전역에서 토네이도가 크게 불어 닥쳤대.
남 또? 요즘 꽤 자주 일어나는 것 같아.
여 수백 가구의 집이 파괴되고 수십 명의 사람들이 죽거나 다쳤대.
남 미국은 아주 안 좋은 한 해네. 대규모의 허리케인과 홍수에 이어 이제 토네이도까지!

해설

미국 전역에 토네이도가 발생했다는 소식을 듣고, 두 사람은 토네이도에 대해 대화하고 있다.

어휘

happen 일어나다 / outbreak 발생, 발발 / tornado 토네이도 / destroy 파괴하다 / dozens of 수십의, 많은 / injure 부상을 입히다 / major 큰, 엄청난 / hurricane 허리케인 / flood 홍수

19 ⑤

해석

여 무슨 일이야? 걱정이 있는 것 같아 보여.
남 숙제를 하고 있는데 아무 생각도 떠오르질 않아.
여 무엇에 관한 건데? 내가 도와줄 수도 있잖아.
남 집에서 에너지를 절약할 수 있는 스무 가지 방법을 적어야 해.
여 쉽네. 나는 집에서 에너지를 아끼는 방법을 아주 많이 알고 있어.
남 좋아. 제일 먼저 떠오르는 게 뭐야?
여 옷을 더 껴입고 난방을 끄는 거야.

해설

에너지를 아끼는 방법을 물었으므로, 옷을 더 껴입고 난방을 끄라고 응답하는 것이 가장 적절하다.
① 스스로 해라. ② 매일 아침 식사를 해라. ③ 숙제를 제 시간에 해라. ④ 그들은 훨씬 더 많은 에너지를 절약해.

어휘

think of ~을 생각하다 / save 아끼다 / come to mind 생각이 떠오르다 / turn off 끄다

20 ①

해석

남 어제 여동생의 졸업식은 어땠어?
여 부모님이 아주 자랑스러워 하셨어. Kate는 전 부문에서 우등상을 받았거든.

남 왜! Kate는 지금 아주 기쁘겠네.
여 그렇지. 그녀는 성적이 나빴었기 때문에 좀 놀라워. 그런데 그녀가 공부를 열심히 해서 반에서 최고 성적으로 졸업을 했어.
남 축하 인사를 꼭 전해 줘! 그녀는 뭐가 되고 싶어 해?
여 그녀는 작가가 되고 싶어 해.

해설
그녀가 무엇이 되고 싶어 하는지 물었으므로, 작가가 되고 싶어 한다는 대답이 가장 적절하다.
② 그녀의 부모님은 몹시 엄격하셔. ③ 왜냐하면 그것이 그녀가 원하는 거니까. ④ 그녀는 공부하는 데 너무 많은 시간을 썼어. ⑤ 내가 그녀 없이도 그 일을 할 수 있을지 모르겠어.

어휘
graduation 졸업(식) / proud 자랑스러워하는 / top prize 1등상, 최우수상 / used to ~하곤 했다

Dictation
p.52~55

1 Let me fix it / Let's buy a new one
2 try windsurfing / A hurricane will hit
3 have a toothache / I'm very scared
4 have several good packages / what about your dates
5 bought these running shoes / fifty percent off
6 go on a diet / ride my bike to school
7 It's natural to worry about / some tips to help you / tell him honestly
8 Canada's most famous products / pour it over pancakes / comes from maple trees
9 it was boring / a great sense of humor / a very tough role to play
10 choose your movie / where you want to sit / if it's necessary
11 know some basic rules / tell me in advance / bring your books
12 the center of / give off / the brightest object
13 coming to sit / moving to another seat
14 She's really depressed / doesn't respond to me / visit the student counselor
15 enter after 10 pm / six dollars each
16 using the Internet / lack of sleep
17 He lives next door / I'm not a big fan of
18 a huge outbreak of tornadoes / dozens of people were killed
19 save energy at home / comes to mind
20 won all the top prizes / used to get bad grades / What does she hope to do

07회 영어듣기 모의고사 p.56~59

01 ③	02 ②	03 ③	04 ②	05 ①
06 ③	07 ③	08 ②	09 ①	10 ④
11 ③	12 ⑤	13 ③	14 ②	15 ④
16 ①	17 ①	18 ⑤	19 ⑤	20 ④

1 ③

해석
여 한 주간의 날씨입니다. 오늘은 맑고 화창한 날씨가 예상됩니다. 화요일부터 금요일까지는 서늘하고 구름이 끼겠습니다. 토요일에는 저기압의 영향으로 매우 강한 바람이 불겠습니다. 일요일에는 전 지역에 걸쳐 소나기가 내리겠습니다.

해설
토요일에는 저기압의 영향으로 매우 강한 바람이 불 것이라고 했다.

어휘
ahead 앞서서, 미리 / expect 예상하다 / low pressure 저기압 / shower 소나기 / throughout 도처에 / region 지역

2 ②

해석
여 도와 드릴까요?
남 네. 제 딸의 생일 선물을 사려고 해요.
여 마음에 두신 게 있나요?
남 그렇지는 않아요. 하지만 딸아이는 음식과 요리하는 것을 좋아해요. 언젠가 요리사가 되고 싶어 해요.
여 이 책은 어떠세요? 멋진 요리법과 훌륭한 사진이 있죠.
남 마음에 드네요! 선물 포장을 해 주시겠어요?

해설
책을 구매할 수 있는 곳은 서점이다.

어휘
daughter 딸 / have in mind 마음에 두다 / chef 요리사 / recipe 요리법 / gift-wrap ~을 선물용으로 포장하다

3 ③

해석
여 너는 커서 무엇이 되고 싶니?
남 잘 모르겠어. 난 마음이 자주 바뀌거든. 그렇지만 나는 축구를 정말 좋아해.
여 넌 축구 선수가 될 수 있겠다. 너는 정말 재능이 있잖아.
남 고마워. 너는?
여 나도 잘은 모르겠어. 하지만 나는 피아노를 잘 쳐. 나는 피아니스트가 되고 싶어.
남 넌 할 수 있어. 열심히 해 봐!

해설
남자는 피아니스트가 되고 싶다는 여자에게 열심히 하라고 격려하고 있다.

어휘
change one's mind 마음을 바꾸다 / talented 재능이 있는 / either ~도, 역시 / be good at ~을 잘하다 / go for it 열심히 해 보다

4 ②

해석
여 주말 동안 뭐했어?
남 가족이랑 파리에 갔었어.
여 와! 파리는 어땠니?
남 좋았어. 에펠탑이 정말 멋지더라.
여 나는 대학생일 때 파리로 여행을 갔었어. 관광버스를 타고 모든 명소를 둘러봤어.
남 우리는 차를 빌렸어. 그래서 우리가 가고 싶은 곳은 다 갈 수 있었어.

해설
남자의 가족은 자동차를 빌려서 가고 싶은 곳은 어디든 갔다고 했다.
① 자전거 ② 자동차 ③ 기차 ④ 택시 ⑤ 관광버스

어휘
university 대학교 / sight 명소, 관광지 / rental car 렌터카

5 ①

해석
남 여기 핼러윈 가면과 의상이 있어.
여 이 검은 고양이 가면은 어때?
남 나는 네가 동화 속 공주처럼 옷을 입는 게 나을 거 같아.
여 공주 의상은 작년에 입었어. 올해에는 무섭게 보이고 싶어!
남 그럼 마녀처럼 입어도 되겠다.
여 나는 마녀나 뱀파이어가 되기는 싫어.
남 그럼 이건 어때? 이거 정말 무서워.
여 오, 좋다. 이건 내 머리 전체를 덮네. 나 이걸로 살래.

해설
여자는 머리 전체를 다 덮는 무서운 가면을 쓴다고 했다.

어휘
mask 가면 / costume 의상 / dress up 옷을 갖춰 입다 / fairytale 동화 / scary 무서운 / witch 마녀 / vampire 뱀파이어, 흡혈귀 / cover 덮다 / all of ~의 전부

6 ③

해석
[전화벨이 울린다.]
여 여보세요. Andy 씨와 통화할 수 있을까요?
남 말씀하세요.
여 안녕하세요. 온라인에서 광고를 봤어요. 뭐 좀 여쭤 봐도 될까요?
남 그럼요, 말씀하세요.
여 광고에는 한 달에 1,000달러라고 되어 있네요. 집이 얼마나 큰가요?
남 침실 네 개와 욕실 두 개가 있어요. 그리고 부엌은 완전 새 거예요.

여 그리고 차고도 있나요?
남 네, 있어요.
여 좋네요. 괜찮으시다면 가서 한번 보고 싶어요.
남 물론이죠. 여기로 오세요. 길을 알려 드릴게요.

해설
집 광고를 보고 전화한 여자는 집을 구하는 사람, 응답하는 사람은 집주인이다.

어휘
online 온라인으로 / per 마다, 당 / brand-new 완전 새것인 / garage 차고 / take a look 보다 / come over 방문하다 / direction 길, 방향

7 ③

해석
남 콘서트 시작까지 10분 남았어.
여 지금 몇 시야?
남 7시 10분이야.
여 걱정 마. 제 시간에 거기 도착할 거야.
남 우리는 30분 전에 집을 나섰잖아. 보통은 시내까지 가는 데 10분이 걸리는데 말이야.
여 맞아. 오늘은 차가 너무 막힌다.

해설
지금 시각이 7시 10분인데, 30분 전에 집을 나섰다고 했으므로 두 사람은 6시 40분에 집에서 출발한 것이다.

어휘
in time ~에 시간 맞춰 / usually 보통, 대개 / take (얼마의 시간이) 걸리다 / downtown 시내(에) / traffic 교통

8 ②

해석
[전화벨이 울린다.]
남 여보세요. Tim인데요. Emma와 통화할 수 있을까요?
여 안녕, Tim. 나야. 무슨 일이야?
남 너 영어 교과서 가지고 있니?
여 응. 오늘 학교에서 집으로 가져왔어.
남 내가 영어 교과서 가져오는 것을 깜박했거든. 네 교과서를 좀 빌려도 될까? 숙제 때문에 필요해.
여 하지만 나도 필요한데. 여기로 오는 건 어때? 같이 보자.
남 고마워, Emma! 내 숙제를 가져갈게. 곧 보자.

해설
남자는 영어 교과서가 필요해서 여자에게 빌리기 위해 전화를 걸었다.
① 영어 시험공부를 하기 위해서 ② 영어 교과서를 빌리기 위해서 ③ 영어 숙제에 대해 물어보려고 ④ 영어 문제 풀이를 도와주려고 ⑤ 숙제를 같이 끝내려고

어휘
textbook 교과서 / borrow 빌리다 / share 공유하다

9 ①

해석

[전화벨이 울린다.]

남 여보세요. Jane Brown 씨와 통화할 수 있을까요?

여 Jane Brown 씨요? 여기에 그런 사람은 없는데요.

남 하지만 전화번호가 4640-1632 아닌가요?

여 맞아요, 하지만 Jane Brown이라는 사람은 없어요. 잠시만요! 그녀는 여기에서 일했었는데 한 달 전에 퇴사했어요.

남 퇴사했다고요? 그녀의 새 연락처 가지고 계세요?

여 아니요, 없어요.

남 이거 문제네요. 그녀가 우리 가게에 DVD를 반납하지 않았어요!

해설

남자는 Jane Brown이라는 여자가 빌려간 DVD를 반납하지 않은 채 연락이 끊겼으므로 화가 났을 것이다.

① 화난 ② 지루한 ③ 희망찬 ④ 만족한 ⑤ 기쁜

어휘

hang on a second (전화) 잠깐 기다리세요 / used to ~했었다 / leave 그만두다, 떠나다(leave-left-left) / return 반납하다

10 ④

해석

여 오늘 Karen과 엄마는 쇼핑을 하러 갔다. 엄마는 그녀에게 새 바지 한 벌을 사 주었다. 그러고 나서 그들은 Karen의 머리 손질을 위해 미용실에 갔다. 하지만 그들은 예약을 하지 않아 한 시간을 기다렸다. 집에 오는 길에, 그들은 휠체어를 탄 여자가 지하철 표를 사려고 애쓰는 모습을 보았다. 그녀는 차표 판매기 버튼에 손이 닿지 않았다. 그래서 Karen은 그녀를 대신해 표를 뽑아 주었다. 그 여자는 매우 고마워했다.

해설

Karen은 바지를 사고, 머리를 자르기 위해 한 시간을 기다린 후, 집에 오는 길에 휠체어를 탄 여자를 도와주었다.

(A) 그녀는 휠체어를 탄 여자를 도와주었다. (B) 그녀는 새 바지 한 벌을 샀다. (C) 그녀는 머리를 자르기 위해 한 시간을 기다렸다.

어휘

go shopping 쇼핑을 하러 가다 / hair salon 미용실 / get a haircut 머리를 자르다 / on the way 가는 길에 / wheelchair 휠체어 / subway 지하철 / reach ~에 닿다 / grateful 고마워하는

11 ③

해석

남 내 친구들 몇 명이랑 이번 주말에 스파 랜드에 갈 계획이야. 너도 갈래?

여 좋아. 전에 그곳에 가 본 적이 있니?

남 아니, 근데 좋다고는 들었어. 마사지와 온갖 고급 스파 서비스를 받을 수 있어.

여 어떻게 찾았어? 너무 비싸지 않으면 좋겠다.

남 인터넷으로 검색했어. 하루에 20달러밖에 안 해. 하지만 어떻게 가는지 잘 모르겠어. 웹사이트에서 검색해 보자.

해설

두 사람은 스파 랜드에 가는 방법을 몰라 검색해 보기로 했다.

어휘

spa 온천 / massage 마사지 / luxury 호화로운 / treatment 대우, 관리 / search 검색하다 / through ~을 통하여 / look up (정보를) 찾아보다 / web 웹사이트

12 ⑤

해석

남 악성 독감이 유행하고 있습니다. 이 독감이 사람들을 매우 아프게 만들고 있습니다. 사람들이 고열과 목의 통증, 기침, 두통에 시달리고 있습니다. 하지만 이 독감은 콧물을 동반하지는 않습니다. 만약 이번에 독감 예방 접종을 받지 않으셨다면, 최대한 빨리 예방 주사를 맞으십시오. 그리고 독감을 예방하기 위해 가능한 한 손을 자주 씻으세요.

해설

이번 독감은 콧물을 동반하지 않는다고 했다.

① 고열 ② 목의 통증 ③ 기침 ④ 두통 ⑤ 콧물

어휘

flu 독감 / go around 퍼지다, 돌아다니다 / fever 열 / sore throat 인후염, 목의 통증 / cough 기침 / runny nose 콧물 / prevent 예방하다

13 ③

해석

남 많은 한국 사람들은 운동회에 이것을 한다. 이 경기를 하기 위해 여러 사람이 모인다. 그들은 두 편으로 나뉜다. 그들은 줄을 잡는다. 각 팀은 자기 쪽으로 줄을 당기려고 애쓴다. 줄의 가운데 부분이 자기 팀 쪽으로 오면, 그 팀이 이긴다.

해설

운동회 날에 하는 놀이이고, 두 편으로 나누어서 줄을 당기는 게임은 줄다리기이다.

어휘

sports day 운동회 날 / get together 모이다 / be divided into ~으로 나뉘다 / hold 잡다 / rope 줄 / each 각각의 / pull ~을 당기다 / head toward ~으로 향하다

14 ②

해석

① 여 이곳은 베트남 음식과 태국 음식을 판다.

② 여 이곳은 금요일 날 밤 10시에 문을 닫는다.

③ 여 이곳은 월요일마다 문을 닫는다.

④ 여 이곳은 토요일 날 오전 10시에 문을 연다.

⑤ 여 이곳은 Virginia주 Richmond에 있다.

해설

금요일에는 밤 10시가 아니라 자정까지 영업을 한다.

어휘

serve 제공하다 / Vietnamese 베트남의 / Thai 태국의 / excellent 훌륭한 / cuisine 요리 / midnight 자정

15 ④

해석

남 우리는 많은 다양한 방법으로 지식을 얻을 수 있다. 우리는 책, 신문, 인터넷을 통해 배울 수 있다. 그럼 당신은 독서가 배우기에 가장 좋은 방법이라고 생각하는가? 내 생각은 다르다. 나는 배우기에 가장 중요한 방법은 경험을 통해서라고 생각한다. 예를 들어, 일단 당신이 경험을 통해 자전거 타는 법을 배우게 되면 당신은 절대로 그 방법을 잊어버리지 않을 것이다.

해설

남자는 경험을 통해 배우는 것이 가장 중요한 방법이라고 생각한다.

어휘

learn 배우다 / important 중요한 / through ~을 통하여 / experience 경험 / once 일단 ~하면 / forget 잊어버리다

16 ①

해석

여 저 넥타이를 좀 볼 수 있을까요?
남 이 초록색 넥타이를 말씀이신가요?
여 네. 아들의 졸업 선물이 필요해요.
남 아주 멋진 넥타이지요.
여 이런! 이 가격에 파는 건가요? 68달러?
남 네, 부인.
여 너무 비싼데요. 그래도 사고 싶네요.
남 음, 얼마나 지불하실 수 있으신데요?
여 한번 볼게요. 현금이 65달러 있지만, 3달러는 택시비를 해야 해요.
남 알겠어요. 주실 수 있는 만큼 주세요. 정말 잘 사시는 거예요.

해설

여자에게 65달러가 있고, 이 중에 3달러는 택시비로 써야 한다고 했으므로 여자가 낼 수 있는 넥타이 값은 62달러이다.

어휘

tie 넥타이 / graduation 졸업식 / price 가격 / pay 지불하다 / in cash 현금으로 / deal 거래, 합의

17 ①

해석

① 남 런던의 날씨는 어땠어?
　여 아마 비가 올 것 같아.
② 남 피자 한 조각 더 먹어도 될까?
　여 물론이지. 마음껏 먹어.
③ 남 너 오늘 밤에 월드컵 경기 볼 거야?
　여 당연하지.
④ 남 어떻게 하면 성적이 오를까?
　여 공부 계획표대로 따라해 봐.
⑤ 남 너 방학에 어디 가니?
　여 응, 나 유럽으로 여행 갈 거야.

해설

런던의 날씨가 어땠냐는 질문에 비가 올 것 같다는 응답은 어색하다.

어휘

help yourself 마음껏 먹다 / grade 성적 / schedule 일정, 계획

18 ⑤

해석

여 네티켓에 대해 들어 본 적이 있나요? 이것은 온라인 상에서의 의사소통을 위한 규칙입니다. 만약 당신이 이 규칙을 따르면 당신은 더 안전하고 즐겁게 의사소통을 할 수 있습니다. 여기 몇 가지 예가 있습니다. 첫째, 항상 다른 사람의 감정을 고려하십시오. 둘째, 나쁜 말이나 무례한 언어를 사용하지 마십시오. 셋째, 다른 사람의 개인 정보를 찾아내려고 하지 마십시오. 넷째, 같은 것을 반복적으로 올리지 마십시오.

해설

인터넷 상에 같은 내용을 반복적으로 올리지 말라고 했다.
① 네티켓은 온라인 상에서의 의사소통을 안전하게 만든다. ② 항상 다른 사람의 감정을 생각해라. ③ 온라인 상의 의사소통에서 무례한 언어를 사용하지 마라. ④ 다른 사람의 개인 정보를 묻지 마라. ⑤ 인터넷 상에 같은 내용을 계속 올려라.

어휘

communicate 의사소통하다 / follow 따르다 / enjoyably 즐겁게 / consider 고려하다 / rude 무례한 / find out 찾아보다 / post 게시하다, 올리다 / on and on 계속해서

19 ⑤

해석

남 너 유럽으로 여행 갔었지, 그렇지? 돌아다니는 데 가장 좋은 방법이 뭐야?
여 나는 유레일패스를 샀어. 그게 정말 좋아.
남 유레일패스가 뭔데?
여 그건 관광객을 위한 특별한 표야. 유레일패스가 있으면, 너는 일정한 기간 동안 기차로 여행할 수가 있어.
남 정말? 가격이 얼마인데?
여 네가 며칠을 쓸 건지, 어떤 나라를 가고 싶은지에 따라 달라.
남 어디에서 구매할 수 있어?
여 <u>나는 온라인으로 샀어.</u>

해설

남자가 어디서 구매할 수 있는지 물어봤으므로, 온라인으로 샀다고 하는 대답이 적절하다.
① 그것은 싸지 않아. ② 나는 그렇게 생각하지 않아 ③ 싸게 정말 잘 샀네. ④ 나는 혼자 여행했어.

어휘

get around 돌아다니다 / tourist 관광객 / certain 일정한 / period 기간 / cost 비용이 들다 / depend on ~에 달려 있다

20 ④

해석

여 너는 여가에 무엇을 하는 것을 좋아해?
남 나는 음악 듣는 것을 좋아해.
여 어떤 종류의 음악을 좋아하는데?

남 헤비메탈 빼고 거의 모든 음악을 좋아해. 힙합은 내가 가장 좋아하는 음악이야.
여 우리 언니도 힙합을 좋아해. 언니는 언제나 힙합을 들어.
남 정말? 너도 힙합을 좋아해?
여 아니, 우리 언니랑 나는 아주 달라.

해설
힙합을 좋아하느냐고 물었으므로 언니와 취향이 다르다는 응답으로 자신의 음악 취향을 밝히는 것이 자연스럽다.
① 그녀는 블루스 음악을 안 좋아해. ② 나는 그 이름을 들어본 적이 없어.
③ 정말 고마워. ⑤ 나는 기타 치는 법을 배우고 싶어.

어휘
kind 종류 / except 제외하고 / favorite 특히 좋아하는 것 / all the time 언제나 / blues 블루스 음악 / appreciate 감상하다, 감사하다

Dictation

p.60~63

1 expected to be fine / bring very strong winds
2 have anything in mind / How about this book
3 You're really talented / Go for it
4 went on a trip / had a rental car
5 masks and costumes / want to be scary / covers all of my head
6 How big is the house / come and take a look
7 before the concert starts / 30 minutes ago
8 got your English textbook / Can I borrow yours
9 There's nobody here by that name / This is a problem
10 a new pair of pants / get a haircut / couldn't reach the ticket machine
11 get massages / how to get there
12 going around / a runny nose / prevent flu
13 hold a rope / heading toward a team
14 serves Vietnamese and Thai food / every Monday
15 in many different ways / through experience / never forget how
16 Do you mean / Sixty eight dollars / three dollars for a taxi
17 Help yourself / Follow your study schedule
18 for communicating online / consider other people's feelings / on and on
19 the best way to get around / a special ticket for tourists / Where can I get one
20 I like listening to music / except for heavy metal / all the time

08회 영어듣기 모의고사 p.64~67

01 ②	02 ⑤	03 ④	04 ①	05 ④
06 ③	07 ③	08 ⑤	09 ⑤	10 ②
11 ③	12 ③	13 ⑤	14 ④	15 ③
16 ②	17 ③	18 ④	19 ①	20 ⑤

1 ②

해석
여 여기에 좋은 가방이 많네. 하나 사야겠어.
남 무늬 없는 이 가방은 어때?
여 좋은데, 비슷한 게 이미 있어. 저 네모난 가방은 어떤 것 같아?
남 나는 별로야. 바깥에 주머니가 달린 이건 어때?
여 나는 좀 더 큰 가방을 사야 할 것 같아. 가지고 다닐 책이 많을 때가 종종 있거든.
남 그럼 이 가방은 어때? 주머니가 두 개 달린 거 말이야. 들고 다니기도 쉬울 거야.
여 네 말이 맞아. 나에게 딱 맞는 가방이다. 이걸로 할래.

해설
여자는 주머니가 두 개 있고, 들고 다니기 쉬운 가방을 사려고 한다.

어휘
plain 무늬가 없는 / already 이미, 벌써 / square 네모난 / pocket 주머니 / on the outside 바깥에 / carry around 들고 다니다

2 ⑤

해석
남 좋은 아침입니다. 저는 세계 일기 예보를 알려드릴 James Morris입니다. 멕시코시티는 맑고 화창하겠으며 파리는 서늘하고 구름이 끼겠습니다. 런던에는 소나기가 오겠고, 모스크바에는 눈이 많이 내리겠습니다. 반면 방콕은 화창하고 매우 덥겠습니다.

해설
일기 예보에서 말한 방콕의 날씨는 화창하고 매우 덥다.

어휘
Mexico City 멕시코시티(멕시코의 수도) / shower 소나기 / Moscow 모스크바 / Bangkok 방콕(태국의 수도)

3 ④

해석
여 날씨 좋다. 강가 공원에 놀러 가자.
남 신 난다! 가는 길에 샌드위치를 좀 사 가도 되겠다.
여 내가 슈퍼에서 음료수를 사 올게.
남 좋아. 돗자리는 있어?
여 물론이지. 내 차 안에 있어. 오, 잠깐만!
남 왜 그래?

여 방금 들었어? 천둥이 친 것 같아.

남 정말? 봐! 하늘을 봐 봐!

여 오, 안 돼! 하늘이 까맣잖아! 아주 큰 폭풍이 올 거야!

해설

두 사람은 공원에 피크닉을 가려고 했는데 하늘에 먹구름이 끼어서 실망을 했을 것이다.

① 반가운 ② 행복한 ③ 외로운 ④ 실망한 ⑤ 재미있는

어휘

riverside 강가, 강변 / pick up 사다 / on the way 가는 길에 / drink 음료 / mat 돗자리 / thunder 천둥 / storm 폭풍

4 ①

해설

남 있잖아, 토요일에 공원에서 무료 콘서트가 있어.

여 어떤 종류의 콘서트인데?

남 록 콘서트가 프린스 공원에서 있을 거래.

여 콘서트 언제 시작하는데?

남 여덟 시 정각에 시작해.

여 좋아. 그럼 7시 30분에 만날까?

남 실은 좋은 자리를 잡으려면 일찍 가는 게 좋아.

여 그럼 일곱 시는 어때?

남 좋아. 토요일에 보자!

해설

두 사람은 좋은 자리를 잡기 위해 일곱 시에 만나기로 했다.

어휘

free 무료의 / kind 종류 / actually 실제로 / spot 자리

5 ④

해설

여 도와드릴까요?

남 네. 치즈버거 하나 주세요.

여 3달러입니다. 음료도 함께 드시겠어요? 음료는 1달러씩입니다.

남 알겠어요. 포도 주스 주세요. 여기 10달러 있어요.

여 고맙습니다. 여기 거스름돈입니다.

해설

3달러짜리 버거 하나와 1달러짜리 포도 주스 하나를 주문했으므로, 남자는 10달러를 내고 6달러를 거슬러 받았을 것이다.

어휘

drink 음료 / change 거스름돈, 잔돈

6 ③

해설

남 실례합니다. 제가 생일 선물로 이 게임을 받았는데, 제 컴퓨터에서 작동이 되지 않아요.

여 음, 영수증이 있으시면 환불을 해 드릴 수 있어요.

남 이건 제 생일 선물이어서요. 영수증을 가지고 있지 않아요.

여 알겠습니다. 그러면 교환해 드릴게요.

남 고맙습니다.

여 다른 것이 또 필요하신가요?

남 아뇨, 괜찮습니다. 고마워요.

해설

게임의 교환을 원하는 사람은 손님, 교환을 해 주는 사람은 점원이다.

어휘

work 작동되다 / refund 환불 / receipt 영수증 / anything else 그 밖에 다른 것

7 ③

해설

남 이것들은 아주 중요하다. 그들은 겨울에 우리를 따뜻하게 해 주고 여름에는 시원하게 해 준다. 그들은 바람, 비, 눈이 못 들어오게 해 준다. 그들은 우리가 편안하고 안전하게 느끼도록 해 준다. 우리는 이것들 안에서 먹고, 자고, 요리하고, 공부하고, 읽고, 텔레비전을 본다. 우리는 심지어 이것들 안에서 파티를 하고 춤을 추기도 한다. 이것들은 무엇인가?

해설

비바람으로부터 우리를 지켜주고, 그 안에서 먹고 자거나 쉴 수 있는 것은 집이다.

① 우산 ② 텐트 ③ 집 ④ 옷 ⑤ 자동차

어휘

important 중요한 / keep ~하게 유지하다 / keep out 막다 / comfortable 편안한, 안락한

8 ⑤

해설

여 주목해 주시기 바랍니다. 미아를 데리고 있습니다. 아이의 이름은 Josephine입니다. 아이는 우리 백화점 6층에 있는 장난감 매장에서 발견되었습니다. 아이는 엄마를 찾고 있습니다. 아이는 핑크색 모자와 빨간색 스웨터, 청바지와 빨간 운동화를 착용하고 있습니다. 아이는 입구 근처의 안내데스크에 있습니다. 다시 한 번 말씀 드립니다! Josephine이라는 어린이가 1층 안내데스크에서 엄마를 기다리고 있습니다. 감사합니다.

해설

백화점 6층의 장난감 매장에서 아이가 발견됐다고 했으므로 방송을 하는 곳은 백화점이다.

어휘

lost child 미아 / floor 층 / department store 백화점 / sneakers 운동화 / entrance 입구

9 ⑤

해설

여 나 슈퍼에 갈 거야. 소풍에 필요한 것을 사야 해.

남 수박이랑 프라이드치킨을 사도 될까?

여 물론이지. 또 뭐 사올까?

남 아이스티랑 감자 칩은 어때?
여 좋아. 달콤한 것도 살까?
남 지난번에 갔던 소풍 기억나? Tina가 맛있는 사과 파이를 가져왔잖아.
여 맞아. 그녀가 직접 파이를 구웠었지. 또 파이를 구워줄 수 있냐고 물어
　 볼게. 아마 된다고 할 거야.

해설
사과 파이는 Tina에게 구워달라고 부탁할 것이므로 사지 않을 것이다.
① 프라이드치킨 ② 수박 ③ 아이스티 ④ 감자 칩 ⑤ 사과 파이

어휘
watermelon 수박 / fried 기름에 튀긴 / else 또 다른 / definitely 물론 /
bake 굽다

10 ②

해석
[전화벨이 울린다.]
여 여보세요.
남 안녕, June. 나 Dave야.
여 Dave! 지금 벌써 6시야. 너 지금쯤 여기에 있어야 하잖아!
남 알아. 늦을 것 같아.
여 다른 사람들은 다 여기에 있어. 다들 널 기다리고 있다고.
남 아, 미안해. 차가 꽉 막혔어.
여 알겠어. 최대한 빨리 오도록 해.
남 그럴게.

해설
남자는 차가 막혀서 늦을 것 같다고 말하기 위해 전화를 걸었다.

어휘
already 벌써 / run late 늦어지다 / wait for ～을 기다리다 / be stuck
in traffic 교통이 정체에 걸리다

11 ③

해석
여 만약 당신이 밤에 잠을 잘 자고 싶다면, 몇 가지 간단한 규칙을 따르면
　 됩니다. 먼저, 저녁 식사 후 커피나 차, 에너지 음료를 마시지 마세요.
　 두 번째, 낮잠을 자서는 안 돼요. 세 번째, 잠들기 최소 30분 전에는
　 TV와 컴퓨터를 끄세요. 마지막으로, 여전히 잠들기가 어렵다면 따뜻한
　 우유를 한 잔 드세요. 그리고 낮에는 항상 충분한 운동을 하세요.

해설
불을 끄고 자라는 내용은 언급되지 않았다.

어휘
follow 따르다 / take a nap 낮잠을 자다 / turn off 끄다 / at least 최소한 /
half an hour 30분 / have trouble -ing ～에 곤란을 겪다

12 ③

해석
남 하늘에 뭘 보고 있는 거야? 너무 어둡잖아.
여 별을 보고 있어.

남 너 별과 행성에 관심 있어?
여 응. 나는 대학에 가면 별과 행성을 공부하고 싶어. 너는?
남 나는 바다에 사는 식물, 어류, 동물을 공부하고 싶어. 풍부한 천연자원
　 이 있거든. 나는 그것들이 우리 삶을 풍요롭게 해 줄 거라고 믿어.

해설
해양 생물과 자원에 대해 공부하고 싶다고 했으므로 남자의 장래 희망은
해양 과학자이다.

어휘
be interested in ～에 관심이 있는 / planet 행성 / plant 식물 / ocean
바다 / resource 자원

13 ⑤

해석
여 올해는 언제 휴가를 갈 거야?
남 봄에. 로마에 갈 거야!
여 좋겠다. 거기에 어떻게 갈 거니?
남 인천 공항에서 직항을 타고 갈 거야.
여 얼마나 오래 가 있을 거야?
남 14일 동안.
여 좋겠다! 호텔 예약은 했어?
남 아니. 내 사촌인 Andy가 거기에 살거든. 그의 집에 머물 거야.
여 오, 좋겠다.

해설
남자는 호텔을 예약하지 않고 사촌의 집에서 머물 계획이다.

어휘
vacation 휴가 / Rome 로마 / fly direct 직항으로 가다 / book 예약하다

14 ④

해석
남 나 기타를 사려고 돈을 모으고 있어. 나는 기타 치는 걸 좋아해. 그게
　 내 꿈이야.
여 진짜? 정말 멋지다.
남 나는 밴드의 기타리스트가 되고 싶어. 너는?
여 나는 승무원이 되고 싶었어. 여행하고 사람 만나는 걸 좋아하거든. 그
　 런데 지금은 작곡을 하고 싶어. 기다려 봐. 내가 너와 너희 밴드를 위해
　 서 멋진 곡을 써 줄게.

해설
과거에는 승무원이 되고 싶었지만, 지금은 작곡을 하고 싶다고 했다.
① 가수 ② 기타리스트 ③ 조종사 ④ 작곡가 / 작사가 ⑤ 승무원

어휘
save up (돈을) 모으다 / guitarist 기타 연주가 / band 밴드, 악단 /
flight attendant 승무원 / travel 여행하다

15 ③

해석

[전화벨이 울린다.]

여 안녕하세요, 저 Ann이에요. Teddy랑 통화할 수 있을까요?

남 지금 집에 없단다. 메시지를 전해 줄까?

여 아니에요, 괜찮아요. 수학 시험을 대비해서 저랑 같이 공부할 수 있는지 물어보려고 했어요.

남 음, 내 생각에 Teddy는 도서관에 공부하러 간 것 같구나. 아마 종일 거기에 있을 거야.

여 오, 정말이요? 몇 시에 갔나요?

남 아홉 시쯤에. 아침을 먹고 바로 갔단다.

여 알겠습니다. 가서 찾아볼게요. 감사합니다.

해설

여자는 친구 Teddy를 찾으러 도서관으로 갈 것이다.

어휘

right now 바로 지금 / take a message 메시지를 적다 / all day 온종일 / leave 떠나다, 출발하다 / right after 그 직후

16 ②

해석

① 여 너는 하루에 수업이 몇 개나 있니?
　 남 일곱 개 있어.

② 여 너 이번 주말에 뭐해?
　 남 나는 그걸 매년 해.

③ 여 너는 얼마나 자주 헬스클럽에 가니?
　 남 일주일에 두 번.

④ 여 그 콘서트는 어땠어?
　 남 정말 훌륭했어.

⑤ 여 도와 드릴까요?
　 남 저는 새 휴대 전화를 사고 싶어요.

해설

주말에 무엇을 하느냐고 물었는데, 매년 한다는 응답은 적절하지 않다.

어휘

class 수업 / often 자주 / twice 두 번 / awesome 훌륭한 / cell phone 휴대 전화

17 ③

해석

남 주목해 주십시오. 우리는 20분 후에 인천 공항에 착륙하겠으니, 좌석을 원위치로 돌리고, 식탁을 제자리에 고정시키고 안전벨트를 매 주시기 바랍니다. 인천의 날씨는 서늘하고 흐리겠습니다. 우리는 정시에 착륙할 것입니다. 영국 항공을 이용해 주셔서 감사합니다.

해설

20분 후 비행기가 착륙할 예정이라는 안내 방송이다.

어휘

land 착륙하다 / upright 똑바른 / position 위치, 자리 / secure 고정시키다 / tray 쟁반 / fasten 매다, 채우다 / on time 정각에 / British 영국의

18 ④

해석

남 좋은 오후예요, 여러분. 모두 잘 알다시피. 여름 방학이 다음 주에 시작됩니다. 나는 여러분 모두가 봉사 활동을 통해 방학에 뭔가 훌륭한 일을 할 것을 제안합니다. 여러분의 시간과 에너지를 조금 할애함으로써 도울 수 있는 자선 단체들이 많아요. 여러분의 삶뿐만 아니라 다른 사람들의 삶도 향상시키도록 노력해 보세요.

해설

남자는 여름 방학을 이용하여 봉사 활동을 할 것을 제안하고 있다.

어휘

as ~와 같이 / suggest 제안하다 / during ~동안 / holiday 방학 / volunteer 자원봉사하다 / charity 자선단체 / improve 개선하다 / as well as ~뿐만 아니라 …도

19 ①

해석

남 너 늦었어. 나 한 시간 동안 널 기다렸어.

여 진짜 미안해. 내 차 키를 못 찾았거든.

남 그래서 찾았어?

여 아니, 못 찾았어.

남 그럼 여기 어떻게 왔어?

여 택시 탔는데. 도로에 교통 체증이 심각했어.

남 아, 괜찮아. 어쨌든 다음번에 다시 늦게 되면 나한테 전화해 줘.

남 그럴게. 약속해.

해설

늦게 되면 연락해 달라는 요청에 그렇게 하겠다는 응답이 가장 적절하다. ② 매우 혼잡했어. ③ 그들은 나한테 그렇게 하지 말라고 했어. ④ 우리 아빠가 여러분의 키를 가지고 있어. ⑤ 이건 정말 비싼 차야.

어휘

wait for ~를 기다리다 / get 도착하다 / heavy 심한 / traffic 교통(량) / anyway 어쨌든 / promise 약속하다

20 ⑤

해석

남 Sally는 친구인 Tom에게 숙제를 도와 달라고 말하기 위해 Tom에게 전화를 건다. Tom의 엄마가 전화를 받는다. 어머니는 Tom이 밖에 나갔다고 말한다. 어머니는 Tom이 언제 돌아올지 모르겠다고 한다. Sally는 Tom의 도움이 절실히 필요하다. Sally는 다른 반 친구의 전화번호를 가지고 있지 않다. Sally는 Tom이 집에 들어오자마자 자기에게 전화해 주었으면 한다. 이런 상황에서 Sally가 Tom의 엄마에게 할 말은 무엇인가?

Sally Tom이 집에 오면 저한테 전화하라고 말해 주세요.

해설

Sally는 Tom이 전화해 주길 바라므로 집에 오면 전화해 달라고 말하는 것이 가장 적절하다.

① 제가 언제 그를 방문할 수 있을까요? ② 전화 주셨다고 하셔서 전화 드렸어요. ③ 저한테 메시지를 남기셨나요? ④ 전화 잘못 거신 것 같은데요.

Dictation p.68~71

1 this plain one / something bigger / with two pockets on it
2 clear and sunny / heavy snow
3 got a picnic mat / it was thunder / big storm
4 What kind of concert / It starts at 8 o'clock / get a good spot
5 That's three dollars / Here's your change
6 give you a refund / I'll exchange it
7 keep out the wind / have parties and dance
8 have a lost child / looking for her mom / at the information desk
9 What else should I get / baked it herself
10 I'm running late / I'm stuck in
11 get a good night's sleep / take a nap / get plenty of exercise
12 study about stars and planets / plenty of natural resources
13 How are you getting / I'm staying with him
14 guitarist of a band / want to write songs
15 take a message / at the library / find him there
16 How many classes / How did you like
17 will be landing at / fasten your seat belts / expect to land
18 by volunteering / improve other people's lives
19 waiting for you / call me next time
20 ask for his help / went out / call her back

09회 영어듣기 모의고사 p.72~75

01 ③	02 ④	03 ④	04 ⑤	05 ①
06 ②	07 ⑤	08 ②	09 ④	10 ④
11 ①	12 ⑤	13 ②	14 ④	15 ④
16 ②	17 ④	18 ③	19 ④	20 ①

1 ③

해석
남 오늘이 며칠이지?
여 1월 11일이야.

남 아. 곧 Maria의 생일이네.
여 정말? 선물로 무엇을 해 주지?
남 책이 어때?
여 괜찮을 수도 있는데, 어떤 책을 고를지 모르겠어.
남 그렇네. 예쁜 블라우스는 어떨까?
여 좋은 생각이야. 그걸로 사자.

해설
두 사람은 Maria의 생일 선물로 블라우스를 사기로 했다.

어휘
soon 곧 / choose 고르다 / blouse 블라우스

2 ④

해석
여 비가 올 것 같아. 내일 일기 예보에서는 뭐래?
남 큰 폭풍이 올 거라고 들었어. 소풍 못 가겠다.
여 실망하지 마. 소풍은 다음에 갈 수 있어.
남 알아. 하지만 내가 야외 활동을 계획할 때 늘 비가 오는 것 같아.

해설
일기 예보에서 내일 폭풍이 올 거라고 말했으므로 내일은 비바람이 칠 것이다.

어휘
weather forecast 일기 예보 / storm 폭풍 / be able to ～할 수 있다 / disappointed 실망한 / go on a picnic 소풍 가다 / outdoors 야외에서

3 ④

해석
여 안녕하세요. 무엇을 도와 드릴까요?
남 「Iron Man」표 한 장 주세요.
여 알겠습니다. 세 시 영화 말씀이신가요?
남 아뇨, 한 시 반 걸로요.
여 죄송합니다. 한 시 반 영화는 매진되었어요.
남 그렇지만 그게 제가 볼 수 있는 유일한 시간대였는데. 이제 그 영화를 못 보게 되었군요.

해설
남자는 영화를 보려다가, 맞는 시간대가 없어서 실망했을 것이다.
① 지루한 ② 기쁜 ③ 신이 난 ④ 실망한 ⑤ 혼란스러워하는

어휘
certainly 그럼요, 물론이지요 / sold out 매진된 / at all 전혀

4 ⑤

해석
여 이번 주말에 뭐 할 거야?
남 별로 특별한 계획은 없어. 넌 어때? 농구를 할 거야?
여 아니, 우리 오빠랑 낚시하러 갈 거야. 너 낚시 좋아해?
남 글쎄. 해 본 적이 없어서.
여 같이 가지 않을래? 재미있어. 우리가 가르쳐 줄게.
남 그러고 싶지만, 이번 주말에는 안 돼. 숙제가 너무 많거든.

남자는 이번 주말에 숙제를 해야 한다고 했다.

special 특별한 / basketball 농구 / go fishing 낚시하러 가다 / come along 함께 가다

5 ①

남 안녕, Kate! 너 어디 가니?
여 학교에 가.
남 항상 걸어서 학교에 가니?
여 아니, 난 보통 버스를 타. 하지만 오늘은 날씨가 좋아서 걷기로 했어.

여자는 대개 버스를 타고 학교에 가지만, 오늘은 날씨가 좋아 걸어간다고 했다.

always 항상 / usually 보통 / such 그렇게, 매우 ~한 / decide 결정하다

6 ②

남 토요일에 야구 경기 보러 가자.
여 안 돼. 결혼식에 가야 해.
남 사촌 결혼식? 그건 일요일 오후 세 시 아니었어?
여 오, 맞다! 그래서 우리 몇 시에 만날까?
남 경기는 한 시에 시작해. 11시에 보는 게 어때?
여 우리 집에서? 조금 이른 것 같아. 그냥 경기 한 시간 전에 와.
남 알겠어. 그때 보자!

경기는 오후 한 시에 시작하고, 두 사람은 경기 한 시간 전인 12시에 만나기로 했다.

wedding 결혼식 / cousin 사촌, 친척 / early 이른

7 ⑤

남 안녕하세요. 무엇을 도와 드릴까요?
여 「책 도둑」이라는 책을 찾고 있는데, 작가의 이름을 모르겠어요. 도와주실 수 있나요?
남 컴퓨터로 확인해 볼게요.
여 네. 고마워요.
남 우리한테 그 책이 있는데, 누군가 대출 중이네요. 반납 기한이 금요일이에요.
여 그럼 저를 위해 보관해 주실 수 있으세요?

여자가 찾는 책의 대출 여부를 확인해 주고 있는 것으로 보아 도서관 사서와 대출자의 대화이다.

look for 찾다 / author 작가, 저자 / due ~하기로 되어 있는, 예정된

8 ②

남 네가 유럽에 갔었다고 들었어. 어땠어?
여 좋았지. 나는 부다페스트, 프라하, 암스테르담, 런던과 파리에 있었어.
남 왜! 어느 곳이 가장 좋았어?
여 암스테르담이 가장 재미있기는 했는데, 프라하가 가장 좋았어. 정말 아름다워.
남 나는 부다페스트가 궁금해. 거긴 어땠어?

여자는 가장 좋았던 곳으로는 프라하를 꼽았다.
① 부다페스트 ② 프라하 ③ 암스테르담 ④ 런던 ⑤ 파리

place 장소 / a lot of 많은 / curious 궁금한

9 ④

남 나 다이어트를 해야 할 것 같아.
여 왜?
남 살을 빼야 할 필요가 있어. 조언 좀 해줄래?
여 글쎄, 좀 적게 먹어야 해.
남 시도해 봤는데, 나는 음식을 너무 좋아해!
여 그러면 운동을 더 하도록 해 봐. 나는 매일 조깅을 해서 살을 뺐어.
남 나도 조깅을 해 봤어. 그런데 무릎이 아프더라.
여 수영은 어때? 수영은 무릎이 아프지 않을 거야.
남 정말 좋은 생각인데! 내일 시작해야겠어.

여자는 남자에게 수영을 권유했고, 남자는 내일부터 수영을 시작하기로 했다.

go on a diet 다이어트를 하다 / lose weight 살이 빠지다 / hurt 다치게[아프게] 하다 / knee 무릎

10 ④

남 우리 동네에 새 식당이 생겼어.
여 무슨 음식을 파는 식당이야?
남 중국 요리와 태국 요리를 파는 곳이야.
여 나는 태국 음식을 좋아해.
남 나도야. 그리고 메인 거리에 그 식당이 있는데 우리 집에서 별로 안 멀어.
여 전화해서 포장 주문할까?
남 그래. 이번 주에 신규 고객을 위한 25% 할인이 있대.
여 25%? 좋다.

해설
무료 배달 서비스를 해 준다는 언급은 없다.
① 새로 개업한 레스토랑 ② 중국 요리와 태국 요리 제공 ③ 메인 거리에 위치 ④ 무료 배달 서비스 ⑤ 신규 고객을 위한 특별 할인 행사

어휘
neighborhood 동네 / Chinese 중국의 / Thai 태국의 / takeout 가지고 가는 음식 / customer 고객

11 ①

해석
남 도와 드릴까요?
여 네. 봉사 활동을 할 수 있을까요? 돕고 싶어서요.
남 그럼요. 부엌에서 음식 준비, 청소, 설거지를 도울 수 있고 아니면 빨래나 다림질도 할 수 있어요.
여 요리 빼고는 다 할 수 있어요.
남 음. 그러면 식당에 투입 할게요. 설거지를 하실 수 있어요. 괜찮으신가요?

해설
남자는 여자에게 봉사 활동으로 설거지를 하게 될 거라고 말했다.

어휘
volunteer work 봉사 활동 / available (이용) 가능한 / preparation 준비 / iron 다림질하다

12 ⑤

해석
[전화벨이 울린다.]
남 안녕하세요, Justin입니다. Emma랑 통화할 수 있을까요?
여 나 Emma야. 안녕, Justin!
남 안녕, 뭐 하고 있어?
여 별 거 없어. 그냥 수학 숙제 하고 있어. 꽤 지루하다.
남 오늘 밤에 나랑 영화 보러 갈래? 씨네센트럴에서 괜찮은 영화가 상영되고 있어.
여 좋지. 몇 시에?

해설
남자는 여자에게 씨네센트럴에 영화를 보러 가자고 제안했다.

어휘
boring 지루한 / would love to ~하고 싶다

13 ②

해석
남 Peter Jones는 성공한 변호사였다. 그는 돈을 아주 많이 벌었다. 하지만 그는 행복하지 않았다. 그는 요리사가 되고 싶었다. 그래서 그가 45세가 되었을 때, 그는 요리 학교에 다녔다. 이제 그는 50살이고, 자신이 운영하는 식당의 주방장이다. 그는 지금 훨씬 더 행복하다.

해설
Peter는 늦은 나이에 자신의 꿈을 위해 새로운 도전을 했고, 그 결과 더 행복해졌다.

① 돌다리도 두들겨 보고 건너라. ② 하지 않는 것보다는 늦더라도 하는 것이 낫다. ③ 자꾸 연습하다 보면 아주 잘하게 된다. ④ 매를 아끼면 자식을 망친다. ⑤ 백지장도 맞들면 낫다.

어휘
successful 성공한 / lawyer 변호사 / chef 요리사, 주방장 / attend 다니다, 출석하다

14 ④

해석
남 우리 캠프에 뭐 가져가야 하지?
여 우리 수영을 할 거니까, 수영복을 가져가.
남 모자랑 수건은 어때?
여 응. 둘 다 가져가자. 수건 두 개를 가져가야 해.
남 음식은?
여 그건 걱정할 필요 없어. 학교에서 음식을 준비할 거야.
남 우리가 배드민턴을 칠 수 있을까?
여 응, 우리 배드민턴 라켓도 가져가자.

해설
음식은 학교에서 준비할 것이므로 가져갈 필요가 없다.

어휘
bring 가져오다 / camp 캠프 / swimsuit 수영복 / towel 수건 / prepare 준비하다 / racket (테니스, 배드민턴 등의) 라켓

15 ④

해석
남 나는 항상 차갑습니다. 나는 보통 두 개의 문을 가지고 있습니다. 한쪽 문 안에서 당신은 아이스크림과 얼음 조각을 찾을 수 있다. 다른 쪽의 내부는 차갑지만, 얼 정도는 아닙니다. 여기에서 당신은 달걀, 우유, 치즈 그리고 채소와 같은 신선한 식품을 찾을 수 있습니다. 나는 보통 부엌에서 가장 큰 기계입니다. 나는 누구일까요?

해설
두 개의 문이 달려 있고, 신선한 식품과 얼음이 들어갈 수 있는, 부엌에서 가장 큰 가전제품은 냉장고이다.
① 전자레인지 ② 식기세척기 ③ 에어컨 ④ 냉장고 ⑤ 세탁기

어휘
inside 안쪽에 / ice cube 각얼음 / freezing 꽁꽁 얼게 추운 / fresh 신선한

16 ②

해석
여 Danny! 네 방이 엉망이구나! 정리 좀 할래?
남 농구 연습에 갔다 와서 하면 안 될까요? 전 이미 늦었어요.
여 지금 해 줬으면 해. 오늘 밤에 할머니가 오실 거야.
남 연습 끝나고 바로 하겠다고 약속드릴게요. 이번 주에 저희 팀이 결승을 치른단 말이에요!

해설
남자는 농구 연습을 하러 가야 해서 지금 청소를 할 수 없다.

어휘
mess 엉망인 상태 / tidy up 정리하다 / practice 연습 / already 이미 /
stay 머물다. 지내다 / finals 결승전

17 ④

해석
① 여 차 한잔 드실래요?
　　남 고마워요. 한 잔 주세요.
② 여 콘서트 좋았어?
　　남 응. 정말 훌륭했어!
③ 여 이건 얼마인가요?
　　남 확인해 볼게요. 3달러 90센트네요.
④ 여 너 기말고사가 언제야?
　　남 나에게는 너무 어려워.
⑤ 여 너는 얼마나 자주 영화를 보러 가니?
　　남 일 년에 여섯 번 정도.

해설
시험이 언제인지 날짜를 묻는 질문에, 시험이 너무 어렵다고 대답하는 것은
적절하지 않다.

어휘
concert 공연 / final exam 기말고사 / often 자주

18 ③

해석
여 현대 미술관에 오신 것을 환영합니다. 제 이름은 Sandra Love이고,
　 제가 가이드를 해 드릴 거예요. 이 미술관은 6층으로 되어 있고, 훌륭
　 한 현대 미술품들이 많이 있습니다. 이 투어는 여러분께 우리 미술관에
　 서 가장 중요한 작품들을 소개해 드릴 것입니다. 투어가 끝날 때까지
　 해당 그룹과 함께 계셔 주세요. 투어는 지금부터 한 시간 정도 진행될
　 거예요. 저를 따라오세요.

해설
여자는 미술관의 구조를 설명하고 간략한 관람 안내를 하고 있다.

어휘
guide 안내자 / floor 층 / contain ~이 있다 / work 작품 / modern
현대의 / introduce 소개하다 / until ~때까지

19 ④

해석
남 나 다녀왔어!
여 야, 시내 관광버스는 어땠어?
남 정말 좋았어.
여 네가 즐거웠다니 다행이네. 시드니에는 볼 만한 곳이 아주 많아.
남 정말 그래. 나는 타롱가 동물원에 꼭 가보고 싶어. 정말 좋아 보이더
　 라고.
여 네가 좋다면 내일 같이 가 보자.

남 그러면 좋지.

해설
남자가 가장 가고 싶어 하는 동물원에 같이 가기로 했으니 그렇게 하면 좋
을 거라는 응답이 가장 적절하다.
① 나는 이미 본 적이 있어. ② 천만에. ③ 내 생각엔 동물원인 거 같아.
⑤ 약 1시간 정도야.

어휘
tour bus관광버스 / glad 기쁜 / enjoy 즐기다 / sure 확실하게 /
definitely 정말로, 분명히

20 ①

해석
남 이게 원격 조정 자동차야?
여 응. 맞아. 자, 한번 봐.
남 와! 이거 어떻게 작동하는 거야?
여 차와 리모콘에 배터리를 일단 넣어. 그리고 나서 전원 버튼을 눌러. 그
　 리고 이 막대기를 차가 가길 원하는 방향으로 움직여. 이해했어?
남 물론이지.

해설
설명을 이해했는지 확인하는 여자의 질문에 물론이자라는 응답이 가장 적절하다.
② 잘됐네. ③ 아니, 괜찮아. ④ 나 하나도 없어. ⑤ 어제 샀어.

어휘
remote control 원격 조종 / take a look ~을 보다 / work 작동하다 /
battery 건전지 / press 누르다 / stick 막대기 / direction 방향 / get 이해
하다

Dictation
　　　　　　　　　　　　　　　　　　p.76~79

1　get her for a present / a pretty blouse

2　a big storm / seems to rain

3　One ticket for / is sold out

4　Do you like fishing / got too much homework

5　I'm going to school / decided to walk

6　what time shall we meet / an hour before the game

7　the author's name / has checked it out

8　Which place / I'm curious about

9　go on a diet / eat less / How about swimming

10　in our neighborhood / far from our house / discount for
　　new customers

11　any volunteer work available / wash the dishes

12　what are you up to / see a movie with me

13　a successful lawyer / wanted to be a chef / He's much
　　happier

14　bring to the camp / don't have to / bring badminton
　　rackets

15　have two doors / not freezing / the biggest machine

16 tidy it up / right after practice

17 How much is this / six times a year

18 be your guide / last about one hour

19 I'm glad you enjoyed it / We can go together

20 take a look / Do you get it

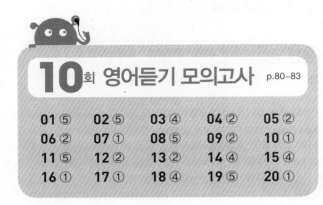

10회 영어듣기 모의고사 p.80~83

01 ⑤	**02** ⑤	**03** ④	**04** ②	**05** ②
06 ②	**07** ①	**08** ⑤	**09** ②	**10** ①
11 ⑤	**12** ②	**13** ②	**14** ④	**15** ④
16 ①	**17** ①	**18** ④	**19** ⑤	**20** ①

1 ⑤

해석

여 이 쿠키들은 괜찮은 것들이에요. 어떤 것이 제일 좋으세요?

남 저는 하트 모양이 좋아요. 그렇지만 토끼 모양도 정말 귀엽네요.

여 토끼요? 어떤 것을 말하시는 건가요?

남 네모난 쿠키 위에 토끼가 그려진 것이요. 저걸로 주시겠어요?

해설

남자는 네모난 모양 위에 토끼가 그려진 쿠키를 선택했다.

어휘

shape 모양 / cute 귀여운 / mean ~을 뜻하다 / square 정사각형의

2 ⑤

해석

여 왜! 네 머리 모양이 근사하다. 어디에서 잘랐어?

남 엄마가 헤어샵을 운영하셔. 엄마가 머리를 잘라 주셨어. 난 우리 엄마처럼 헤어 스타일리스트가 되고 싶어. 넌?

여 나는 패션모델이 되고 싶어. 난 예쁜 옷을 입는 것을 좋아하거든.

남 아! 너는 패션에 관심이 있구나.

해설

여자는 예쁜 옷을 입는 것을 좋아해서 패션모델이 되고 싶다고 했다.

어휘

own 소유하다 / hair salon 미용실 / hair stylist 미용사 / clothes 옷 / be interested in ~에 관심이 있다

3 ④

해석

여 안녕, Harry! 너 무척 바빠 보인다. 무엇을 찾고 있어?

남 내 지갑을 찾고 있어. 너 본 적 있어?

여 아니, 마지막으로 그걸 어디에 두었는지 기억나?

남 아니. 만약 못 찾으면, 난 정말 곤란해 질 거야!

해설

남자는 현재 지갑을 찾을 수 없어 걱정을 하는 상태이다.

① 피곤한 ② 행복한 ③ 들뜬 ④ 걱정하는 ⑤ 놀란

어휘

look for 찾다 / wallet 지갑 / remember 기억하다 / put 두다 / last 마지막에 / be in trouble 곤란에 처하다

4 ②

해석

남 이 음악 어때?

여 그저 그래. 하지만 넌 이 음악 진짜 좋아하지, 그렇지 않니?

남 응, 나는 힙합이 제일 좋아. 네가 가장 좋아하는 음악의 종류는 뭐야?

여 나는 재즈를 제일 좋아해. 피아노 재즈는 진짜 멋진 것 같아.

해설

남자는 힙합을 좋아하고, 여자는 재즈를 좋아한다고 했다.

① 대중가요 ② 재즈 ③ 힙합 ④ 클래식 ⑤ 록

어휘

so so 그저 그런 / kind 종류

5 ②

해석

남 이것은 한국에서 가장 중요한 휴일이다. 날짜는 매년 다르지만, 항상 1월이나 2월에 있다. 이 날은 겨울철이다. 수백만 명의 사람들이 자신의 고향을 방문한다. 아이들은 부모님과 조부모님에게 절을 한다. 모든 사람들은 떡국을 먹으며 좋은 새해를 기원한다.

해설

1월 혹은 2월에 있는 날이고, 어른들께 절을 하고 떡국을 먹는 날은 설날이다.

어휘

important 중요한 / holiday 휴일 / date 날짜 / millions of 수백만의 / hometown 고향 / bow 절하다 / grandparents 조부모님 / rice cake 떡

6 ②

해석

남 도와 드릴까요?

여 네. 이 외투가 마음에 들어요. 제 사이즈를 잘 모르겠네요.

남 이건 중간 사이즈인데, 한번 입어 보실래요?

여 네, 그럴게요.

남 탈의실은 왼쪽에 있어요.

여 아, 작은 사이즈도 입어 봐도 될까요?
남 그럼요. 여기 있습니다.

해설
여자가 외투 사이즈를 고르고 있는 것으로 보아 대화의 장소는 옷 가게이다.

어휘
coat 외투 / medium (치수, 길이 등이) 중간의 / try on 입어보다 / fitting room 탈의실

7 ①

해석
남 음료를 드시겠습니까, 부인?
여 네, 오렌지 주스 주세요.
남 여기 있습니다. 그리고 소고기와 치킨 중 무엇을 드시겠어요?
여 치킨이요. 그런데, 저 아래에 있는 게 무슨 도시죠?
남 저희는 지금 애리조나 주의 피닉스 위를 비행하고 있습니다.
여 아. 정말 크네요.

해설
피닉스 위를 비행하고 있고, 음식을 제공하는 상황으로 보아 승무원과 승객의 대화임을 알 수 있다.

어휘
beef 소고기 / by the way 그런데 / fly over ~위를 날다

8 ⑤

해석
남 토요일에 뮤지컬을 보러 갈래? 우리 누나가 여주인공이야.
여 좋지! 우리 언제 만날까?
남 내가 데리러 갈게. 여섯 시 어때? 뮤지컬 시작하기 두 시간 전이야.
여 좋아! 그럼 가기 전에 우리 집에서 저녁을 먹을 수 있겠다.
남 정말? 그거 좋겠다. 여섯 시에 봐.

해설
공연 시작 2시간 전인 6시에 만나기로 했으니, 공연은 8시에 시작될 것이다.

어휘
musical 뮤지컬 / heroine 여주인공 / pick up 데리러 가다 / have 먹다

9 ②

해석
남 일본에서의 여름휴가는 어땠어?
여 아주 더웠어. 그렇지만 교토는 아름다웠어.
남 이번 여름에도 해외로 갈 거니?
여 응. 엄마랑 호주에 가려고. 너는?
남 나는 파리에 있는 궁전을 보러 프랑스에 갈 거야.

해설
남자는 파리에 있는 궁전을 보러 프랑스에 간다고 말했다.
① 일본 ② 프랑스 ③ 인도 ④ 미국 ⑤ 호주

어휘
overseas 해외로 / palace 궁전

10 ①

해석
여 쇼핑객 여러분, 주목해 주십시오! 1층 안내 데스크에서 남자 아이를 데리고 있습니다. 아이는 파란색 반바지와 초록색 줄무늬가 있는 흰색 티셔츠를 입고 있습니다. 아이가 엄마를 찾고 있습니다. 아이의 어머니 되시는 분은 안내 데스크로 와 주시기 바랍니다. 감사합니다.

해설
아이의 엄마를 찾는 안내 방송이다.

어휘
attention 주목하다 / information desk 안내 데스크 / floor 층 / shorts 반바지 / stripe 줄무늬

11 ⑤

해석
여 안녕, Tony. 이집트 여행은 어땠어?
남 좋았어! 다시 가고 싶어.
여 좋네. 그런데 네가 없는 동안 Karen이 너한테 전화했었어.
남 무슨 일인데?
여 토요일에 너를 방문하겠대.
남 이번 주 토요일, 17일을 말하는 거야? Karen이 언제 전화했는데?
여 어제. 15일, 목요일에.

해설
Karen은 남자에게 14일 목요일이 아니라, 15일 목요일에 전화했었다.

어휘
by the way 그런데 / while ~하는 동안 / be away 부재중이다 / visit 방문하다

12 ②

해석
여 실례합니다. 여기에서 세인트 제임스 공원을 가려면 어떻게 해야 하죠?
남 세인트 제임스 공원이요? 버스를 타거나 지하철을 타시면 돼요.
여 그러면 어떤 것이 빠른가요?
남 제 생각에는 지하철을 타시는 것이 더 나은 것 같아요. 지금은 차가 많이 막혀서요.
여 알겠어요. 가장 가까운 역이 어디인지 알려주실 수 있나요?
남 네. 이쪽으로 계속 걸어가세요. 다음 모퉁이에 있어요.
여 감사합니다.

해설
남자는 공원에 더 빠르게 갈 수 있는 방법으로 여자에게 지하철을 추천했다.
① 자동차로 ② 지하철로 ③ 택시로 ④ 버스로 ⑤ 도보로

어휘
get to ~에 도착하다 / had better ~하는 게 낫다 / traffic 교통 / the nearest 가장 가까운 / keep 계속 ~하다 / direction 방향 / corner 모퉁이

13 ②

해석

남 내 생일 파티에 올 거야?

여 물론이지! 내가 케이크를 가져갈까?

남 아냐, 그러지 않아도 돼. 엄마가 생일 케이크를 만들어 주실 거야.

여 그러면 복숭아를 좀 가져갈게, 알았지? 우리 집 복숭아나무에 복숭아가 정말 많이 열렸어.

남 그래? 그럼 아주 좋을 거야! 고마워!

해설

여자는 집에 있는 복숭아나무에서 복숭아를 따 간다고 말했다.

① 케이크 ② 복숭아 ③ 나무 ④ 꽃 ⑤ 주스

어휘

of course 물론 / bring 가져오다 / peach 복숭아 / lots of 수많은

14 ④

해석

남 너 어제 우리 형 봤어?

여 응. 잘생기고 키가 크더라.

남 응. 형은 키가 185cm야.

여 나이는?

남 나보다 10살 많아. 그는 26살이야.

여 정말? 나는 너희 형이 20살 정도일 거라고 생각했어! 그는 무엇을 하는 것을 좋아하니?

남 형은 모든 종류의 운동을 좋아해. 주로 축구를 해.

해설

형의 직업에 관해서는 언급되지 않았다.

어휘

good-looking 잘생긴, 보기 좋은 / about 약 / all kinds of 모든 종류의 / mostly 주로

15 ④

해석

여 너 저 소년을 알아? 못돼 보인다.

남 그 남자는 못되지 않아. 그는 정말 착해.

여 어떻게 아는데?

남 우리 형 친구야.

여 아, 그래? 이름이 뭔데?

남 Charlie Simpson. 그는 정말 성실한 학생이야. 우리 가족들 모두가 그를 좋아해.

해설

여자는 겉모습만으로 소년이 나쁠 것이라고 생각했으므로, '겉모습만으로 사람을 함부로 판단해서는 안 된다.'라는 속담이 적절하다.

① 늦게라도 하는 것이 아예 안 하는 것보다 낫다. ② 무소식이 희소식이다. ③ 선무당이 사람 잡는다. ④ 겉모습만으로 사람을 함부로 판단해서는 안 된다. ⑤ 서툰 목수가 연장 나무란다.

어휘

mean 못된, 비열한 / all of ~의 전부 / knowledge 지식 / judge 판단하다 / workman 일꾼 / blame ~을 탓하다

16 ①

해석

여 너 주말에 무슨 계획 있어?

남 응. 우리 조부모님 댁에서 지낼 거야.

여 너 지난 주말에 가지 않았어?

남 맞아, 할머니 생신이셨거든. 이번 주에는 농장 일을 도와 드리러 가는 거야. 따야 할 딸기가 많거든.

여 와! 네 조부모님이 딸기 농장 운영하신다고 말 안 했잖아!

해설

남자는 주말에 농장에서 딸기 따는 일을 도와 드리려고 조부모님 댁에 간다.

어휘

plan 계획 / stay 머물다 / farm 농장 / strawberry 딸기 / pick 따다

17 ①

해석

① 남 우리 몇 시에 만날까?

　여 극장 정문에서 만나.

② 남 무슨 일이야? 화나 보여.

　여 내 친구 Sally가 내게 거짓말을 했어.

③ 남 전화 거신 분이 누구시죠?

　여 저는 Karen Spencer예요.

④ 남 어떤 커피로 드릴까요?

　여 아이스 라떼 주세요.

⑤ 남 불을 껐니?

　여 당연히 껐지.

해설

언제 만날지 시간을 묻는 질문에 위치와 관련된 응답은 적절하지 못하다.

어휘

front 정문, 앞 / theater 극장 / upset 화난, 기분 나쁜 / latte 라떼(우유를 탄 에스프레소 커피) / turn off 끄다

18 ④

해석

[전화벨이 울린다.]

여 여보세요.

남 안녕, Kelly. 나 Jim이야.

여 안녕, Jim. 무슨 일이야?

남 내일까지 해야 하는 수학 숙제가 있는데, 문제 몇 개가 이해가 안 돼서. 도와줄 수 있어?

여 응. 한 시간 후에 도서관에서 만나자.

해설

남자는 어려운 수학 문제를 푸는 데 도움을 받으려고 전화를 걸었다.

19 ⑤

해석
여 도와 드릴까요, 손님?
남 아들을 위해서 뭔가를 사 주고 싶어서요.
여 아드님이 몇 살이죠?
남 토요일에 일곱 살이 돼요.
여 이 귀여운 크레용 세트와 스케치북은 어떠세요?
남 <u>좋아 보이네요! 그걸로 할게요.</u>

해설
점원이 추천한 크레용 세트와 스케치북에 대해 본인의 의사를 밝히는 것이 적절한 응답이다.
① 아, 그는 거의 일곱 살이에요. ② 물론이죠. 제 아들입니다. ③ 저는 그림을 잘 못 그려요. ④ 분명히 마음에 드실 거예요.

어휘
crayon 크레용 / sketchbook 스케치북 / nearly 거의

20 ①

해석
남 무슨 일이야? 너 우울해 보여.
여 나 요새 살이 너무 쪘어. 정말 뚱뚱해진 느낌이야.
남 너 최근에 과식했어?
여 잘 모르겠어.
남 점심에 주로 뭘 먹는데?
여 난 항상 패스트푸드를 먹어. 난 햄버거를 무척 좋아하거든.
남 <u>먹는 것을 바꾸려고 노력해 봐.</u>

해설
살이 쪄서 걱정하는 여자가 항상 패스트푸드를 먹는다고 했으므로 먹는 것을 바꾸라고 조언해 주는 것이 자연스럽다.
② 나도 햄버거를 매우 좋아해. ③ 나도 운동을 하는 것을 많이 좋아하지는 않아. ④ 그거 안됐네. 넌 좀 더 먹어야겠어. ⑤ 난 전에 거기 가 봤는데. 음식이 정말 괜찮았어.

어휘
depressed 우울한 / put on weight 살이 찌다 / lately 최근에 / sure 확신하는 / fast food 패스트푸드

Dictation p.84~87

1 Which one do you like best / on the square cookie
2 owns a hair salon / are interested in fashion
3 look very busy / I'll be in big trouble
4 How do you like / I like jazz the most
5 travel to their hometowns / wishes for a good year
6 what size I am / try the small size
7 Would you like something to drink / We are flying over
8 My sister is the heroine / two hours before the musical
9 planning to go overseas / see the palace
10 have a small boy / looking for his mother
11 while you were away / Thursday, the 15th
12 How do I get to / you'd better take the subway / keep walking
13 you don't have to / bring some peaches
14 good-looking and tall / loves all kinds of sports
15 He looks mean / He's such a good student
16 stay with my grandparents / lots of strawberries to pick
17 You look upset / turn off the light
18 I can't understand / meet at the library
19 I would like to buy / set of crayons
20 put on so much weight / What do you usually eat

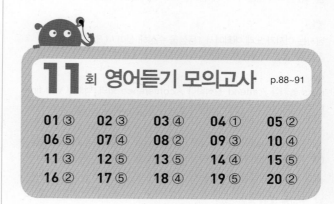

11회 영어듣기 모의고사 p.88~91

01 ③	02 ③	03 ④	04 ①	05 ②
06 ⑤	07 ④	08 ②	09 ③	10 ④
11 ③	12 ⑤	13 ⑤	14 ④	15 ⑤
16 ②	17 ⑤	18 ④	19 ⑤	20 ②

1 ③

해석
남 여기요, 제 스웨터를 자선 바자회에 가져가셔도 돼요.
여 보자. 이건 팔 수 없을 거 같은데. 너무 오래됐잖니.
남 그럼 제 담요는 어때요?
여 아냐. 내 생각엔 그건 너무 낡은 것 같구나.
남 알겠어요. 그럼 제 등산화는 어때요? 새것 같아요.
여 그게 좋을 것 같구나.
남 제가 가서 가져올게요.

해설
여자는 바자회에 등산화를 가져가기로 했다.

어휘
charity sale 자선 바자회 / blanket 담요 / worn 해진, 닳은 / hiking boots 등산화

2 ③

해석
여 난 휴일 동안 싱가포르에 다녀왔어. 넌 뭘 했니?

남 난 그냥 집에 있었어. 싱가포르에서 뭐 재미난 거 했어?
여 대부분 쇼핑을 했어. 비가 많이 와서, 나가서 다른 야외 활동을 할 수 없었어.
남 그거 참 안됐네. 휴일 동안 한국은 맑고 화창했는데.

해설
여자는 싱가포르에 비가 많이 와서 야외 활동을 할 수 없었다고 했다.

어휘
Singapore 싱가포르 / mostly 대부분 / outdoor 야외의 / clear 맑은

3 ④

해석
남 네 엄마랑 내가 노래 대회에 못 가 봐서 정말 미안하구나.
여 괜찮아요, 아빠. 회의에 참석하셔야 했잖아요.
남 그래서, 어땠니?
여 우리가 1등상을 탔어요. 다섯 명의 심사위원 중 네 명이 우리한테 십 점 만점 중 십 점을 주었어요.
남 와! 믿기질 않는 구나! 네 엄마한테도 빨리 알려주고 싶구나.

해설
남자는 여자가 노래 대회에서 1등상을 수상해 신이 나 있다.
① 지루한 ② 미안한 ③ 편안한 ④ 신이 난 ⑤ 실망한

어휘
miss 놓치다 / attend 참석하다 / conference 회의, 학회 / win first prize 1등상을 타다 / unbelievable 믿기 어려운

4 ①

해석
남 무엇을 도와 드릴까요?
여 제가 사진을 보여 드려도 될까요?
남 그럼요! 아, 제가 가장 좋아하는 여배우네요.
여 이 스타일로 해 주실 수 있나요?
남 물론이죠. 손님의 긴 머리에 큰 변화가 오겠네요.
여 저는 이 짧은 머리 스타일이 좋아서요.
남 알겠습니다. 먼저 샴푸를 해 드릴 테니 따라오세요.

해설
머리 스타일을 바꿔 주는 곳은 미용실이다.

어휘
actress 여배우 / follow 따라오다

5 ②

해석
남 안녕하세요. 표 두 장 주세요. 성인 한 명이랑 학생 한 명이요.
여 오전 10시라서 조조할인을 받으실 수 있어요.
남 잘됐네요! 할인이 어떻게 되나요?
여 50퍼센트 할인입니다.
남 성인 표는 평소에 10달러이고 학생 표는 6달러, 맞죠?
여 네, 손님. 그래서 총 8달러의 할인을 받으셨어요.

해설
남자는 50퍼센트 할인된 금액인 8달러를 지불하면 된다.

어휘
adult 성인 / early bird 일찍 도착하는 사람 / discount 할인 / usually 평소에 / in total 총합하여

6 ⑤

해석
남 지난번에 너희 아빠를 체육관에서 본 것 같아.
여 체육관에서 아빠를 봤다고? 확실해? 우리 아빠는 키가 정말 크셔.
남 응. 그 남자는 키가 정말 크고 힘이 세 보였어.
여 선글라스를 썼었어?
남 응. 큰 선글라스를 썼었어.
여 그럼. 네가 맞는 것 같아. 우리 아빠는 체육관에 자주 가시거든.

해설
남자가 본 여자의 아빠는 큰 선글라스를 쓰고, 힘이 세 보이는 키가 큰 남자이다.

어휘
gym 체육관, 헬스장 / the other day 저번에

7 ④

해석
[전화벨이 울린다.]
남 Lawrence 씨? 저는 베스트 퍼니처의 Bob입니다.
여 네, Bob 씨.
남 오전 10시경에 집에 계실지 확인하려고 전화를 드렸어요.
여 죄송하지만 전 아직 밖이에요. 오후 3시 이후에야 집에 도착할 거예요.
남 알겠습니다. 그러면 대신 내일 소파를 배달해 드려도 될까요?
여 그게 훨씬 낫겠네요. 저는 하루 종일 집에 있을 거예요.
남 좋습니다. 화물차가 방문할 때 전화 드릴게요.

해설
남자는 소파를 배달하기 위해 배송 시간을 확인하려고 전화를 걸었다.

어휘
deliver 배달하다 / couch (보통 길이가 긴) 소파 / instead 대신에 / all day 하루 종일 / on one's way 도중에, 가는 중에

8 ②

해석
여 있잖아, 우리가 초대한 모든 사람들이 파티에 온대.
남 잘됐다. 내가 뭘 해야 하지?
여 식료품 가게에 가서 몇 가지 물품 좀 사다 줄래?
남 물론이지. 쇼핑 목록을 줘.
여 글쎄, 그게 문제네. 나 아직 메뉴를 정하지 못했어.
남 알겠어. 서둘러. 날 위해 소시지도 메뉴에 포함시켜 줄래? 난 구운 소시지를 정말 좋아해.
여 물론이지. 바로 적을게. 잠시만 기다려 줘.

여자는 남자에게 쇼핑 목록을 주기 위해 파티에서 먹을 메뉴를 정해야 한다.

어휘

invite 초대하다 / grocery store 식료품점, 슈퍼마켓 / stuff 물건, 음식물 / sausage 소시지 / grilled 석쇠에 구운

9 ③

해석

여 무엇을 도와 드릴까요, 손님?
남 구두를 닦고 광을 내 주시면 돼요. 고맙습니다.
여 네. 앉으세요. 몇 분 걸릴 거예요.
남 얼마인가요?
여 10달러예요. 보세요! 신발에 구멍이 있네요.
남 알아요. 내일 수선해 주실 수 있나요? 제가 오늘은 너무 바빠서요.
여 그럼요. 시간이 있으실 때 두고 가세요.

해설

구두의 광을 내 주고 수선해 주는 것으로 보아 구두 수선공과 손님의 대화이다.

어휘

polish 광을 내다 / have a seat 자리에 앉다 / take 시간이 걸리다 / hole 구멍 / repair 수선하다, 고치다 / drop off 두고 가다

10 ④

해석

① 남 그린랜드는 반에서 가장 인기 있는 장소이다.
② 남 스타 랜드는 다섯 명의 학생이 선택하였다.
③ 남 열 명의 학생은 그린랜드를 방문하기에 가장 좋은 장소로 꼽았다.
④ 남 세 명 더 많은 학생이 어린이 공원보다 판타지 월드를 선택하였다.
⑤ 남 어린이 공원은 가장 적은 수의 학생이 선택하였다.

해설

어린이 공원보다 판타지 월드를 선택한 학생은 세 명이 아니라 네 명 더 많다.

어휘

favorite 매우 좋아하는 / place 장소 / choose 선택하다, 고르다 (choose-chose-chosen) / least 가장 적은

11 ③

해석

남 너는 다음 수업이 뭐야?
여 Thompson 선생님의 역사 수업이야.
남 잘됐다. 부탁 하나만 들어 줄래?
여 그래, 뭔데?
남 이걸 Thompson 선생님께 좀 드려 줄래? 이건 내 역사 숙제야.
여 알았어. 그런데 너 다음 수업이 뭔데?
남 음악. 나 늦었어!

해설

남자는 다음 수업이 역사 시간인 여자에게 숙제를 대신 제출해 달라고 부탁했다.

어휘

history 역사 / do somebody a favor 호의를 베풀다 / homework 숙제

12 ⑤

해석

[종이 울린다.]
남 모두 주목해 주시겠어요? 아시다시피, 우리 시에서 주최하는 세계적으로 유명한 마라톤이 곧 열릴 예정입니다. 그리고 우리는 많은 자원봉사자를 필요로 합니다. 올해 봉사 활동을 하는 모든 학생은 증명서를 발급 받습니다. 지원자들은 방문자 안내인으로 일할 수 있습니다. 전 오늘 모든 학생이 학교 홈페이지에서 등록하기를 권합니다! 이것은 당신에게는 좋은 경험이 될 것입니다.

해설

봉사 활동 지원자에게 증명서를 준다고 했지 기념품을 준다는 말은 언급되지 않았다.

어휘

world-famous 세계적으로 유명한 / volunteer 자원봉사하다; 자원봉사자 / encourage 권장하다 / sign up 등록하다

13 ⑤

해석

여 너 세인트 패트릭 성당에 가 봤니?
남 언덕에 있는 아름다운 옛 성당 말하는 거야? 들어가 본 적은 없어.
여 그 성당의 역사를 조사하고 있어. 정말 흥미로워.
남 그것에 대해 이야기를 써 봐.
여 나중에 그래야 할 것 같아. 나 지금 사진을 찍으러 올라가는 길이야. 같이 갈래?
남 물론이지. 나도 갈래.

해설

두 사람은 성당 사진을 찍으러 갈 것이다.

어휘

Catholic church 성당 / hill 언덕 / research 조사하다 / take a picture 사진을 찍다

14 ④

해석

남 저는 럭키 과일 가게의 주인 Julian Rowe입니다. 올해 가장 많이 팔린 과일은 수박이었습니다. 수박은 크기에 따라 개당 최대 20달러까지 팔렸습니다. 우리는 또한 오렌지를 1,500개가량 팔았고, 사과를 1,000개, 복숭아를 700개 그리고 키위를 500개 팔았습니다. 올해는 럭키 과일 가게에게 정말 굉장한 해였습니다!

해설

가장 많이 팔린 과일은 수박이고, 두 번째로 많이 팔린 과일은 오렌지이다.

① 복숭아 ② 사과 ③ 키위 ④ 오렌지 ⑤ 수박

어휘
best-selling 가장 많이 팔린 / watermelon 수박 / sell for (얼마에) 팔리다 / up to ～까지 / depending on ～에 따라 / roughly 대략

15 ⑤

해설

여 내 새 자전거 어때?
남 그 색깔이 마음에 들어. 난 초록색을 좋아하거든.
여 사실, 내가 가장 좋아하는 건 앞에 달린 바구니야.
남 자전거는 왜 산 거야?
여 학교에 타고 가려고.
남 아, 정말? 얼마 주고 샀어?
여 모르겠어. 아빠가 생일 선물로 사 주신 거야.
남 좋네. 내가 한번 타 봐도 될까?

해설

여자는 생일 선물로 자전거를 받은 것이라 가격을 알 수 없다고 했다.

어휘

brand-new 새것인 / basket 바구니 / plan 계획하다 / ride ～을 타다 / mind 언짢아하다, 싫어하다

16 ②

해설

① 남 너 오늘 뭐 할 거야?
　여 집에서 쉴 거야.
② 남 거기까지 가는 데 얼마나 걸려?
　여 우리는 걸어서 거기까지 갈 수 있어.
③ 남 그 노래를 몇 번이나 연주한 거니?
　여 왜, 마음에 안 들어?
④ 남 우리 잠깐 쉴까?
　여 그게 좋겠다.
⑤ 남 어디 가니?
　여 마을에 가.

해설

거기 가는데 얼마나 걸리느냐는 물음에 걸어갈 수 있다는 응답은 어색하다.

어휘

stay 머무르다 / take (시간이) 걸리다 / on foot 걸어서 / take a break 휴식을 취하다 / village 마을

17 ⑤

해설

여 학생 여러분, 주의 깊게 들어 주세요. 오늘의 일정입니다. 10시에 학생들은 운동장에 있어야 해요. 10시 30분에 버스가 중앙 공원으로 떠날 거예요. 12시에 우리는 소풍 도시락을 먹을 거예요. 2시에 학생들은 조별로 나뉘어 호수 주변에서 그림을 그릴 거예요. 4시에는 대단한 5월이라는 퍼레이드가 있을 거예요. 모두 즐거운 시간 보내길 바라요!

해설

오후 2시에 학생들은 조별로 나뉘어서 호숫가에서 그림을 그릴 것이다.

어휘

schedule 일정 / leave for ～을 향하여 떠나다 / picnic lunch 소풍 도시락 / break into groups 조를 짜다 / sketch 밑그림을 그리다, 스케치하다

18 ④

해설

남 난 오늘 저녁에 요리하고 싶지 않아.
여 네가 좋다면 우리 외식하자.
남 집에서 피자를 주문하는 게 나을 것 같은데.
여 실은, 나는 중국 음식이 더 좋아.
남 그래? 난 상관없어. 중국 음식도 좋을 것 같아.
여 우리한테 중국집 배달 번호가 있나?
남 응, 내 휴대 전화에 하나 있어.

해설

여자가 중국집 번호가 있는지 물었으므로 하나 있다는 응답이 가장 자연스럽다.
① 내가 큰 피자를 시켰어. ② 나는 거기에서 먹고 싶지 않아. ③ 피자가 네가 제일 좋아하는 음식이잖아. ⑤ 배달부가 벌써 여기에 왔어.

어휘

feel like ～하고 싶다 / would rather ～하는 게 낫다 / order 주문하다 / prefer ～을 선호하다 / delivery 배달

19 ⑤

해설

남 너 정말 건강해 보인다. 넌 얼마나 자주 운동하니?
여 나는 거의 매일 달리기를 해. 건강을 유지하려고 노력하지.
남 넌 체육관에서 운동해?
여 응. 우리 아파트 안에 하나 있거든.
남 나도 거기에 등록하고 싶은데. 내가 너랑 같이 가도 될까?
여 물론이지. 난 보통 체육관에 일주일에 두 번 정도 가.
남 그럼, 가기 전에 나에게 연락해 줘.

해설

여자가 가는 체육관에 남자도 같이 가고 싶다고 했으니, 가기 전에 연락해 달라는 응답이 가장 적절하다.
① 난 항상 그것을 쉽게 해. ② 너한테 좋지 않아. ③ 너 정말 바쁘다고 들었어. ④ 난 오늘 수학 공부를 해야 돼.

어휘

healthy 건강한 / nearly 거의 / work out 운동을 하다

20 ②

해설

여 David와 Laura는 자주 함께 자전거를 타러 간다. 그런데 오늘은 David의 형이 David의 자전거를 빌려 갔다. Laura와 David는 여전히 무언가 활동적인 것을 같이 하고 싶어 한다. David는 Laura

가 산에 가는 것을 좋아한다는 걸 알고 있다. 이런 상황에서 David가
Laura에게 할 말은 무엇인가?

David 대신에 우리 하이킹을 하는 건 어때?

해설

Laura가 산에 가는 것을 좋아한다고 했으므로 하이킹을 하자고 제안하
는 것이 가장 적절하다.

① 그거 좋은 생각이다. ③ 나는 그와 시간을 보내는 게 낫겠어. ④ 시내에는
차가 너무 많아. ⑤ 너는 필요할 때 언제든 내 것을 빌려가도 돼.

어휘

go bike riding 자전거를 타러 가다 / borrow 빌리다 / active 활동적인

Dictation

p.92~95

1   look too old / take my hiking boots
2   during the holiday / It rained a lot
3   attend the conference / That's unbelievable
4   a big change / follow me for your shampoo
5   get an early bird discount / got eight dollars off in total
6   Are you sure / wore big sunglasses
7   I'm calling to see if / deliver your couch
8   buy some stuff / haven't decided on the menu
9   polish my shoes / Can you repair them
10 the best place to visit / the least number of students
11 do me a favor / I'm running late
12 will be held soon / given a certificate / encourage everyone to sign up
13 researching its history / take some pictures
14 Our best-selling fruit / sold roughly
15 the basket on the front / as my birthday present
16 stay home and rest / take a short break
17 on the playground / break into groups
18 eat out / I'd prefer Chinese / Do we have the delivery number
19 How often do you exercise / work out at a gym / twice a week
20 go bike riding / do something active

12회 영어듣기 모의고사 p.96~99

01 ③	02 ④	03 ①	04 ⑤	05 ③
06 ②	07 ③	08 ①	09 ⑤	10 ②
11 ⑤	12 ⑤	13 ⑤	14 ②	15 ③
16 ①	17 ①	18 ⑤	19 ④	20 ④

1 ③

해석

여 주간 일기 예보입니다. 수요일에는 폭우가 내리겠습니다. 비는 금요일
   밤부터 토요일 아침까지 계속해서 내리겠습니다. 토요일 오후에는 비
   가 그치고 해가 뜨겠습니다. 일요일에는 맑지만 춥겠습니다.

해설

수요일에 내리기 시작한 비는 토요일 아침까지 계속된다고 했으므로 금요
일에는 비가 올 것이다.

어휘

weather forecast 일기 예보 / heavy rain 폭우 / continue 계속되다 /
clear 맑아지다, 걷히다 / shine 빛나다 / fine 맑은

2 ④

해석

남 내 생각엔 우리 돗자리가 필요할 거 같아. 가장 싼 걸로 하나 사자.
여 나는 돗자리에 인형이나 곰 인형 있는 건 안 할래. 아기가 쓸 게 아니잖아.
남 그러면 무늬가 없는 건 어때?
여 그건 쉽게 더러워질 거야. 나는 체크무늬가 있는 걸 선호해.
남 체크무늬가 있는 거? 알았어. 그것으로 사자.

해설

두 사람은 체크무늬가 있는 돗자리를 사기로 했다.

어휘

mat 돗자리 / plain 무늬가 없는 / checked 체크무늬의 / pattern 무늬

3 ①

해석

여 아빠, 이것 좀 보세요!
남 이게 네가 만든 모형 비행기니?
여 네, 과학 숙제로요. Jane이 이걸 발로 찼어요. 망가졌다고요!
남 네 동생에게 무척 화가 났겠구나. 지금 Jane은 어디에 있니?
여 저한테서 숨으려고 도망갔어요!

해설

여자는 Jane이 과학 숙제로 만든 모형을 망가뜨려 화가 난 상태이다.
① 화가 난 ② 자랑스러운 ③ 행복한 ④ 겁먹은 ⑤ 지루한

어휘

model 모형 / project 과제 / kick 차다 / broken 망가진, 고장이 난 /
run away 달아나다 / hide 숨다

4 ⑤

해석

여 안녕, Peter!
남 안녕, Ann. 넌 그 과제 다 썼어?
여 물론이지. 난 일요일에 다 했지. 너는?
남 난 아직 안 했어. 그 과제는 다음 주 금요일까지잖아.
여 응, 우리에게는 며칠이 더 남았지. 하지만 난 다음 주에 유럽에 있을 거야.
남 아, 그래서 그랬구나.

해설

여자는 다음 주에 유럽 여행을 갈 예정이라 숙제를 주말에 미리 했다.

어휘

essay 과제물 / due ~하기로 되어 있는 / next week 다음 주 / that's why 그것이 ~한 이유야

5 ③

해석

여 와! 저 줄 좀 봐. 정말 길다.
남 응, 그런데 우리에게는 선택의 여지가 없어. 표를 사려면 기다려야만 해.
여 몇 시 기차지?
남 3시 정각. 아직 시간이 있어.
여 내가 가서 먹을 것을 좀 사 올게. 나 정말 배고파.
남 그러면 내가 표를 살게. 너는 가서 음식을 좀 사 와. 기차에서 먹을 수 있잖아.
여 알았어. 봐! 4번 창구가 비었어. 가 봐!

해설

기차를 타기 위해 기차표를 끊는 곳은 기차역이다.

어휘

line 줄 / choice 선택 / window 창구 / free 비어 있는, 자유로운

6 ②

해석

남 일어나, Maggie! 버스 시간에 늦겠어!
여 제발요, 조금만 더 자고 싶어요.
남 너 몇 시에 잔 거니?
여 자정쯤이요. 숙제를 해야 했어요.
남 너는 항상 밤늦게 숙제를 하더라. 이제부터는 숙제를 바로 시작하는 게 좋겠어.

해설

남자는 여자에게 밤늦게 숙제를 하지 말고 바로 시작하라고 충고했다.

어휘

a little 조금 / around ~쯤, 대략 / midnight 자정

7 ③

해석

남 내가 피자 살게. 몇 판이나 주문해야 하지?
여 글쎄. 누가 경기를 보러 오는데?

남 보자. 내 친구 중 세 명이 올 거야.
여 그러면 네 친구 3명 그리고 내 친구 2명. 너랑 나까지. 총 7명이네. 내 생각엔 3판이면 충분할 거 같아.
남 그거면 충분할 거라고 생각해?
여 좋아, 그러면 4판 주문하자.

해설

남자는 여자의 말에 따라 피자 4판을 주문하기로 했다.

어휘

order 주문하다 / plus ~을 더하여 / total 총, 전체의 / enough 충분한

8 ①

해석

여 저기, 네 누나 Jessica가 여행사에서 일하지, 맞지?
남 응, 맞아. 왜?
여 나 다음 주말에 홍콩을 가야 해서.
남 온라인으로 저렴한 표를 구할 수 있을 거야.
여 나도 그렇게 생각했어. 그런데 표가 모두 매진이야.
남 정말? 알겠어, 내가 지금 누나한테 전화해서 널 위해 무엇을 할 수 있을지 한번 알아볼게.

해설

남자는 누나에게 전화해 여자를 위해 무엇을 해 줄 수 있는지 알아볼 것이다.

어휘

travel agent 여행사 직원 / sold out 매진된

9 ⑤

해석

남 가족들과 스코틀랜드에 갔었다고 들었어.
여 응, 맞아! 2주 동안 가 있었어.
남 거기서 무엇을 했니?
여 우리는 에든버러에서 묵었고, 주변을 관광했어. 우리는 여러 고성을 탐방했어.
남 가장 좋았던 부분이 뭐였어?
여 에든버러에서 있었던 국제 페스티벌!

해설

남자가 가장 좋았던 점이 무엇이었냐고 묻자 여자는 에든버러의 축제라고 했다.

어휘

Scotland 스코틀랜드 / Edinburgh 에든버러 (스코틀랜드의 주요 도시) / explore 탐험하다 / castle 성

10 ②

해석

여 여러분, 안녕하세요! 오늘 우리는 영국의 식사 예절에 대해 이야기하고자 합니다. 영국에서는 주인이 먹기 시작할 때까지 기다리셔야 합니다. 무언가를 집어 들기 위해 타인의 음식 위로 손을 움직이는 것은 무례한 행동입니다. 영국으로 여행가실 때 이 점을 명심하세요.

해설
주인이 식사를 시작할 때까지 기다려야 하는 등의 영국의 식사 예절에 대해 이야기하고 있다.

어휘
table manners 식사 예절 / until ~때까지 / host 주최자, 주인 / polite 예의 바른 / keep in mind 명심하다

11 ⑤

해설
여 저는 샌드위치하고 샐러드로 할게요.
남 알겠습니다. 다른 것은요?
여 네, 토마토 수프랑 국수 주세요.
남 여기서 드실 건가요, 아니면 가지고 가실 건가요?
여 가지고 갈 거예요.
남 주문하신 것과 함께 무료로 음료를 드실 수 있어요. 콜라와 스프라이트 중 어떤 걸로 드시겠어요?
여 고맙습니다만, 탄산음료를 마시고 싶진 않아요.

해설
여자는 주문과 함께 무료로 제공되는 음료를 선택하지 않았다.

어휘
noodles 국수 / free 공짜의 / soft drink 탄산음료

12 ⑤

해설
[휴대 전화가 울린다.]
남 안녕, 무슨 일이야?
여 너 내가 금요일에 빌린 DVD 봤어?
남 응, 내 가방에 있는데.
여 음, 내가 방금 가게로부터 전화를 받았거든. 오늘까지 반납해야 한대.
남 정말? 나 Danny랑 같이 DVD 보려고 Danny네 집으로 가는 길이야.
여 오늘 밤 가게 문을 닫기 전에 반납해 줄 수 있어? 나는 벌금 내는 거 싫거든.
남 알겠어. 그렇게 할게. 걱정하지 마.

해설
여자는 남자에게 자신이 빌린 DVD를 본 적이 있는지 물어보려고 전화를 걸었다.

어휘
rent 빌리다, 대여하다 / return 돌려주다, 반납하다 / fine 벌금

13 ⑤

해설
여 너 지금 어디 가?
남 중앙 역에.
여 중앙 역에? 너 어디 좋은 데 가는 거야?
남 아니. 내 사촌 동생이 놀러 와서 역에 그녀를 마중 가는 거야.
여 기차가 언제 도착하는데?
남 10분 후에 도착할 거야. 서두르지 않으면 늦을 거야.

해설
남자는 사촌 동생을 마중하기 위해 역에 가고 있다고 말했다.

어휘
station 역 / cousin 사촌, 친척 / get in 들어오다, 도착하다 / hurry 서두르다

14 ②

해설
[전화벨이 울린다.]
남 여보세요?
여 안녕하세요. 저는 Timothy의 엄마예요.
남 안녕하세요, Anderson 부인. 별 일 없으신가요?
여 글쎄요. 저는 Timothy의 영어 성적이 걱정돼요.
남 네, 그는 반에서 뒤쳐져 있어요.
여 우리가 어떻게 해야 하나요?
남 Timothy를 학교 방과 후 프로그램에 배치할 수 있어요.
여 알겠습니다. 얘 아빠와 상의해 볼게요. 고맙습니다.

해설
여자가 아들의 영어 성적을 상담하기 위해 전화를 걸었으므로 교사와 학부모의 관계이다.

어휘
be worried about ~에 대해 걱정하다 / fall behind 뒤떨어지다 / suggest 제안하다 / discuss 상의하다, 의논하다

15 ③

해설
[휴대 전화가 울린다.]
여 여보세요, Chris. 너 집이니?
남 네, 지금 막 집에 들어왔어요.
여 오, 잘됐다.
남 왜요? 제가 무엇을 해야 하나요?
여 응, 오늘 아빠가 회사 동료들과 집에 올 거야. 집이 좀 지저분한 거 같아.
남 그래서 제가 집 치우는 걸 원하시는 거 맞죠?
여 응, 나는 슈퍼마켓에 들러야 해. 그래서 집 치울 시간이 없을 것 같구나.
남 걱정 마세요. 제가 할게요.

해설
여자는 집을 치울 시간이 없어 남자에게 집 청소하는 것을 부탁했다.

어휘
co-worker 직장 동료 / messy 지저분한 / drop by 들르다

16 ①

해설
남 너 비빔밥 어떻게 만드는지 기억해?
여 그럼. 여기 큰 그릇이 있어. 밥을 먼저 넣어.
남 그러고 나서 채소를 넣어.
여 시금치, 당근, 버섯, 계란 프라이가 있어.
남 이제 고추장과 참기름 몇 방울.
여 그리고 드디어 모든 걸 같이 잘 섞는 거야. 먹자!

두 사람은 비빔밥을 만들고 있는데, 쇠고기를 넣었다는 내용은 없다.

bowl 그릇, 대접 / cooked 익은, 요리한 / vegetable 채소 / spinach 시금치 / carrot 당근 / mushroom 버섯 / red pepper paste 고추장 / drop 방울 / sesame oil 참기름 / mix 섞다

17 ①

① 남 내가 이 잡지를 읽어도 될까?
　여 아니, 난 그럴 수 없어.
② 남 그 영화 재미있었어?
　여 아니, 지루했어.
③ 남 이 재킷 나한테 어때 보여?
　여 너에게 딱 어울린다.
④ 남 Harry가 왜 수업에 안 왔지?
　여 오늘 아파서 누워 있어요.
⑤ 남 너는 선물이 마음에 드니?
　여 정말 좋아, 고마워.

허락을 구하는 물음에 대한 응답이므로 주어로 I가 아니라 you가 와야 한다.

magazine 잡지 / fit 어울리다 / be sick in bed 아파서 누워 있다

18 ⑤

여 오늘 영어 말하기 시험은 어떻게 됐어?
남 정말 잘 끝났어. A를 받았어! Terry가 진짜 많이 도와줬거든.
여 정말? 네가 그 시험에 대해 정말 걱정했었잖아.
남 맞아. 나는 영어로 말하는 것을 잘 못해. 그의 도움이 없었다면 하지 못했을 거야.
여 걔는 정말 좋은 친구구나!
남 응. 내가 도움이 필요할 때마다 항상 날 위해 있어 주는 친구야.

Terry는 남자가 도움이 필요할 때마다 도와주는 좋은 친구이므로 '어려울 때 돕는 친구가 진정한 친구이다.'라는 속담이 가장 적절하다.

speech 말하기, 연설 / excellent 훌륭한 / without ~ 없이 / whenever ~할 때마다

19 ④

여 실례합니다. 가장 가까운 도서관이 어디에 있나요?
남 음... 두 블록 직진하시고, 모퉁이에서 왼쪽으로 도세요.
여 두 블록 간 후 왼쪽으로 돌아요?
남 네. 오른쪽에 보이실 거예요. 은행 옆에 있습니다.
여 도와주셔서 고맙습니다.

남자가 도서관 가는 길을 설명해 주고 있으므로 고맙다는 여자의 응답이 가장 적절하다.
① 정말 좋은 생각이네요! ② 그거 참 안됐네요. ③ 저는 돈을 빌려야 해요. ⑤ 당신은 지금 당장 그것을 보실 수 있습니다.

nearest 가장 가까운 / library 도서관 / straight 똑바로 / corner 모퉁이 / borrow 빌리다 / right away 즉시

20 ④

남 너 뭐 보고 있어?
여 내가 제일 좋아하는 쇼, 「스타와 함께 춤을」이야.
남 오, 지금 하는 거야? 나도 그 쇼를 좋아해!
여 정말? 너는 춤 어떻게 추는지 알아?
남 실은, 나는 지금 배우고 있어. 춤 강좌를 등록했거든.
여 정말? 나도 같이 들어도 될까?
남 물론이지. 나랑 같이 가자. 첫 번째 수업은 무료야.
여 정말? 나한테 딱이다.

여자가 춤을 배우고 싶어 하므로 무료 강좌 소식이 자신에게 딱이라는 응답이 가장 적절하다.
① 아니, 그건 좋지 않아. ② 미안해! 난 전혀 모르겠어. ③ 그녀는 최고의 댄서야. ⑤ 잠깐만 기다려 봐. 그렇게 쉬운 게 아냐.

learn 배우다 / sign up 등록하다 / lesson 수업

Dictation　　　p.100~103

1　bring heavy rain / fine but cold
2　need a picnic mat / prefer a checked pattern
3　look at this / must be very angry at
4　finish the essay / The essay is due next Friday
5　buy tickets / eat on the train
6　be late for the bus / go to bed / You had better start
7　How many pizzas / The total is seven / let's order four
8　a travel agent / find cheaper tickets online / I'll call her
9　explored lots of old castles / The international festival
10　talk about the table manners / Keep this in mind
11　tomato soup and noodles / get a free soft drink
12　I have to return it / pay a fine
13　going somewhere special / in ten minutes
14　has fallen behind in class / I'll discuss it with
15　do something for you / want me to clean the house
16　how to make / add vegetables / mix everything together
17　it was boring / He's sick in bed

18 helped me a lot / Whenever I need help
19 Where is the nearest library / see it on your right
20 I'm learning now / The first lesson is free

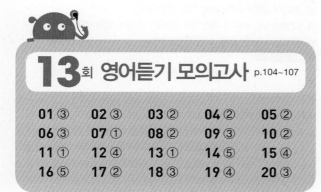

13회 영어듣기 모의고사 p.104~107

01 ③	02 ③	03 ②	04 ②	05 ②
06 ③	07 ①	08 ②	09 ③	10 ②
11 ①	12 ④	13 ①	14 ⑤	15 ④
16 ⑤	17 ②	18 ③	19 ④	20 ③

1 ③

해석
여 Dave, 아침으로 뭐 먹고 싶니?
남 시리얼하고 우유면 돼요, 엄마.
여 그런데 남아 있는 시리얼이 없구나.
남 그러면 우유 한 잔 마실게요.
여 팬케이크는 어떠니? 내가 만들어 줄게.
남 좋아요.
여 알았어. 지금 바로 만들어 줄게.

해설
여자가 팬케이크를 만들어 준다고 했고 남자가 좋다고 했으므로 아침으로
팬케이크를 먹을 것이다.

어휘
cereal 시리얼 / leave ∼을 남겨 두다, 남기다 / a glass of (유리잔으로)
한 잔의 / pancake 팬케이크 / right away 곧바로

2 ③

해석
여 너 호주에 간다는 게 사실이니?
남 응, 이 더운 날씨에서 벗어나서 좋을 거야!
여 호주는 덥지 않아?
남 응, 여름에는 더워. 하지만 지금 거기는 겨울이야.
여 거기 겨울에 눈이 오니?
남 응, 눈이 와. 지금 이 시기에 눈이 많이 온다고 들었어.

해설
남자가 여행할 호주는 지금 겨울이고, 겨울에는 눈이 많이 온다고 했다.

어휘
Australia 호주 / get away from ∼로부터 벗어나다 / snow 눈, 눈이
내리다 / hear ∼을 듣다

3 ②

해석
여 네 생일 파티에 친구들을 많이 초대했니?
남 아니요, 많이는 아니고 몇몇 친구들만요.
여 넌 친구를 더 많이 사귀어야 해.
남 저는 친구를 많이 사귀는 것이 힘들더라고요.
여 왜 그러니?
남 아마 제가 내성적이어서 그런 거 같아요.
여 네 자신을 바꾸려고 해 보는 게 어떠니? 어렵지 않단다. 웃으면서 다른
    사람한테 먼저 말을 걸어 보렴.

해설
여자는 남자에게 다른 사람들에게 웃으면서 먼저 말을 걸어보라고 제안하
고 있다.

어휘
invite 초대하다 / a few 조금 / make friends 친구를 사귀다 / shy 수줍은,
내성적인 / try -ing ∼해 보다

4 ②

해석
[전화벨이 울린다.]
여 무엇을 도와 드릴까요?
남 204호 Daniel입니다. 모닝콜을 신청할 수 있을까요?
여 물론이죠. 언제로 해 드릴까요?
남 내일 아침 6시 30분으로 해 주세요. 그리고 언제 조식 뷔페가 제공되죠?
여 아침 7시부터 10시까지 이용 가능하십니다.
남 좋네요!
여 더 도와 드릴 건 없나요?
남 그게 다예요. 감사합니다.

해설
안내데스크에 모닝콜과 조식 뷔페 제공 시간을 문의하고 있으므로 대화의
장소는 호텔이다.

어휘
wake-up call 모닝콜 / serve 제공하다 / breakfast buffet 조식 뷔페

5 ②

해석
여 와서 내 애완동물을 좀 봐! 귀엽지 않니?
남 널 다치게 할 수 있을 것 같아 보인다. 바늘 같은 게 등을 덮고 있네.
    정말 날카로워 보여.
여 맞아. 이 바늘이 다른 동물로부터 자신을 보호하는 거야.
남 내가 들어 올려 봐도 될까? 혹시 그 바늘이 나를 찌를까?
여 그냥 부드럽게 들어 올려 봐. 그러면 찌르지 않을 거야.
남 아, 얼굴이 보여! 작은 눈과 깜찍한 긴 코를 가지고 있어.

해설
등이 가시로 덮여 있고 작은 눈과 긴 코를 가진 동물은 고슴도치이다.

어휘
take a look at ∼을 보다 / cute 귀여운 / hurt ∼을 다치게 하다 / back

등 / be covered with ~로 덮여 있다 / needle 바늘 / sharp 날카로운 / protect 보호하다 / pick up ~을 들어 올리다 / gently 부드럽게 / tiny 아주 작은

6 ③

해석

남 엄마! 저 축구 동아리 회비를 내야 해요.
여 그래. 얼마니?
남 여기 동아리에서 준 안내문이에요.
여 보자. 40달러구나. 지금 필요하니?
남 네, 오늘까지라서요. 늦게 내면 10달러 벌금이 있어요.
여 음, 오늘 내야 한다는 걸 기억해서 다행이구나.

해설

동아리 회비가 40달러이고, 벌금은 추가로 내지 않아도 되므로 여자는 남자에게 40달러를 줄 것이다.

어휘

pay 지불하다 / membership fee 회비 / notice 안내문 / due ~하기로 되어 있는 / fine 벌금

7 ①

해석

[휴대 전화가 울린다.]
여 여보세요.
남 할머니? 안녕하세요, 저 Jeremy예요.
여 Jeremy! 어떻게 지냈니? 모든 게 다 괜찮니?
남 네, 전 괜찮아요. 할머니, 할아버지가 많이 보고 싶어요. 그래서 제가 여름 방학에 찾아뵐게요.
여 그거 좋구나. 먹고 싶은 게 있니? 내가 요리해 줄게.
남 전 할머니의 사과파이가 제일 좋아요.

해설

남자는 이번 여름 방학에 할머니를 찾아 뵐 거라고 말하기 위해 전화했다.

어휘

all right 괜찮은, 무사한 / miss 그리워하다 / favorite 가장 좋아하는 것

8 ②

해석

① 여 가게는 옥스퍼드에 있다.
② 여 가게는 매일 문을 연다.
③ 여 Bob의 피시 앤 칩스는 상을 받았다.
④ 여 전화번호가 광고에 나와 있다.
⑤ 여 당신은 Bob의 피시 앤 칩스를 퀸 거리 99번지에서 찾을 수 있다.

해설

화요일에서 일요일까지만 영업을 하므로 매일 문을 여는 것은 아니다.

어휘

win (상품, 상) ~을 획득하다(win-won-won) / award 상 / ad 광고 (advertisement)

9 ③

해석

남 어디로 모실까요?
여 공항으로 가 주세요. 제 비행기는 아홉 시예요. 거기까지 가는 데 얼마나 걸리죠?
남 여기서 공항까지는 40분 정도 걸립니다.
여 다행이네요. 카드로 계산해도 될까요? 현금이 없어서요.
남 그럼요. 요금은 보통 40달러 정도예요.
여 고맙습니다.

해설

행선지를 말하고, 가는 데 걸리는 시간과 요금 등을 말하는 것으로 보아 택시 기사와 승객의 대화이다.

어휘

airport 공항 / flight 항공편 / take 시간이 걸리다 / about 약, ~쯤 / pay 지불하다 / by card 카드로 / cash 현금 / fare 요금

10 ②

해석

여 많은 승객들이 대중교통을 이용하면서 소지품을 잃어버린다. 지하철 의 분실물 취급 부서에는 연간 7만 개의 물건이 모인다. 가장 흔하게 잃어버리는 물건은 우산이다. 다른 흔한 분실물로는 가방, 옷, 휴대 전화가 있다.

해설

우산이 지하철에서 가장 많이 분실되는 물건이다.

어휘

passenger 승객 / belongings 소지품 / public transport 대중교통 / lost and found 분실물 취급소 / department 부서, 국 / collect 모으다 / commonly 흔히 / lost item 분실물 / common 흔한 / clothing 옷

11 ①

해석

여 이 피자 맛있다. 정말 네가 만든 거야?
남 그럼. 우리 엄마가 이탈리아 사람인 거 몰라?
여 응, 몰랐어. 피자 만드는 법을 알려 줄래?
남 그래. 네가 시간이 될 때 알려 줘.
여 그럴게!
남 우리 마실 게 좀 필요할 것 같아. 콜라 좀 사다 줄래?
여 물론, 문제없어.

해설

여자는 남자를 위해 콜라를 사다 줄 것이다.

어휘

Italian 이탈리아 사람(의) / free 한가한

12 ④

해석

남 주목해 주십시오. 기장입니다. 안전벨트를 착용하시고 식사 테이블은

원래 있던 위치에 놓으세요. 잠시 동안 흔들리겠으니, 자리에 앉아 안전벨트 등이 꺼질 때까지 침착함을 유지해 주십시오. 흡연이 금지되어 있다는 것을 기억해 주세요. 승무원은 승객들을 점검하고 나서 자신의 자리에 돌아가 벨트를 착용해 주시기 바랍니다.

해설

승객의 짐과 관련된 내용은 언급되지 않았다.

어휘

captain 기장, 선장 / fasten 매다 / seat belt 안전벨트 / tray 쟁반 / upright 올바른 / for a while 잠시 동안 / remain ∼인 채로 있다 / permit 허락하다 / cabin crew (항공기의) 승무원 / passenger 승객

13 ①

해석

남 너 창의력 대회에 대해 들어본 적 있어?
여 응. 다음 주에 시작한다고 들었어, 맞지?
남 응, 나도 참가할까말까 고민 중이야.
여 해 봐!
남 나도 정말 하고 싶어. 하지만 창의적인 아이디어를 가진 파트너가 필요해.
여 저기, 내 친구 Toby에게 물어봐! 그는 창의적인 천재야.
남 좋은 생각이다! 그의 전화번호를 알려 줘. 그에게 연락해 볼게.

해설

여자가 파트너로 Toby를 추천해 줬으므로 남자는 Toby에게 전화해서 파트너가 되어 달라고 부탁할 것이다.

어휘

creative 창의적인 / consider 고려하다 / whether ∼일지 아니면 …일지 / genius 천재

14 ⑤

해석

여 와! 너인지 못 알아봤어! 너 정말 달라졌구나.
남 그래? 난 체육관에서 달리기랑 근력 운동을 하고 있어.
여 식단도 바꾼 거니?
남 아니. 살을 빼는 데 중요한 것은 근력 운동인 것 같아.
여 그래? 너희 체육관이 어디야? 나도 등록해서 근력 운동을 해야겠어.
남 좋은 생각이야!

해설

여자는 남자가 다니는 헬스장에서 운동을 시작하려고 한다.

어휘

recognize ∼을 알아보다 / do weight training 근력 운동을 하다 / gym 체육관 / diet 식사, 식습관 / key 비결

15 ④

해석

여 네 비디오 영상은 정말 멋지다. 만드는 데 오래 걸렸어?
남 하루 정도 걸렸어.
여 정말? 더 오래 걸렸을 거라고 생각했어.

남 내 친구 Andy가 나를 정말 많이 도와줬어.
여 어디서 영상을 촬영한 거야?
남 빅토리아 공원이랑 Andy의 집에서.
여 음악이 정말 좋다. 이 음악 누가 고른 거야?
남 내가 했어! 네가 마음에 들어 하니 기쁘다.

해설

남자의 목소리가 삽입된 것이 아니라 남자가 음악을 고른 것이다.

어휘

video clip 짧은 영상 / take 시간이 걸리다 / choose ∼을 선택하다 (choose-chose-chosen)

16 ⑤

해석

① 남 이걸 입어 봐도 되나요?
　여 물론이죠. 탈의실은 저쪽이에요.
② 남 너 스페인에 가 본 적 있어?
　여 아니, 난 외국에 가 본 적이 없어.
③ 남 실례합니다. 이 자리 주인이 있나요?
　여 아니요, 여기 앉으세요.
④ 남 내가 가장 좋아하는 색은 노란색이야.
　여 나도 노란색을 좋아해.
⑤ 남 이번 주말에 조부모님을 뵈러 가는 게 어때?
　여 응. 그들은 잘하고 있는 중이야.

해설

조부모님 댁 방문에 대한 제안에 그들은 잘하고 있는 중이라는 응답은 적절하지 않다.

어휘

try on 입어 보다 / fitting room 탈의실 / feel free to 마음 놓고 ∼하다

17 ②

해석

남 기후 과학 학회에 오신 것을 환영합니다. 점심 식사는 12시 30분에 2층에 있는 수성 방에서 제공될 예정입니다. 주 강연은 오후 1시 30분에 금성 방에서 있습니다. 오후 티타임은 3시에 지구 방에서 있습니다. 오후 세미나는 화성 방에서 개최될 것 입니다. 감사합니다.

해설

오후 강연인 주 강연은 금성 방에서 있다고 했다.
① 수성 방 ② 금성 방 ③ 지구 방 ④ 회의실 ⑤ 과학 방

어휘

climate 기후 / conference 학회, 회의 / serve 제공하다 / Mercury 수성 / main 주된, 주요한 / lecture 강연 / present 발표하다 / Venus 금성 / seminar 세미나 / hold (회의 등을) 개최하다, 열다 / Mars 화성

18 ③

해석

여 내가 하와이에 가족을 보러 간다고 너에게 말했지, 그렇지?

남 응, 물론이지. 너 다음 주에 떠난다며.
여 응. 그리고 나는 열흘 동안 가 있을 거야.
남 근데 너 고양이를 기르고 있지, 그렇지 않아?
여 응. 내 고양이들을 돌봐 줄 사람이 필요해.
남 내가 널 위해서 고양이들을 돌봐 줄까?
여 응. 그렇게 해 주면 정말 좋겠어!

해설
고양이들을 돌봐 주기를 원하느냐고 물었으므로 그러면 좋겠다는 응답이
가장 적절하다.
① 아니, 그들은 거기에 있지 않을 거야. ② 문제없어. 내가 할게. ④ 고양이
는 카페에 들어갈 수 없어. ⑤ 나는 네가 그들과 여행을 할 수 있어 기뻐.

어휘
Hawaii 하와이 / leave 떠나다 / be away 부재중이다 / take care of
~을 돌보다 / look after ~을 돌보다, 맡다 / allow 허락하다

19 ④

해석
여 나 새 아파트로 이사했어. 정말 마음에 들어!
남 내가 너 이사하는 걸 도와준다고 했었잖아!
여 그래, 하지만 이사 업체를 고용하기로 했어. 그들이 정말 잘해 주었어.
남 그럼 다행이네. 네가 좋다니 나도 기뻐.
여 금요일에 집들이를 할 거야. 너 올 수 있어?
남 물론이지! 우리 집에서 너희 집이 얼마나 멀지?
여 걸어서 겨우 10분 거리야.

해설
남자가 얼마만큼 떨어져 있는지 물었으므로 걸어서 10분 거리라고 응답하
는 것이 가장 적절하다.
① 그 아파트는 꽤 좁아. ② 네가 도움이 필요하다면 내가 도울게. ③ 그것
엔 아무런 문제가 없어. ⑤ 난 내일 네 파티에 갈 수 없어.

어휘
move into ~로 이사하다 / pay for 대금을 지불하다 / moving company
이삿짐 운송 센터 / housewarming party 집들이 / far 멀리; 먼 / place
사는 곳 / quite 꽤 / on foot 도보로

20 ③

해석
여 오늘은 Joan의 엄마의 생신이다. Joan은 엄마한테 특별한 것을 만들
어 주고 싶어 한다. 그래서 그녀는 케이크를 만들기로 결심한다. 그녀
는 인터넷에서 요리법을 얻고, 케이크를 굽는다. 마침내, 엄마가 퇴근
을 하신 후 집에 돌아온다. Joan은 케이크를 엄마에게 가져다 드린다.
이 상황에서 Joan의 엄마가 Joan에게 할 말은 무엇인가?
Joan's mom 고마워, 정말 맛있겠다.

해설
엄마는 자신을 위해 직접 케이크를 만든 Joan에게 고마움을 느낄 것이다.
① 내 생각엔 엄마랑 같이. ② 천만에. 내가 혼자 만들었어. ④ 그건 사실이야.
나는 그들을 곧 보기를 바라. ⑤ 난 동의하지 않아. 우리 반 친구들은 그걸
좋아했어.

어휘
decide ~을 결심하다 / recipe 요리법 / bake 굽다 / situation 상황 /
disagree 동의하지 않다

Dictation

p.108~111

1 don't have any cereal left / How about a pancake
2 get away from / it's winter there now / it snows a lot
3 make more friends / Why don't you try
4 have a wake-up call / serve the breakfast buffet
5 is covered with / protect it from other animals
6 It's forty dollars / remembered to pay it
7 I'll visit you / my favorite
8 won an award
9 How long does it take / Can I pay by card
10 lose their belongings / The most commonly lost items
11 make it yourself / teach me how to do it / need something
to drink
12 fasten your seat belts / for a while / no smoking is
permitted
13 I need a partner / I'll call him
14 I didn't recognize you / change your diet / do weight training
15 It took about a day / Who chose the songs
16 try this on / is this seat taken
17 will be presented / The afternoon seminar
18 You're leaving next week / take care of my cats
19 I moved into my new apartment / How far
20 decides to make a cake / gives it to her mother

14회 영어듣기 모의고사 p.112~115

01 ①	02 ③	03 ②	04 ④	05 ②
06 ⑤	07 ④	08 ④	09 ④	10 ②
11 ②	12 ③	13 ⑤	14 ⑤	15 ④
16 ③	17 ③	18 ③	19 ⑤	20 ②

1 ①

해석
여 저는 Jennifer입니다. 일기 예보를 전해 드리겠습니다. 월요일인 오늘

은 아주 춥고 흐리겠으며, 이런 날씨는 화요일까지 이어지겠습니다. 수요일에는 눈이 조금 오겠습니다. 눈의 양은 점차 증가해서 목요일에는 눈보라가 치겠습니다.

해설

월요일의 날씨가 화요일까지 이어진다고 했으므로 화요일은 춥고 흐릴 것이다.

어휘

weather report 일기 예보 / continue 계속되다 / increase 증가하다 / snowstorm 눈보라

2 ③

해석

여 제가 지난번에 선글라스를 여기에 두고 간 것 같아요.
남 확인해 드릴게요. 어떻게 생겼나요?
여 검은 색이고 렌즈가 둥글어요.
남 또 다른 건요? 브랜드 이름이나 장식이 어떻게 되나요?
여 네. "VL"이라는 로고가 양쪽에 있어요.
남 그러면 이게 그것 같네요. 여기 있어요.

해설

여자가 묘사한 선글라스는 양쪽에 VL로고가 박힌 둥글고, 검은 선글라스이다.

어휘

the other day 지난번에 / lens 렌즈, 안경 알 / round 둥근 / decoration 장식 / logo 상표, 로고

3 ②

해석

여 내일 퀴즈 대회가 있는데 기분이 어때?
남 저는 모든 예비 테스트에서 꽤 잘해 왔어요.
여 네가 내 걱정을 덜어주는구나. 행운을 빌게.
남 감사해요, 엄마. 제가 집에 트로피를 가져올게요.

해설

남자는 내일 있을 퀴즈 대회에서 트로피를 획득할 것이라고 자신만만해하고 있다.
① 화난 ② 자신만만한 ③ 걱정스러운 ④ 신이 난 ⑤ 피곤한

어휘

pre-test 예비 테스트 / relieve ~을 덜다 / worry 걱정 / wish 기원하다, 빌다 / good luck 행운

4 ④

해석

남 아침으로 팬케이크를 만드시는 거예요, 엄마?
여 음, 그러려고 했는데, 냉장고에 우유가 없구나.
남 제가 슈퍼에 가서 사 올게요.
여 고마워. 여기 돈이랑 장바구니가 있어.
남 네, 엄마. 금방 다녀올게요!

해설

냉장고에 우유가 없다는 여자의 말에 남자는 슈퍼에 가서 우유를 사 온다고 했다.

어휘

fridge 냉장고 / grocery store 슈퍼마켓 / in a minute 금방, 당장

5 ②

해석

여 실례합니다. 이 버스가 쿨 스프링스 쇼핑몰에 가요?
남 안 갑니다, 부인.
여 거기 가는 다른 버스가 있나요?
남 아뇨, 지하철을 타시는 게 나을 것 같아요. 쇼핑몰과 연결된 역이 있어요.
여 여기서 가장 가까운 지하철역은 어떻게 가죠?
남 걸어서 5분밖에 안 걸려요. 저 길로 쭉 걸어가세요.
여 도와주셔서 감사합니다!

해설

여자가 버스를 타기 전에 쿨 스프링스에 가는지 묻고 있으므로 대화의 장소는 버스 정류장이다.
① 쇼핑몰 ② 버스 정류장 ③ 기차역 ④ 공항 ⑤ 은행

어휘

connected to ~에 연결된 / on foot 걸어서 / straight 곧장

6 ⑤

해석

여 네가 병원에서 자원봉사를 시작했다고 들었어.
남 맞아! 이 봉사 활동을 할 수 있도록 도와줘서 고마워.
여 지금까진 어땠어?
남 좀 힘들어. 하지만 정말 재미있어. 난 모두와 다 잘 지내고 있어.
여 네가 잘할 줄 알았어.
남 나를 추천해 줘서 고마워.

해설

남자는 자신을 봉사 활동 자리에 추천해 준 여자에게 고마워하고 있다.

어휘

volunteer 자원봉사를 하다 / so far 지금까지 / get along with ~와 잘 지내다 / recommend ~를 추천하다

7 ④

해석

[전화벨이 울린다.]
남 여보세요.
여 안녕, Shane! 너 내일 스키 여행 갈 준비는 다 한 거야?
남 그런 것 같아. 버스가 언제 출발하지?
여 7시 40분에. 그런데 최소한 10분은 일찍 가야 해.
남 그러면 7시 30분에 만날까?
여 그 시간이 좋을 것 같아.
남 그래. 그럼 그때 보자.

해설

두 사람은 버스 출발 10분 전인 7시 30분에 만날 것이다.

어휘

be ready for ~할 준비가 되다 / leave 떠나다, 출발하다 / at least 최소한

8 ④

해석

여 캠프는 어땠어?

남 좋았어. 우리는 사막과 협곡에서 하이킹을 많이 했어.

여 와. 야생 동물은 봤니?

남 아니, 하지만 우리는 물고기를 잡고 밤에 바비큐 파티를 했어.

여 가장 좋았던 게 뭐였어?

남 사막의 수영장에서 수영한 거야! 정말 끝내줬어!

해설

남자는 캠프에서 하이킹, 낚시, 바비큐 파티, 수영을 했다.

어휘

desert 사막 / canyon 협곡 / wild 야생의 / awesome 굉장한

9 ④

해석

남 너 남아메리카에 가 본 적 있어?

여 아니, 하지만 정말 가 보고 싶어.

남 나도. 어떤 나라에 제일 가 보고 싶어? 브라질?

여 나는 볼리비아에 더 관심이 있어. 아, 그리고 콜롬비아도.

남 나는 볼리비아랑 브라질을 꼽을래.

여 아! 잊을 뻔했네! 페루! 거기가 최고로 가고 싶은 곳이야.

남 그럼 볼리비아랑 페루에 갈 여행 계획을 세워 보자.

해설

여자는 가장 가 보고 싶은 나라로 페루를 꼽았다.

① 콜롬비아 ② 볼리비아 ③ 브라질 ④ 페루 ⑤ 아르헨티나

어휘

South America 남아메리카 / pick 고르다, 선택한 것 / almost 거의 / forget 잊어버리다

10 ②

해석

남 학생과 교사 여러분, 우리 학교가 지구의 친구가 되도록 같이 노력합시다. 필요가 없을 때에는 불을 끄고, 가능할 때에는 걷거나 자전거를 타고 학교에 오세요. 에어컨과 히터를 약하게 낮추세요. 다른 제안들도 환영합니다. 환경을 보호합시다!

해설

남자는 교내에서 에너지를 절약할 수 있는 방법을 제안하고 있다.

어휘

turn off 끄다 / keep down ~을 낮추다[억제하다] / suggestion 제안 / go green 환경을 보호하다

11 ②

해석

남 나 시험 때문에 너무 스트레스 받아. 넌 스트레스 안 받는 거 같아 보인다. 비법이라도 있는 거야?

여 난 매일 아침 조깅을 해. 조깅하면서 음악을 들어. 그게 스트레스에 효과가 있어.

남 그 밖에 또 하는 것 있니?

여 글쎄, 나는 충분히 잠을 자려고 노력해.

남 음식은?

여 나는 규칙적으로 식사를 해. 그게 다야.

해설

여자는 충분히 잠을 자려고 노력한다고 했지, 일찍 잠자리에 든다는 언급을 한 적은 없다.

어휘

stressed 스트레스를 받는 / go jogging 조깅하다 / else 그 밖에 / regularly 규칙적으로

12 ③

해석

[휴대 전화가 울린다.]

남 안녕, Maggie.

여 응, 여보, 아직 회사예요?

남 아니요, 방금 나왔어요. 뭐 필요한 거 있어요?

여 괜찮으면, 세탁소에 좀 들러 줄래요?

남 알겠어요, 뭘 찾아와야 해요?

여 내 회색 치마랑 외투요. 거기에 있는 걸 깜박했어요.

남 오늘 저녁에 필요한 거예요?

여 네, 내일 아침에 면접이 잡혔어요.

남 네, 알았어요.

해설

여자는 남자에게 세탁소에 맡긴 옷을 찾아와 달라고 부탁하고 있다.

어휘

still 아직 / stop by 들르다 / dry cleaner's 세탁소 / pick up 찾아 오다 / grey 회색

13 ⑤

해석

남 Katie니? 너 여기서 뭐 해?

여 오, 안녕, Jeff. 나는 Alice's 동물 병원에 가고 있어.

남 너희 동네에도 동물 병원이 있지 않아?

여 응, 있지. 우리 고양이가 아프면 그곳으로 데려 가.

남 그러면 Alice's 동물 병원에는 왜 가는 거야?

여 거기는 우리 이모가 하시는 곳이야. 이모가 수의사이시거든. 나는 이모와 점심 약속이 있어.

해설

여자는 수의사인 이모와 점심 약속이 있어서 동물 병원에 간다.

14 ⑤

해석

남 Joan, 제가 뭘 여쭤 봐도 될까요?
여 물론이죠, Alan. 무슨 일이죠?
남 이 프로젝트의 마감이 다음 주예요. 우리는 제때에 끝낼 수 있죠, 그렇죠?
여 네, 그럴 거예요. 정말로 말하고 싶은 게 뭐죠? 말해 보세요.
남 제가 하루 휴가를 내도 될까요?
여 물론이죠. 어떤 날을 생각하고 있죠?
남 5월 1일이죠. 그때가 결혼기념일이거든요.

해설

프로젝트 마감과 휴가에 대해 말하는 것으로 보아 직원과 상사의 대화이다.

어휘

deadline 마감 시간 / on time 제때에 / take a day off 휴가 가다. 쉬다 /
anniversary 기념일

15 ④

해석

여 오늘 저녁에 외식할까?
남 그래. 모퉁이에 있는 인도 카레 집이 어때?
여 싫어. 인도 음식은 먹고 싶지 않아.
남 일식은 어때?
여 일식당은 너무 멀어.
남 온라인으로 찾아볼래? 나는 어디를 가든 상관없어.
여 알겠어. 웹사이트로 한번 알아볼게.

해설

여자는 인터넷으로 괜찮은 식당을 찾아보겠다고 했다.

어휘

Indian 인도의 / curry 카레 / Japanese 일본의 / far away 멀리 떨어진 /
search 검색하다. 찾아보다 / care 마음을 쓰다

16 ③

해석

남 엄마? 나 여행에 뭘 챙겨 가야 해요?
여 글쎄, 너는 옷, 양말, 슬리퍼, 속옷이 필요해.
남 수건이랑 샴푸는요?
여 필요 없단다. 호텔에 다 준비돼 있어.
남 그럼, 그 외에 제가 무엇이 필요한가요?
여 날 위해 헤어드라이어 좀 챙겨 줄래? 내 가방은 이미 다 찼단다.
남 그럼요. 그리고 전 비행 중에 이 책을 읽을 거예요.
여 좋은 생각이야!

해설

수건이랑 샴푸는 호텔에서 제공해 주므로 챙겨 가지 않아도 된다.

17 ③

해석

① 남 너는 학교에서 집에 몇 시에 오니?
   여 보통 집에 4시까지는 와.
② 남 이 근처에 영화관이 있나요?
   여 사실 몇 개 있어요.
③ 남 초콜릿 케이크 한 조각 먹을래?
   여 다 해서 5달러입니다.
④ 남 다섯 시 쇼로 두 장이요.
   여 성인 두 분이신가요?
⑤ 남 시청이 어느 쪽인가요?
   여 곧장 가세요.

해설

남자가 초콜릿 케이크를 권했는데 여자가 가격에 대한 답변을 하는 것은
적절하지 못하다.

어휘

get home 집에 오다 / usually 보통 / theater 극장 / adult 성인

18 ③

해석

남 와! 너 기타 진짜 잘 친다.
여 고마워. 너도 기타를 배울 거라고 했지, 맞지?
남 응. 그렇게 말했었지.
여 그리고 너 피아노도 배우고 싶다고 했어. 그래서 어떻게 되고 있어?
남 아직 시작도 못 했어. 나는 네가 부럽다.
여 내 생각엔 무엇을 하고 싶다고 말하는 건 그만하고, 그냥 네가 하고 싶
   은 것을 시작해 봐.

해설

남자는 기타와 피아노를 배울 거라는 말은 했지만, 모두 행동으로 옮기진
못했다.

어휘

learn ～을 배우다 / yet 아직 / had better ～하는 편이 낫겠다

19 ⑤

해석

여 너 무슨 생각해?
남 아빠 생신 선물에 대해 생각하고 있어.
여 어렵다. 그렇지?
남 아빠가 뭘 원하시는지 여쭤 봤는데, 아무 말씀도 안 하셨어.
여 그거 알아? 아빠는 침대에서 아침 드시는 거 좋아하셔.
남 그럼 나 일찍 일어나서 아침을 만들어야겠다.

17 There are a few / Just go straight

18 would like to learn / you'd better stop saying

19 trying to think of / didn't tell me anything

20 going to the movies / Will it finish in time

해설
아빠가 침대에서 아침을 드시는 것을 좋아한다고 했으므로 일찍 일어나서 아침 식사 준비를 하겠다는 응답이 적절하다.
① 너무 안됐네. ② 넌 그것을 고를 수 있어. ③ 그건 너에게 아주 중요해. ④ 아빠를 위해 넌 무엇을 했니?

어휘
think about ~에 대해 생각하다 / try to ~하려고 애쓰다, 노력하다 / present 선물 / hard 어려운

20 ②

해석

여 여섯 시에 있는 할머니의 생신 축하 저녁 식사를 잊지 마.

남 오늘 저녁 여섯 시요? 어디서요?

여 Tony의 식당에서야. 뭐 문제 있니?

남 음. 친구들이랑 영화 보러 갈 거거든요.

여 그러면 너 그거 취소해야겠구나.

남 아니에요, 엄마. 사실 그럴 필요 없어요. 영화는 3시 정각에 시작하거든요.

여 저녁 먹을 시간에 맞게 끝나니?

남 다섯 시까지는 영화가 끝날 거 같아요.

해설

저녁 식사 전에 영화가 끝나는지 물었으므로 영화가 끝나는 시간에 대한 답변을 하는 것이 가장 적절하다.
① 제가 그곳에 여섯 명 자리를 예약할게요. ③ 아빠는 Tony의 식당을 더 좋아하세요. ④ 모두들 그 영화가 괜찮은 영화라고 해요. ⑤ 엄마는 그가 뭘 원하는지 물어봐야 해요.

어휘

forget ~을 잊어버리다 / cancel ~을 취소하다 / in time 제 시간에 / book a table 자리를 예약하다 / over 끝이 난 / prefer ~을 선호하다

Dictation
p.116~119

1 continue through Tuesday / see snowstorms

2 left my sunglasses / What are they like / on both sides

3 quite good / bring the trophy

4 there's no milk / I'll be back

5 Are there any buses / Walk straight that way

6 get the job / Thank you for recommending me

7 Are you ready for / at least 10 minutes earlier

8 see wild animals / in the desert

9 I'm more interested / That's my number one

10 a friend of the earth / Any other suggestions

11 I'm so stressed about / I go jogging / get enough sleep

12 stop by / I've got an interview

13 take my cat / meeting her for lunch

14 The deadline of our project / take a day off

15 go out for dinner / search online

16 pack for the trip / The hotel has them all / while we are

15회 영어듣기 모의고사 p.120~123

01 ②	02 ②	03 ②	04 ⑤	05 ④
06 ①	07 ②	08 ②	09 ④	10 ④
11 ⑤	12 ③	13 ③	14 ①	15 ③
16 ②	17 ③	18 ③	19 ⑤	20 ⑤

1 ②

해석

여 도와 드릴까요?

남 네, 저는 딸아이에게 줄 크리스마스 선물을 찾고 있어요.

여 이 사랑스런 토끼 인형은 어떠세요? 이게 가장 인기 있는 상품이에요.

남 사실, 제 딸은 개와 고양이를 좋아해요.

여 그러면 이 하얀 고양이는 어떠세요?

남 귀엽네요. 하지만 전 큰 귀가 달린 이 강아지 인형으로 살게요.

해설

남자는 큰 귀가 달린 강아지 인형을 사기로 했다.

어휘

daughter 딸 / popular 인기 있는 / puppy 강아지

2 ②

해석

남 엄마, 오늘 하루 어떠셨어요? 저녁은 거의 준비됐어요.

여 네가 저녁을 만들었다고? 정말? 그리고 집이 매우 깨끗하구나!

남 네. 제가 집을 청소했어요.

여 와! 이것이 바로 오늘 내가 원하던 거란다. 고맙구나!

남 제가 엄마를 많이 도와 드리지 않은 거 알아요. 하지만 이제부터 열심히 노력할게요, 엄마.

여 오! 넌 정말 좋은 아들이야!

해설

엄마는 청소와 저녁 준비를 한 아들에게 고마워하고 있다.
① 걱정스러운 ② 고마워하는 ③ 피곤한 ④ 화난 ⑤ 초조한

어휘

almost 거의 / exactly 정확히 / from now on 이제부터

3 ②

해석

여 만약 당신이 친구와 문제가 있다면, 편지를 써 보세요. 솔직하세요. 당신이 정확히 어떻게 느끼는지 그들에게 쓰세요. 그러고 나서, 편지를 다른 곳에 두세요. 편지를 보내지 마세요. 나중에 읽어보면 그 문제가 그렇게 심각한 것이 아니었음을 알게 될 거예요. 한번 해 보세요. 저에게는 효과가 있어요.

해설

친구들과 문제를 겪고 있다면 편지를 써서 읽어 보라고 조언하고 있다.

어휘

have problems with ~에 문제가 있다 / honest 솔직한, 정직한 / exactly 정확히 / put away 넣다[치우다] / later 나중에 / bad 심각한 / work 효과가 있다

4 ⑤

해석

남 주간 일기 예보를 말씀 드리겠습니다. 월요일에는 구름이 끼고 비가 오겠습니다. 화요일에서 목요일까지는 덥고 건조하겠습니다. 토요일에는 비가 많이 내리겠지만 비는 일요일에 그치겠습니다. 일요일에는 맑은 하늘을 보실 수 있을 겁니다.

해설

일요일에는 비가 그치고 맑을 것이라고 했다.

어휘

wet 비가 오는 / dry 건조한

5 ④

해석

여 다음 손님이요. 이게 다인가요?
남 네, 감사해요.
여 알겠습니다. 공책 두 권은 각각 3달러고요. 펜 두 자루는 각각 2달러네요.
남 아, 전 그 펜이 1달러인 줄 알았어요.
여 죄송하지만 아니에요. 펜 두 자루에는 4달러예요. 그래도 드릴까요?
남 네, 모두 필요한 거예요.

해설

남자는 3달러짜리 공책 두 권, 2달러짜리 펜 두 자루를 샀으므로 10달러를 내야 한다.

어휘

each 각각 / still 여전히, 아직 / stuff 물건(들)

6 ①

해석

남 네 친구의 미술 전시는 언제 문을 여니?
여 개장은 오늘 저녁 6시야. 너도 올래?
남 오늘 저녁은 안 돼. 내일 가도 될까?
여 물론이지. 나도 너랑 다시 갈게. 갤러리는 오후 2시에 문을 열어.

남 그럼 먼저 점심 식사를 하자.
여 그럼 좋지! 12시 30분에 카페 프렌치는 어때?
남 좋아. 거기에서 봐!

해설

두 사람은 갤러리를 보기 전, 12시 30분에 만나서 점심을 먹기로 했다.

어휘

exhibition 전시(회) / grand opening 개장, 개업 / first 우선, 먼저

7 ②

해석

여 핼러윈이 다가오고 있어. 우리 옷 사러 가자.
남 빌리는 게 어때? 우리 매년 같은 옷을 입을 건 아니잖아. 안 그래?
여 응. 네 말이 맞아. 돈 낭비일 수 있겠다.
남 그럼 옷을 빌리러 갈래?
여 알았어. 가서 빌려오자.

해설

두 사람은 핼러윈데이 의상을 빌리러 가기로 했다.

어휘

costume 의상 / waste 낭비 / rent 빌리다

8 ②

해석

남 안녕하세요. 무엇을 도와 드릴까요?
여 제가 카메라 가방을 잃어버렸어요.
남 어디서 잃어버리셨나요?
여 저는 시청에서 오는 오전 11시 기차에 있었어요.
남 그 가방을 묘사해 주실 수 있으세요?
여 검은색에 정사각형이에요. 두꺼운 빨간 끈이 달려 있고, 가방 안에 제 카메라가 들어 있어요.
남 오, 누군가 당신이 묘사한 것과 꼭 같은 가방을 가져왔어요. 가져다 드릴게요.
여 오, 감사합니다!

해설

여자가 잃어버린 카메라 가방을 찾으러 온 것으로 보아 분실물 센터임을 알 수 있다.

어휘

lose 잃어버리다, 분실하다 / describe 묘사하다 / square 정사각형 / strap 끈

9 ④

해석

여 Jay? 너와 이야기를 좀 하고 싶구나.
남 네, Jones 선생님.
여 성적이 좋지 않구나. 무슨 일이니, Jay?
남 죄송해요. 요즘 컴퓨터 게임을 많이 해서요.
여 그럼 공부할 시간이 충분하지 않겠구나, 그렇지?

남 솔직히, 그래요. 잠잘 시간도 충분하지 않아요.
여 그거 큰 문제구나. 제발 컴퓨터 게임을 너무 많이 하지 않도록 노력해 보렴.
남 알겠어요. Jones 선생님. 노력해 볼게요.

<u>해설</u>
성적에 관해 상담을 하는 것으로 보아 교사와 학생 간의 대화이다.

<u>어휘</u>
have a word with ~와 이야기하다 / grade 성적 / honestly 솔직하게

10 ④

<u>해석</u>
① 남 록은 가장 인기가 없는 장르이다.
② 남 힙합은 록보다 딱 1퍼센트 더 인기가 있다.
③ 남 R&B는 학생들 사이에서 가장 인기 있는 음악 장르이다.
④ 남 클래식은 두 번째로 인기가 있다.
⑤ 남 댄스는 힙합보다 더 인기가 있다.

<u>해설</u>
클래식은 두 번째가 아니라 세 번째로 인기가 있다.

<u>어휘</u>
least 가장 덜 / popular 인기 있는 / favorite (가장) 좋아하는 / genre 장르 / among ~의 가운데에 / popularity 인기

11 ⑤

<u>해석</u>
남 너는 정말 컴퓨터를 잘하는구나. 컴퓨터 산업에 관련된 직업을 가지고 싶니?
여 잘 모르겠어. 엄마랑 아빠는 항상 마음이 가는 대로 하라고 말하셔.
남 멋지다. 네 마음은 어디로 끌리는데?
여 나는 나무와 꽃을 심는 것을 좋아해.
남 우리 오빠는 원예사야. 너는 그걸 직업으로 생각해 본 적 있니?
여 그게 바로 내가 원하는 거야!

<u>해설</u>
여자는 나무와 꽃을 심는 것을 좋아해서 원예가가 되고 싶어 한다.

<u>어휘</u>
industry 산업 / follow one's heart 마음 가는 대로 하다 / plant ~를 심다 / consider 고려하다, 생각하다 / have in mind ~을 염두에 두다

12 ③

<u>해석</u>
여 우리 엄마는 새로운 것을 배우는 걸 정말 좋아하신다. 엄마는 수요일을 제외하고 매일 시민 회관에서 각기 다른 수업을 들으신다. 월요일에는 요리, 화요일에는 노래를 배우신다. 수요일에는 체육관에 가거나 수영장에 가신다. 목요일에는 요가, 금요일에는 중국어를 배우신다. 중국어는 배우기 어려운 언어이지만, 엄마는 정말 즐거워하신다!

<u>해설</u>
운동을 하러 가는 수요일을 제외하고 여자는 요일별로 요리, 노래, 요가, 중국어 수업을 듣는다.

<u>어휘</u>
community center 시민 회관 / except for ~를 제외하고 / yoga 요가 / language 언어

13 ③

<u>해석</u>
남 다른 사람들과 함께 살아가는 데 있어서 가장 중요한 것이 무엇이라고 생각하는가? 나는 다른 사람의 감정을 고려하는 것이 가장 중요하다고 생각한다. 다른 사람의 감정을 고려하지 않고 내 감정만 생각할 때 우리는 타인에게 상처를 줄 수 있다. 그리고 그 반대의 상황도 일어날 수 있다. 상처 받고 싶지 않다면, 항상 다른 사람의 감정을 고려해라.

<u>해설</u>
화자는 다른 사람의 감정을 생각하는 것이 사람들과 살아가는 데 가장 중요한 부분이라고 했다.

<u>어휘</u>
consider 고려하다 / feelings 감정 / focus on ~에 집중하다 / opposite 반대의

14 ①

<u>해석</u>
[전화벨이 울린다.]
남 여보. 무슨 일이에요?
여 오늘 당신 부모님이 저녁을 드시러 오시는 거 기억해요? 부탁인데 늦지 말아요.
남 할 수 있는 한 빨리 퇴근할게요. 부모님이 몇 시에 오시죠?
여 여기에 한 여섯 시쯤 오실 거예요. 부모님이 식사 일찍 하시는 거 좋아하는지 알잖아요.
남 알겠어요. 5시 30분에 나갈게요. 집에 가는 길에 와인을 사가지고 갈게요.
여 오, 좋아요. 아버님은 저녁 식사하면서 레드 와인 한 잔 하는 걸 좋아하시죠.

<u>해설</u>
여자는 부모님과의 식사에 늦지 말라고 말하기 위해 남자에게 전화했다.

<u>어휘</u>
remember 기억하다 / as ~ as one can 할 수 있는 대로 / around ~쯤 / on the way 가는 길에

15 ③

<u>해석</u>
남 우리는 미술관에 있는 예술 작품을 어떻게 감상해야 할까? 생각하지 말고 그냥 쳐다보아라. 당신이 그 작품을 어떻게 느끼는지 알아채라. 슬픈가, 행복한가, 화가 나는가, 차분한가? 미술 작품을 가까이 살펴보아라. 무슨 색, 모양 또는 선이 당신 안의 감정을 일으키는지 살펴보아라. 당신은 누가 그 작품을 만들었는지, 언제 그것이 만들어졌는지 그리고 왜 만들어졌는지를 공부할 필요가 없다.

<u>해설</u>
남자는 아무런 생각을 하지 말고 예술 작품을 쳐다보면서 그 작품이 주는 감정을 느끼라고 말하고 있다.

enjoy 감상하다, 즐기다 / museum 미술관, 박물관 / notice ~를 알아채다 / mad 화가 난 / closely 가까이에서 / shape 모양 / create 만들어내다

16 ②

해석

여 안녕, Leo! 너 어디 가니?

남 Monica네 집에 가는 중이야. 여행에 가져간다고 하길래 그녀에게 내 카메라를 빌려줬거든.

여 아, 그녀가 돌아왔니?

남 돌아오기는 했는데, 지금은 집에 없어.

여 그러면, 네 카메라를 어떻게 받으려고?

남 Monica의 엄마가 나를 기다리고 계셔.

여 아, 알겠어. 나중에, Monica와 함께 만나자. 그녀의 여행 이야기를 정말 듣고 싶어.

해설

남자는 자신이 빌려주었던 카메라를 찾으려고 Monica의 집에 간다.

어휘

lend 빌려주다(lend-lent-lent) / at the moment 지금 / get together 모이다

17 ③

해석

① 여 무슨 일이야?

　남 손가락을 다쳤어.

② 여 부모님은 어떠셔?

　남 정말 건강하셔, 고마워.

③ 여 추수감사절에 집에 올 거니?

　남 난 일주일 동안 집에 있었어.

④ 여 제 아이가 화장실을 써야 해요.

　남 열쇠를 드리죠.

⑤ 여 특별히 찾는 게 있으신가요?

　남 아니요, 그냥 둘러보고 있어요. 고맙습니다.

해설

집에 올 것인지 묻는 질문에 집에서 한 주간 머물렀다는 응답은 적절하지 못하다.

어휘

hurt 다치게[아프게] 하다 / well 건강한 / look for 찾다 / browse 둘러보다

18 ③

해석

남 수학 시험이 어려웠어, 그렇게 생각하지 않니?

여 마지막 문제 전까지는 내가 괜찮게 풀었다고 생각했어.

남 맞아, 마지막 문제가 제일 어려웠지!

여 나는 답으로 15가 나왔는데, 그게 맞는지는 잘 모르겠어.

남 앗. 내 답은 30이었어.

여 Harris 선생님께 정답을 여쭤 보자.

남 좋은 생각이야.

해설

두 사람의 답이 서로 달라 선생님께 가서 물어보자고 했으므로 이에 동의하거나 반대하는 응답이 자연스럽다.

① 정말 쉬웠어. ② 그 분은 우리 선생님이셔. ④ 그게 내가 했던 방법이야. ⑤ 내 시험 결과가 나왔어.

어휘

last 마지막의 / come up with (해답 등을) 내 놓다 / sure 확신하는

19 ⑤

해석

여 나는 영어 숙제 때문에 정말 스트레스를 받아.

남 너 아직 안 시작했어?

여 아니. 숙제에 대해 고민만 하고 있어. 아직 아무것도 안 했지. 너는?

남 나는 주말에 숙제를 끝냈어.

여 하지만 숙제는 금요일까지잖아! 네 비결이 뭐니?

남 나는 절대 숙제 하는 것을 미루지 않거든.

해설

여자가 숙제를 끝냈다는 남자에게 비결을 물었으므로, 숙제 하는 것을 절대 미루지 않는 것을 비결로 응답하는 것이 가장 적절하다.

① 그는 영어 선생님이야. ② 네 기분이 어떤지 알겠어. ③ 난 주말에 쉬었어. ④ 난 선생님께 여쭤 볼 거야.

어휘

stressed 스트레스를 받는 / yet 아직, 이미 / due ~하기로 되어 있는, 만기의 / until ~까지 / put off 미루다

20 ⑤

해석

여 Angie는 정말 노래를 잘한다. 이번 주말에 한 TV 쇼의 오디션이 있을 예정이다. 그것은 유명한 쇼이고, 우승자는 대 스타가 된다. 그녀는 오디션을 보고 싶지만, 부모님이 화를 낼까 두렵다. 그녀는 부모님께 이 사실을 말씀드려야 할지 선생님께 묻는다. 이런 상황에서, 선생님이 Angie에게 할 말은 무엇인가?

선생님 부모님께 먼저 말씀 드려야 해.

해설

Angie가 오디션에 대해 부모님께 말씀 드려야 할지 말지 고민하는 상황이므로 말씀 드려야 한다는 응답이 적절하다.

① 네가 승리해서 기뻐. ② 너는 연습을 더 해야 해. ③ 다음번에는 더 잘 할 수 있을 거야. ④ 그들은 네 목소리를 정말 좋아했어.

어휘

audition 오디션, 오디션을 보다 / if ~인지 아닌지 / likely ~할 것 같은

Dictation　　　p.124~127

1 the most popular one / puppy with the big ears

2 exactly what I needed / a really good son

3 try writing a letter / Read it later

4	cloudy and wet / see clear skies
5	for three dollars each / all of this stuff
6	want to come / let's eat lunch first
7	Why don't we borrow / a waste of money
8	lost my camera bag / Can you describe it / get it for you
9	with your grades / enough time to study / not to play computer games
10	the least popular genre / second in popularity
11	follow your heart / planting trees and flowers / what I have in mind
12	loves learning new things / except for Wednesday / a hard language to learn
13	considering the feelings of others / focus on ourselves
14	don't be late / like to eat early / on the way home
15	Just look without thinking / Look at the artwork closely / don't have to study
16	I lent her my camera / waiting for me
17	hurt my finger / I'm just browsing
18	until the last question / came up with / for the right answer
19	worrying about it / What's your secret
20	there will be auditions / she should tell them

16회 영어듣기 모의고사 p.128~131

01 ④	02 ①	03 ④	04 ②	05 ③
06 ②	07 ⑤	08 ③	09 ③	10 ①
11 ⑤	12 ①	13 ②	14 ①	15 ⑤
16 ①	17 ②	18 ④	19 ②	20 ①

1 ④

해석
여 Greg, 너 Dave 생일 선물 샀어?
남 응. Dave가 공룡에 관심이 많아서 난 공룡 퍼즐을 샀어.
여 Dave가 정말 좋아하겠다. 그럼 난 뭘 사 줘야 하지?
남 축구공은 어때? 걔 축구 하는 걸 좋아하잖아.
여 하지만 Dave는 이미 공을 두 개나 가지고 있잖아. 난 그에게 뭔가 특별한 걸 주고 싶어.
남 아! Dave가 나한테 시계를 가지고 싶다고 얘기했어.
여 그게 좋겠다. 고마워.

해설
여자는 Dave의 생일 선물로 시계를 살 것이다.

어휘
be interested in ~에 관심이 있는 / dinosaur 공룡 / puzzle 퍼즐 / special 특별한

2 ①

해석
여 네가 우리의 리조트 예약을 취소하지 않았기를 바라.
남 왜? 네가 주말 내내 그곳에 폭풍이 불 거라고 했잖아.
여 알아, 그런데 일기 예보가 바뀌었어.
남 정말?
여 응, 날씨가 좋을 거래.
남 그럼 우리는 운이 좋네! 내가 취소하는 걸 깜박했거든.
여 야호! 정말 재미있겠다!

해설
원래는 주말에 폭풍이 올 거라고 했지만, 바뀐 일기 예보에서는 날씨가 맑을 것이라고 했다.

어휘
cancel ~를 취소하다 / booking 예약 / resort 리조트, 휴양지 / storm 폭풍 / forecast 일기 예보

3 ④

해석
여 무슨 문제 있니, 얘야?
남 내일 있을 발표가 걱정이에요. 잠을 잘 수가 없어요.
여 침대로 가면 따뜻한 우유를 한 잔 가져다줄게 잠을 자는 데 도움이 될 거야.
남 고마워요, 엄마.
여 네 발표는 괜찮을 거야. 준비를 정말 잘 했잖아.
남 저도 그러길 바라요. 발표에서 높은 점수를 받는 것이 정말 중요해요.

해설
내일 있을 발표가 걱정돼서 남자는 잠을 잘 수 없다고 말했다.
① 화난 ② 행복한 ③ 신이 난 ④ 걱정스러운 ⑤ 놀란

어휘
be worried about ~에 대해 걱정하다 / presentation 발표 / prepare ~를 준비하다 / mark 점수

4 ②

해석
여 네가 읽고 있는 것이 뭐야?
남 반기문에 관한 전기야.
여 재미있니?
남 응, 이걸 사려고. 너는 뭔가 흥미로운 것을 찾았니?
여 이 잡지들을 찾았어. 프랑스 요리에 관한 책도 한 권 사고 싶어.
남 그래. 음식과 요리 관련 구역이 어디지?

반기문 전기와 프랑스 요리책을 사려고 하는 것으로 보아 대화의 장소는 서점이다.

어휘

biography 전기 / magazine 잡지 / section 구역

5 ③

해석

이것은 벌이 만든 달콤한 액체이다. 이것의 색깔은 다양하지만 대게 황금 빛 갈색이다. 우리는 이것을 뜨거운 물에 넣고 차로 마신다. 그리고 팬케이크를 먹을 때 우리는 이것을 시럽처럼 사용한다. 많은 경우, 우리는 이것을 설탕 대신 사용한다.

해설

벌이 만들고, 황금빛 갈색을 띤 달콤한 액체는 꿀이다.

어휘

liquid 액체 / bee 벌 / vary 다양하다 / syrup 시럽 / in many cases 많은 경우에 / instead of ~대신에

6 ②

해석

여 취미가 있었으면 좋겠어. 나는 새로운 기술을 배울 시간이 충분하거든.
남 너는 뭐에 관심이 있는데?
여 나는 항상 악기 연주하는 걸 배우고 싶었어.
남 내 사촌이 피아노 강사야. 그녀에게 수업을 받는 게 어때?
여 좋지. 나를 소개해 줄 수 있니?
남 물론이야. 그녀에게 내가 전화할게.

해설

여자는 악기를 배우고 싶다고 했다.

어휘

enough 충분한 / skill 기술 / musical instrument 악기 / take lessons 수업을 받다 / introduce ~를 소개하다 / give someone a call ~에게 전화하다

7 ⑤

해석

여 저는 토요일에 당신의 가게에서 이 다리미를 샀습니다. 제 생각엔 이 물건이 제대로 작동하지 않는 거 같습니다. 제 딸의 새 옷을 좀 보세요. 제가 '실크'로 스위치를 맞춰 놓았는데, 옷을 거의 태울 뻔했어요. 만약 못 믿으시겠다면 직접 해 보세요. 저는 환불과 이 망가진 옷에 대한 금전적 보상을 원해요.

해설

여자는 구매한 다리미가 고장 나 옷을 거의 태울 뻔 했다고 항의하고 있다.

어휘

iron 다리미 / properly 제대로 / switch on 스위치를 켜다 / silk 실크, 비단 / almost 거의 ~할 뻔한 / refund 환불 / replace ~을 대신하다 / ruined 손상된, 해를 입은

8 ③

해석

남 카페라떼 라지 사이즈 하나 주세요.
여 네. 5달러입니다.
남 오, 이 여행용 머그잔은 얼마인가요? 마음에 들어요.
여 이건 20달러이지만, 손님은 커피를 사셨으니 50퍼센트 할인을 받으실 수 있으세요.
남 정말요? 50퍼센트요? 그러면 이건 10달러인가요?
여 네, 맞습니다.
남 좋아요. 커피랑 머그잔 주세요.

해설

남자는 커피가 5달러, 머그잔이 10달러이므로 총 15달러를 지불하면 된다.

어휘

mug 손잡이가 있는 컵 / get a discount 할인을 받다 / off 할인하여 / take 사다

9 ③

해석

남 많은 학생들이 낮 동안 충분한 물을 마시지 않고 있다. 그들은 물 대신에 에너지 드링크와 과일 주스 같은 단 음료를 마신다. 이것은 체중 증가와 치아 부식, 학습 장애를 유발할 수 있다. 십 대들은 하루에 2에서 3리터의 물을 마셔야 한다. 물을 충분히 마시면, 그들은 기분이 더 좋고, 덜 피곤하고, 스트레스를 덜 받게 될 것이다.

해설

남자는 학생들이 충분한 물을 마시지 않아 여러 가지 문제가 발생하고 있다고 했다.

어휘

enough 충분한 / during ~동안 / sugary 설탕이 든 / drink 음료 / instead of ~ 대신에 / cause ~을 야기하다 / decay 부식, 부패 / stressed out 스트레스가 쌓인

10 ①

해석

여 팬케이크를 만들어 보자. 먼저, 밀가루와 달걀을 그릇에 넣는다. 두 번째, 버터와 설탕, 우유를 그릇에 넣고 섞는다. 세 번째, 프라이팬을 달군다. 네 번째, 반죽을 프라이팬에 붓는다. 마지막으로, 팬케이크를 2분 동안 또는 노릇노릇한 색이 될 때까지 요리한다.

해설

세 번째로 프라이팬을 달군다고 했다.

어휘

flour 밀가루 / bowl 그릇 / add 첨가하다 / heat 뜨겁게 만들다 / pour 붓다 / mixture 혼합물

11 ⑤

해석

여 너 스모키산 주립 공원에 대해 들었어?

남 음, 왜? 많은 사람들이 독립 기념일을 축하하려고 거기에 갈 계획이었다는 건 알아.

여 맞아. 몇몇 아이들이 피크닉 장소에서 폭죽을 터뜨렸대.

남 그건 법에 어긋나는 일 아닌가?

여 물론이지! 그리고 그게 큰 불을 냈어. 지금 그 불이 산에서 통제할 수 없을 정도로 타고 있다고 하더라고.

남 오, 이런! 참 안됐네.

해설

두 사람은 폭죽 때문에 발생한 산불에 관해 이야기하고 있다.

어휘

state park 주립 공원 / celebrate 기념하다, 축하하다 / Independence Day (미국의) 독립 기념일 / set off 폭발시키다, 시작하다 / firework 폭죽 / against the law 법에 반하는 / out of control 통제 불능의

12 ①

해석

남 당신이 일을 어떻게 시작하셨는지 말씀해 주세요.

여 제 첫 공연은 관객이 두 명 있는 작은 클럽에서였어요.
전 더 성공하기 전까진 제가 무엇을 하고 있는지 부모님께 말씀드리지 않았어요.

남 코미디언으로서 당신의 철학은 무엇인가요?

여 그냥 사람들을 웃게 하는 거요! 제가 하는 가장 재미있는 농담은 일상에 관한 거예요.

남 당신이 농담으로 삼지 않는 것도 있나요?

여 네. 폭력과 가난이요. 그것들은 재미있는 게 아니잖아요.

해설

첫 공연의 관객이 두 명이라고 했지만, 그들이 여자의 부모님은 아니다.

어휘

start out (일을) 시작하다 / tiny 아주 작은 / audience 관중 / successful 성공한 / philosophy 철학 / everyday 일상적인, 매일의 / violence 폭력 / poverty 가난, 빈곤

13 ②

해석

남 너 온라인으로 영화 표를 사 본 적이 있니?

여 나는 항상 그렇게 해. 왜?

남 부모님 결혼기념일 선물로 영화 표를 사고 싶어서.

여 정말 괜찮은 선물이네!

남 응, 그런데 난 온라인으로 어떻게 표를 사야 하는지 몰라. 나를 위해 좀 해 줄 수 있어? 돈을 줄게.

여 문제없지. 네가 원하면 지금 당장 해 줄게.

해설

남자는 온라인으로 영화 표 사는 방법을 몰라서 여자에게 부탁했다.

어휘

online 온라인으로 / all the time 항상 / wedding anniversary 결혼기념일 / cash 현금

14 ①

해석

남 네 새끼 고양이는 좀 어때?

여 고양이가 정말 걱정돼. 아주 약해 보이거든.

남 고양이가 무엇을 먹고 있는데?

여 최근에는 겨우 우유 몇 방울 먹었어.

남 내 생각엔 수의사에게 데려가는 게 좋을 것 같아.

여 하지만 나는 돈이 충분하지 않아.

남 너무 비싸면 내가 보태 줄게. 일단 데려가 봐. 내가 같이 가 줄게.

여 정말? 넌 진짜 좋은 친구야.

해설

남자가 동물 병원 병원비를 보태 준다고 했으니 여자는 고양이를 데리고 병원에 갈 것이다.

① 고양이를 데리고 병원 가기 ② 고양이의 상태를 확인하기 ③ 남자에게 돈을 빌려주기 ④ 고양이에게 우유 주기 ⑤ 수의사에게 전화하기

어휘

kitten 새끼 고양이 / weak 약한 / lately 최근에 / drink 마시다 (drink-drank-drunk) / drop 방울 / animal doctor 수의사 / come with ~와 함께 가다[오다]

15 ⑤

해석

① 남 주말에는 오전 11시에 개장한다.

② 남 화요일에는 오후 5시에 폐장한다.

③ 남 성인 요금은 11달러이다.

④ 남 6세보다 어린 어린이의 입장료는 무료이다.

⑤ 남 13세 이상의 어린이 요금은 5달러이다.

해설

6세부터 12세까지의 어린이 요금이 5달러인 것이지 13세 이상 어린이는 5달러가 아니다.

어휘

closed 닫힌, 폐쇄된 / adult 성인 / free 무료의 / exhibition 전시회 / artist 화가 / Middle East 중동

16 ①

해석

여 당신은 때때로 하늘에서 나를 볼 수 있기도 하고, 또 볼 수 없기도 하다. 나는 아주 다양한 모양과 크기로 나타난다. 나는 해질녘에 예쁜 색이 될 수도 있고, 비가 오기 전에는 아주 어두운 색이 될 수도 있지만 보통 흰색이다. 나는 아주 작은 물방울로 만들어진다. 나는 눈과 비를 만들 수 있다.

해설

하늘에 떠 있는 물방울로 만들어진 흰색의 물체는 구름이다.

① 구름 ② 비행기 ③ 별 ④ 번개 ⑤ 달

어휘
shape 모양 / sunset 해질녘 / tiny 작은 / drop 방울 / lightning 번개

17 ②

해석
① 남 실례합니다. 몇 시인지 아세요?
　여 네, 11시 정각이에요.
② 남 어떻게 도와 드릴까요?
　여 그건 도움이 아주 많이 돼요.
③ 남 나는 저 영화 별로였어.
　여 나도 별로였어.
④ 남 부탁하신 일을 다 끝냈어요.
　여 고마워요. 잘 했어요.
⑤ 남 오늘 나 약속을 못 지킬 것 같아.
　여 괜찮아. 걱정하지 마.

해설
무엇을 도와 드리느냐고 물었는데 그것이 도움이 된다는 응답은 어색하다.

어휘
either (부정문에서) …도 또한 그렇다 / work 일 / make it 해내다 / worry about ～에 대해 걱정하다

18 ④

해석
여 자, 학생 여러분. 로미오와 줄리엣을 보러 들어가기 전에, 규칙에 대해 다시 한 번 말해 주고 싶어요. 앞에 있는 좌석을 차거나 발을 좌석 위에 올리지 마세요. 가방과 휴대 전화는 버스에 두고 내리세요. 영화 상영 중에는 이야기하지 마세요. 화장실에 가고 싶으면, 지금 가세요. 영화를 재미있게 봅시다!

해설
가방은 휴대 전화와 함께 버스에 두라고 했다.

어휘
remind 상기시키다 / kick ～을 차다 / seat 자리, 좌석 / foot 발(pl. feet) / leave 남겨두다, 두고 가다 / during ～동안

19 ②

해석
여 너 '사이언스 웍스'에 가본 적 있어?
남 그게 뭐야?
여 과학박물관이야. 그곳은 내가 가 본 곳 중에서 최고야.
남 뭐가 그렇게 좋은데?
여 거기는 어드벤처 놀이공원 같아. 넌 거기서 화산 실험을 해 볼 수 있어.
남 나도 가 보고 싶어! 나랑 같이 갈래?
여 나도 다시 가고 싶어.

해설
남자가 과학박물관에 같이 가자고 제안했으므로 또 가고 싶다는 표현으로 승낙하는 응답이 자연스럽다.
① 그건 도시 남쪽에 있어. ③ 너는 과학에 대해 많은 것을 배울 수 있어.

④ 나는 박물관이 재미있어야 한다고 생각해. ⑤ 그게 바로 과학의 가장 좋은 점이지.

어휘
science museum 과학박물관 / adventure playground 어드벤처 놀이공원(아이들이 해 보도록 다양한 구조물을 설치한 곳) / volcano 화산 / experiment 실험

20 ①

해석
여 여기. 사과 좀 먹어. 유기농 사과야.
남 고마워. 너는 보통 유기농 식품을 사니?
여 보통 그렇지는 않아. 너무 비싸잖아.
남 하지만 유기농 농법이 지구에 훨씬 더 좋잖아.
여 그리고 유기농 식품이 대개 맛도 더 좋아. 또 농부들은 그 식품에 훨씬 더 많은 노력을 들이고.
남 그럼 유기농 식품에 좀 더 많은 돈을 지불할 가치가 있는 것 같구나. 어떻게 생각해?
여 네 말이 맞는 거 같아.

해설
두 사람은 유기농 식품의 좋은 점에 대해 이야기하고 있으므로 유기농 식품에 돈을 더 낼만하다는 남자의 말에 동의하는 응답이 오는 것이 적절하다.
② 그 시장은 훌륭해. ③ 그것엔 상표가 붙어 있지 않아. ④ 나는 그것에 대한 다큐멘터리를 보았어. ⑤ 맞아, 그건 너무 비싸.

어휘
organic 유기농의 / cost 비용이 들다 / farming 농업 / taste ～한 맛이 나다 / put effort into ～에 노력을 들이다 / be worth -ing ～할 가치가 있다 / label 상표 / documentary 다큐멘터리, 기록 영화

Dictation

p.132~135

1　buy a birthday present / playing soccer / have a watch

2　cancel our booking / The weather will be fine

3　I'm worried about my presentation / will be fine

4　you're reading / anything interesting / get a book

5　made by bees / drink it as tea / instead of sugar

6　play a musical instrument / give her a call

7　not working properly / want a refund

8　That will be five dollars / get a fifty percent discount

9　not drinking enough water / learning difficulties / less stressed out

10　put the flour / heat the frying pan

11　Did you hear about / caused a huge fire

12　became more successful / about everyday life

13　bought movie tickets online / Would you mind

14　She seems very weak / take her to an animal doctor / such a great friend

15　on weekends / Tickets are free for children

16 see me in the sky / at sunset / make snow and rain

17 do you have the time / asked me to do

18 Do not kick / Do not talk

19 It's a science museum / do volcano experiments

20 They're organic / cost too much money / it's worth paying

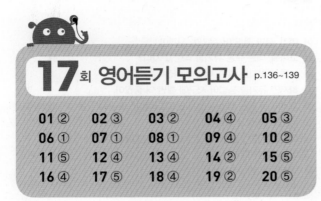

17회 영어듣기 모의고사 p.136~139

01 ②	02 ③	03 ②	04 ④	05 ③
06 ①	07 ①	08 ①	09 ④	10 ②
11 ⑤	12 ④	13 ④	14 ②	15 ⑤
16 ④	17 ⑤	18 ④	19 ②	20 ⑤

1 ②

해석

여 이번 주 독도의 날씨를 알려 드릴 월요일 일기 예보입니다. 오늘은 매우 춥고 바람이 불겠습니다. 내일은 구름이 끼겠지만 약간 따뜻해지겠습니다. 수요일에는 비가 오겠습니다. 비는 금요일까지 계속되겠습니다. 늦은 기상 변화로 주말 동안에는 맑겠습니다.

해설

비가 수요일에 시작되어 금요일까지 계속된다고 했으므로 목요일은 비가 내릴 것이다.

어휘

weather forecast 일기 예보 / ahead 미리 / slightly 약간 / continue 계속되다 / through ~까지 내내

2 ③

해석

[전화벨이 울린다.]

남 여보세요.

여 안녕하세요, David 씨? 그린 플라자 관리실의 Linda예요.

남 다시 전화 주셔서 감사합니다.

여 당신에게 좋은 소식이 있어요, David 씨. 휴대 전화가 접수되었어요. 당신 것처럼 보이네요.

남 정말인가요? 제가 설명해드린 것과 같나요?

여 네, 하지만 확신할 수는 없어요. 언제 확인하러 오실 수 있으세요?

남 바로 갈게요. 행운을 빌고 있어요!

해설

잃어버린 휴대 전화로 추정되는 물건을 찾았다는 소식에 남자는 희망에 가득 차 있다.

① 피곤한 ② 실망한 ③ 희망에 찬 ④ 지루한 ⑤ 자랑스러운

어휘

office 사무실 / call back 다시 전화를 하다 / hand in (분실물을) 인계하다 / describe 말하다, 묘사하다 / keep one's fingers crossed 좋은 결과[행운]를 빌다

3 ②

해석

여 Max는 어디 갔어? 네 가장 친한 친구잖아.

남 그는 나에게 이야기하려고 하지 않아. 내가 그의 생일을 잊어버려서 화가 났거든.

여 그렇게 심각한 건 아니잖아, 그렇지 않니?

남 아냐, 심각해. 그의 생일 파티에 가는 대신 다른 친구들이랑 놀았어! 난 그것 때문에 기분이 좋지 않아.

여 내가 너라면, 그와 대화를 시도하겠어. 네가 그를 얼마나 좋아하는지 말해. 그는 이해해 줄 거야.

해설

여자는 화가 난 친구에게 대화를 시도해 보라고 제안하고 있다.

어휘

forget ~를 잊어버리다 / hang out with ~와 어울리다 / instead of ~대신에 / terrible 기분이 안 좋은 / care about ~에 마음을 쓰다, ~을 좋아하다

4 ④

해석

여 네가 가족과 하와이에 갔었다고 들었어.

남 응. 정말 좋았어!

여 거기에서 무엇을 했니?

남 우리는 해변 바로 앞에 있는 집에 머물면서 매일 파도타기 하러 갔어. 아, 그리고 우리는 진짜 화산도 봤어! 정말 굉장했지.

여 뭐가 가장 좋았니?

남 아, 나는 이걸 절대 잊지 못할 거야! 하루는 돌고래랑 같이 수영을 했어. 그건 믿을 수 없을 정도로 좋았어.

해설

남자는 돌고래와 같이 수영한 것을 잊지 못할 기억으로 꼽았다.

어휘

stay 머물다 / surfing 파도타기 / volcano 화산 / awesome 굉장한 / dolphin 돌고래 / unbelievable 믿기 어려울 정도로 좋은[나쁜]

5 ③

해석

남 오늘 저녁 파티를 위해 큰 사과 파이를 만드는 게 어때요?

여 좋아요. 사람들이 진짜 좋아할 거예요.

남 오, 사과 파이를 만들려면 사과를 사와야 해요.

여 우리는 쇼핑할 시간이 없어요. 손님들이 곧 올 거예요.

남 그럼 냉장고에 있는 채소를 얹어 피자를 만들면 어때요?

여 좋아요. 만들어요!

남 내가 도와줄게요. 내가 피자 반죽을 좀 만들게요.

두 사람은 냉장고에 있는 채소를 이용해 피자를 만들기로 했다.

어휘

go shopping 쇼핑을 가다 / vegetable 채소 / refrigerator 냉장고 / dough 밀가루 반죽

6 ①

해석

남 이것은 매우 차갑고, 뜨거운 날씨에 매우 빨리 녹는다. 당신은 집에서 이것을 만들 수 있다. 단지 특별한 용기, 물, 냉동고가 필요할 뿐이다. 더운 날에 당신은 이것을 음료에 넣어 마신다. 이것은 당신을 시원하게 해 준다. 만약 화상을 입은 곳에 이것을 대고 있으면 이것은 화상을 치료해 줄 것이다. 또한 근육에 통증이 있으면, 이것을 천에 싸서 근육에 대고 있어라. 이것이 통증을 감소시키는 데 도움을 줄 것이다.

해설

차가운 성질을 가지고 있고, 뜨거운 날씨에 빨리 녹으며 음료에 넣어 시원하게 먹을 수 있는 것은 얼음이다.

어휘

melt 녹다 / container 용기 / freezer 냉동고 / add 첨가하다 / burn 화상 / pain 통증 / muscle 근육 / wrap ~을 싸다 / reduce (규모·크기·양 등을) 줄이다[축소하다]

7 ①

해석

남 우리, 할머니 댁에 몇 시에 갈 거야?
여 1시에 있는 고속버스를 타야 할 것 같아.
남 표를 예매해야 해?
여 아니. 하지만 최소한 30분은 일찍 거기에 가 있어야 해.
남 네 시간 거리잖아. 떠나기 전에 식사를 했으면 좋겠어.
여 좋아, 한 시간 일찍 도착하자. 터미널에서 점심을 먹을 거야.

해설

버스 시간은 1시이지만 한 시간 일찍 터미널에 도착해 점심을 먹기로 했으므로 두 사람은 12시에 터미널에 도착할 것이다.

어휘

catch ~를 타다 / express bus 고속버스 / book ~를 예매하다, 예약하다 / at least 최소한 / terminal 터미널

8 ①

해석

① 여 이곳은 화요일과 목요일에 문을 일찍 닫는다.
② 여 이곳은 월요일과 금요일에 문을 일찍 연다.
③ 여 이곳은 토요일과 일요일에는 운영하지 않는다.
④ 여 퀸스 거리 32번지에서 이곳을 찾을 수 있다.
⑤ 여 이곳은 포트 콜린스에 있는 애완동물 가게이다.

해설

화요일과 목요일에는 다른 날보다 문을 늦게 열고 늦게 닫는다.

어휘

close 닫다 / open 열다, 열린 / pet salon 애견 미용실

9 ④

해석

여 이 신발 멋지다. 나 이거 사고 싶어.
남 그럼 사. 그 신발 너한테 잘 어울린다. *[멈춤]* 난 티셔츠가 필요해.
여 젊은 층을 위한 옷은 3층에 있어. 내가 고르는 거 도와줄게.
남 좋아. 그러고 나서 소파 좀 사러 가자.
여 좋아. 가구는 6층에 있어.
남 사실, 나 갑자기 배고파. 푸드코트에 먼저 가자.

해설

신발, 티셔츠, 가구를 한 공간에서 살 수 있는 곳은 백화점이다.

어휘

sneakers 스니커즈(고무창을 댄 운동화) / look good on ~에 어울리다 / furniture 가구 / all of a sudden 갑자기

10 ②

해석

남 Colin은 즐거운 주말을 보냈다. 금요일 밤에 그는 텔레비전에서 하는 농구 경기를 보았다. 토요일 아침에 그는 엄마가 빨래하는 것을 도왔다. 그의 아빠는 가족을 위해 베이컨과 달걀을 요리해 주었다. 아침 식사를 한 후, Colin은 농구를 했다. 부모님이 경기를 보러 왔고 Colin의 팀이 이겼다! 일요일은 여유로웠다. Colin은 도서관에 가서 새로 읽을 책을 빌렸다.

해설

Colin은 금요일 밤에 텔레비전에서 하는 농구 경기를 보고, 토요일 오전에 엄마가 빨래하는 것을 도와 드렸고, 일요일에 도서관에 갔다.

어휘

do the laundry 빨래를 하다 / relaxing 편안한, 느긋한

11 ⑤

해석

남 오늘 달리기하러 갈래? 나는 시 마라톤 코스를 따라 10 km를 달리고 싶어.
여 좋은 생각이긴 한데, 나는 먼저 러닝화를 한 켤레 사야 해.
남 내가 같이 가 줄게. 저기, 9월에 있을 하프마라톤에 온라인으로 등록했어?
여 아니, 나중에 하려고.
남 근데 조기 등록을 하면 20달러가 할인 돼. 오늘이 마지막 날이야.
여 정말? 그럼 지금 등록하자!

해설

두 사람은 할인을 받기 위해 인터넷으로 마라톤 조기 등록을 할 것이다.

어휘

go for a run 달리기를 하러 가다 / along ~을 따라 / marathon 마라톤 / running shoes 운동화 / register 등록하다 / discount 할인 / registration 등록

12 ④

여 부산은 한국에서 두 번째로 큰 도시이고 세계에서 다섯 번째로 붐비는 항구 도시이다. 부산은 넓은 모래사장과 해산물로 유명하다. 부산은 매해 여름 큰 국제 영화제를 여는데 모든 영화계 대 스타들이 참석한다. 부산의 자갈치 시장은 관광객이 가장 좋아하는 곳이다. 자갈치 시장은 한국 시장의 흥미로운 볼거리와 소리를 경험하려고 가볼 만한 곳이다.

해설
부산의 해산물과 자갈치 시장이 유명하다고 언급됐지 부산의 맛집은 언급된 적이 없다.

어휘
seaport 항구 도시 / sandy beach 모래사장 / seafood 해산물 / host ~를 주최하다 / attend 참석하다 / experience 경험하다 / sight 광경

13 ④

해석
[전화벨이 울린다.]
남 베스트 몰 고객 서비스입니다. 무엇을 도와 드릴까요?
여 안녕하세요. 제가 딸을 위해 샀던 배낭 때문에 전화를 드렸어요.
남 네, 손님.
여 저는 군청색을 주문했어요. 그런데 보내 주신 건 보라색이에요.
남 정말 죄송합니다. 군청색 재고가 있어요.
여 그럼, 보내 주세요. 이 가방은 오늘 우편으로 되돌려 보낼게요.
남 알겠습니다. 바로 처리해 드릴게요.

해설
여자는 주문한 것과 다른 색의 제품이 와서 제품을 교환하려고 전화를 걸었다.
① 회답 전화를 하려고 ② 환불을 신청하려고 ③ 주문을 취소하려고 ④ 상품을 교환하려고 ⑤ 서비스에 대해 항의하려고

어휘
customer 고객, 손님 / backpack 배낭 / navy blue 군청색 / purple 보라색 / in stock 재고로 / return 돌려보내다 / by mail 우편으로 / right away 바로, 즉시

14 ②

해석
여 안녕. 네 이름이 뭐니?
남 James요.
여 엄마는 어디에 계셔?
남 모르겠어요.
여 얘, 울지 마. 다 괜찮을 거야. 너 몇 살이니, James?
남 일곱 살이에요.
여 다 컸잖니! 걱정하지 마. 내가 경찰아저씨를 부를게. 그 사람들이 곧 와서 엄마를 찾아줄 거야.
남 엄마랑 아빠가 제게 낯선 사람이랑 얘기하지 말라고 하셨어요.
여 나는 저기에 있는 유치원 선생님이야. 경찰이 올 때까지 내가 같이 있어 줄게. 괜찮겠니?

남 네.

해설
여자는 엄마를 잃어버린 아이를 도와주고 있으므로 시민과 미아의 대화이다.

어휘
nearly 거의 / soon 곧 / stranger 낯선 사람 / kindergarten 유치원 / until ~까지

15 ⑤

해설
남 나는 여행이 모든 사람을 그보다 더 나은 사람으로 만들어 준다고 생각한다. 어떻게? 여행은 젊든 나이가 들었든 모든 종류의 사람과 친구가 되는 법을 당신에게 가르쳐준다. 여행은 당신의 자신감과 지능을 향상시키고 마음을 느긋하게 해 준다. 무엇보다도, 여행은 당신을 더 행복하게 해 준다. 여행은 신나고 도전적이다. 당신이 여행하면 세상은 점점 우호적이고 밝아진다. 그러니 할 수 있을 때마다 여행을 해라!

해설
여행의 여러 가지 장점을 언급하며 시간이 될 때마다 여행을 하라고 조언하고 있다.

어휘
improve 향상시키다 / self-confidence 자신감 / intelligence 지능 / easygoing 느긋한, 태평한 / most of all 무엇보다도 / challenging 도전적인 / whenever ~할 때마다

16 ④

해석
여 파마는 얼마인가요?
남 파마는 짧은 머리에 60달러부터 시작합니다.
여 그런데 제 머리는 꽤 길어요.
남 많이 기시네요. 긴 머리 파마는 130달러이고, 중간 기장은 90달러입니다.
여 머리 자르는 건 얼마죠?
남 기본 커트가 18달러예요.
여 그러면 파마만 할게요.
남 그러세요. 지금 해 드릴까요?
여 네, 그렇게 해 주세요.
남 그럼 저를 따라오세요.

해설
여자는 머리 기장이 길고, 파마만 한다고 했으므로 130달러를 지불해야 한다.

어휘
charge 요금을 청구하다 / perm 파마 / quite 꽤 / follow ~를 따라가다

17 ⑤

해석
① 남 도와 드릴까요?
   여 고맙지만 혼자서 할 수 있어요.
② 남 너는 누가 게임에서 우승할 것 같니?
   여 나는 내가 이기면 좋겠어! 하지만 Jake가 아마 이길 거야.

③ 남 너의 남동생은 몇 살이야?
　여 6월에 일곱 살이 돼.
④ 남 새로 오신 미술 선생님은 어떠셔?
　여 그는 정말 친절하신 것 같아.
⑤ 남 주말에 뭐 했어?
　여 나는 항상 그걸 했어.

해설
남자가 무엇을 했는지 물었는데 여자는 빈도에 관한 대답을 하고 있으므로 어색하다.

어휘
by oneself 혼자서 / probably 아마 / June 6월

18 ④

해석
남 좋은 친구라면 언제나 당신에게 해 주는 몇 가지 일들이 있다. 그는 당신의 감정을 항상 생각하고 당신의 감정을 상하게 하려고 하지 않는다. 그는 당신에게 한 약속을 지킨다. 그는 약속시간을 지키려고 하고, 당신을 기다리게 하지 않는다. 그는 당신에게 솔직하며 절대로 당신에게 거짓말하지 않는다. 그리고 그는 절대로 당신의 뒤에서 당신에 대한 좋지 않은 이야기를 하지 않는다. 당신은 그를 믿을 수 있다.

해설
좋은 친구가 영원히 좋은 친구라는 내용은 언급된 적이 없다.
① 좋은 친구는 당신의 감정에 상처 주지 않는다. ② 좋은 친구는 당신을 기다리게 하지 않는다. ③ 좋은 친구는 결코 당신의 뒷담화를 하지 않는다. ④ 좋은 친구는 평생 좋은 친구이다. ⑤ 좋은 친구는 당신이 믿을 수 있는 친구이다.

어휘
consider 고려하다, 생각하다 / feeling 기분 / hurt 마음을 아프게 하다 / keep promise 약속을 지키다 / honest 정직한, 솔직한 / tell a lie 거짓말하다 / behind one's back ~의 뒤에서, ~모르게 / trust 신뢰하다

19 ②

해석
남 이봐 Mary. 뭐 때문에 웃는 거야?
여 우리 오빠한테 온 이메일을 읽고 있어. 그는 지금 미국에 있거든.
남 아, 어떻게 지내셔?
여 그는 아주 잘 지내고 있어.
남 잘 됐구나. 그에게 내 안부를 전해줘.
여 그럴게.
남 그는 언제 돌아오니?
여 그는 6월에 돌아올 거야.

해설
오빠가 언제 돌아오느냐고 물었으므로 6월에 돌아온다는 응답이 가장 자연스럽다.
① 내가 나중에 답장 할게. ③ 네가 그렇게 해도 괜찮아. ④ 그는 이메일을 재미있게 써. ⑤ 너는 그를 파티에서 만났어.

어휘
smile at ~을 보고 미소를 짓다 / the States 미국 / say hello to ~에게 안부를 전하다

20 ⑤

해석
여 좋은 소식과 나쁜 소식이 있어.
남 그래요? 나쁜 소식부터 말해 주세요.
여 네 동생이 네 검은색 청바지를 입었는데 찢어졌구나.
남 오, 이런! 그건 내가 제일 아끼는 거예요.
여 좋은 소식을 알고 싶지 않니?
남 별로요, 엄마. 저 지금 동생에게 화가 나요. 그런데 좋은 소식이 뭔데요? 새 걸로 사 주실 건가요?
여 맞았어! 내가 널 위해 새 바지를 샀어.

해설
좋은 소식에 관해 물었으므로 새 바지를 샀다는 좋은 소식을 전해 주는 것이 자연스럽다.
① 그는 그것을 몹시 좋아했어. ② 말도 안 돼 나는 그것을 원하지 않아. ③ 누구도 그것을 입기를 원하지 않아. ④ 고마워. 내가 검정 청바지를 가질게.

어휘
jeans 청바지 / tear ~을 찢다 / wear ~을 입다 / bingo 맞았다

Dictation  p.140~143

1　cold and windy / The rain will continue
2　handed in a cell phone / keeping my fingers crossed
3　won't talk to me / If I were you
4　What did you do / We swam with dolphins
5　buy some apples / what about making pizza
6　melt quickly in hot weather / make you cool / reduce pain
7　book tickets / an hour early
8　It closes earlier / It's not open
9　look good on you / help you choose one
10　watched basketball / played basketball / went to the library
11　go for a run / did you register / for early registration
12　It's famous for / a favorite destination for visitors
13　calling about a backpack / return this bag
14　Where's your mom / find your mom / I'll stay with you
15　make friends with / it makes you happier / whenever you can
16　charge for a perm / It's very long / get a perm only
17　win the game / How do you like
18　keeps the promises / never tells a lie / You can trust him
19　how is he doing / When is he coming back
20　tore them / buy me new ones

01 ④	**02** ②	**03** ③	**04** ④	**05** ④
06 ⑤	**07** ⑤	**08** ①	**09** ⑤	**10** ⑤
11 ③	**12** ②	**13** ①	**14** ⑤	**15** ②
16 ③	**17** ⑤	**18** ④	**19** ⑤	**20** ⑤

1 ④

해석

여 아빠, 엄마 생신에 신발을 사 드려요.
남 그래. 어떤 종류로?
여 샌들이나 하이힐은 어때요?
남 내 생각엔 편안한 신발이 더 좋을 것 같구나.
여 그럼 이 털신은 어떠세요? 따뜻해 보여요.
남 겨울은 거의 끝나 가잖니, 얘야. 봄이 오고 있어.
여 아! 그러면 운동화를 사 드려요. 엄마가 좋아할 거예요!

해설

겨울이 거의 끝나가고 봄이 오고 있어서 두 사람은 운동화를 사기로 했다.

어휘

a pair of 한 켤레 / kind 종류 / sandals 샌들 / high heel shoes 하이힐, 굽이 높은 신발 / comfortable 편안한 / fur 털 / be over 끝나다 / nearly 거의 / sneakers 운동화

2 ②

해석

여 오늘의 전국 날씨입니다. 서울에는 눈이 15센티미터까지 내리겠습니다. 수원은 아주 춥지만 맑겠으며 광주는 춥고 바람이 불겠고, 인천은 춥고 비가 내리겠습니다. 마지막으로, 제주도는 맑고 따뜻하겠습니다.

해설

수원은 춥지만 맑다고 했다.

어휘

around the country 전국의, 전국에 걸쳐 / up to ~까지 / windy 바람이 부는

3 ③

해석

여 안녕! 오늘 학교생활은 어땠어?
남 나쁘지 않았어.
여 과학 숙제는 했어?
남 아니, 못 했어. 컴퓨터가 고장 났거든.
여 언제까지 해야 하는데?
남 내일까지 해야 돼. 어떡하지?
여 내 컴퓨터를 쓰는 게 어때?
남 정말? 괜찮겠어?
여 물론. 오늘 오후에는 컴퓨터가 필요하지 않거든.

해설

컴퓨터가 필요한 상황에서 여자가 컴퓨터를 빌려준다고 했으므로 남자는 기뻤을 것이다.
① 재미있는 ② 자신 있는 ③ 기쁜 ④ 실망한 ⑤ 당황한

어휘

science 과학 / broken 고장 난, 부서진 / due ~하기로 되어 있는

4 ④

해석

여 16달러짜리 초밥과 4달러짜리 야채 샐러드 주세요.
남 점심 시간에는 10% 할인이 됩니다. 마실 것을 드시겠어요?
여 차는 얼마죠?
남 식사와 함께 무료로 제공됩니다.
여 그러면 차로 주세요!

해설

여자는 총 20달러를 내야 하지만, 점심시간이라서 10% 할인을 받아 18 달러만 지불하면 된다.

어휘

sushi 초밥 / plate 요리 / discount 할인 / pot 주전자 / free 무료의 / meal 식사

5 ④

해석

여 Tom, 나 킹스 워터파크 공짜 표가 생겼어.
남 정말? 같이 가자! 몇 시에 문을 열어?
여 10시에 여는데, 표는 야간 시간에만 쓸 수 있는 사용권이야.
남 그러면 언제 만날까?
여 6시 30분이 좋을 것 같아.
남 워터파크에 들어가기 전에 같이 저녁 식사하는 건 어때?
여 좋은 생각이야.
남 그럼 5시 30분에 만나자.

해설

두 사람은 워터파크에 들어가기 전에 저녁을 먹기 위해 5시 30분에 만나기로 했다.

어휘

go together 함께 가다 / only 오직 / enter ~에 들어가다

6 ⑤

해석

[초인종이 울린다.]
여 누구세요?
남 마이크 가전제품점에서 온 Dan입니다, Thompson 부인.
여 들어오세요. 세탁실로 안내해 드릴게요.
남 부인께서 전화로 발열 부분에 문제가 있다고 하셨어요.
여 네, 그런 거 같아요.
남 알겠습니다. 제가 건조기를 한번 살펴보고 고치는 데 돈이 얼마나 들지 알려 드릴게요.
여 마실 것 좀 드릴까요? 물이나 주스요?

남 물 주세요. 고맙습니다.

해설
건조기를 고치러 온 사람은 수리 기사. 건조기 수리를 요청한 사람은 고객
이다.

어휘
appliance 가정용 전기기기 / laundry 세탁 / heating 가열하는 / take a
look ~을 한번 보다 / dryer 건조기 / cost 비용이 들다 / fix ~를 고치다

7 ⑤

해석
여 여러분, 주목해 주세요. 우리는 20분 후에 출발합니다. 승선할 준비를
    해 주십시오. 항구 직원이 승객 여러분을 안내해 드릴 것입니다. 승객
    들은 승선 중에는 차량 갑판으로 가는 것이 금지되어 있습니다. 승선
    하셔서 여러분 모두를 만나 뵙기를 기대합니다!

해설
승객에게 승선할 준비를 하라는 것으로 보아 방송은 항구에서 이루어지고
있음을 알 수 있다.

어휘
depart 출발하다 / board 승선하다 / ferry 유람선 / port 항구 / permit
허용하다 / vehicle 차량, 탈것 / deck 갑판, 층 / look forward to ~을
고대하다 / aboard 탑승한

8 ①

해석
남 나는 세상에서 가장 유용한 발명품 중 하나이다. 전 세계적으로 사람
    들 대부분이 매일 사용한다. 당신은 내 위에 글씨를 쓸 수 있고 내 위
    에 쓰인 것을 읽을 수도 있다. 나는 나무로 만들어진다. 나는 재활용되
    거나 다시 사용될 수 있다. 나는 아주 얇고 편평하다. 당신은 나와 막
    대기를 사용해 연을 만들 수 있다. 책은 나를 사용해 만들어진다. 화장
    실 휴지도 나를 사용해 만들어진다. 나는 무엇일까?

해설
나무로 만들어진 얇고 편평한 것으로 글씨를 쓸 수 있고 책이나 휴지를
만들 수 있는 것은 종이이다.
① 종이 ② 펜 ③ 옷감 ④ 컴퓨터 ⑤ 가구

어휘
useful 유용한 / invention 발명품 / made from ~로 만든 / recycle
재생하다, 재활용하다 / thin 얇은 / flat 편평한 / kite 연 / stick 막대기 /
made of ~로 만들어진 / toilet tissue 화장지

9 ⑤

해석
여 이 오이는 신선하고 좋아 보여. 저 상추도 그래.
남 이것들을 장바구니에 넣어 줘. 샐러드를 만들어 줄게.
여 브로콜리랑 버섯도 사자.
남 그럼 이제 양파만 좀 있으면 되겠네.
여 잠깐, 나는 양파에 알레르기가 있어.
남 오, 그럼 양파를 살 필요가 없겠네.

해설
남자는 양파를 사려고 했지만, 여자가 알레르기가 있다고 해서 사지 않기로
했다.
① 오이 ② 상추 ③ 브로콜리 ④ 버섯 ⑤ 양파

어휘
cucumber 오이 / lettuce 상추 / broccoli 브로콜리 / mushroom 버섯 /
onion 양파 / be allergic to ~에 대해 알레르기가 있다

10 ⑤

해석
여 알파 종이 회사입니다. 저는 Pam입니다.
남 안녕하세요, Judy Davis 씨와 통화할 수 있을까요?
여 그녀는 지금 회의 중이에요. 메시지를 남기시겠어요?
남 저는 Mike Lee예요. 오늘 Judy 씨와 약속이 있어요.
여 네, Mike 씨. 여기 그녀의 일정표에 당신이 있네요.
남 아, 좋아요. 약속 시간이 2시 30분인가요? 제가 메모를 잃어버려서요.
여 아뇨, 두 시예요. 괜찮으시겠어요?
남 네. 확인 차 전화하길 잘했네요.

해설
남자는 약속 시간을 확인하기 위해 전화를 걸었다.

어휘
company 회사 / take a message 메시지를 받아 적다 / schedule
일정 / lose ~을 잃어버리다(lose-lost-lost) / check 확인하다

11 ③

해석
여 당신은 온라인으로 쇼핑하는 것을 좋아하는가? 많은 사람들이 최상
    의 거래를 찾으려고 노력한다. 그러면 온라인으로 어떻게 더 똑똑한 구
    매를 할 수 있을까? 당신이 알아야 하는 네 가지가 있다. 첫째, 상품의
    정확한 이름을 입력해라. 둘째, 당신이 받을 수 있는 할인을 확인해라.
    셋째, 반드시 고객 리뷰를 읽도록 해라. 마지막으로, 배송 사항을 확인
    해라. 많은 온라인 쇼핑몰에서는 무료 배송 서비스를 제공한다.

해설
결제 방법을 확인하라는 내용은 언급되지 않았다.

어휘
deal 거래 / enter 입장하다, 들어가다 / exact 정확한 / discount 할인 /
make sure ~을 확실히 하다 / review 리뷰, 검토 / delivery 배달, 배송

12 ②

해석
여 주말에 무슨 계획 있어?
남 응. 우리 엄마가 겨울에 먹을 김치를 담그실 거래. 토요일에 우리 집에
    올래?
여 김치에 대해 모든 걸 배우고 싶어. 하지만 난 아빠랑 하이킹을 가기로 했어.
남 그렇다면 어쩔 수 없지. 다음 기회를 기약해야겠다.

여 아, 가져오지 않은 학생은 수업을 들을 수 없어.
남 나 완전히 잊고 있었어. 지금 크레파스를 사러 가야겠다. 스케치북은 이미 있거든.
여 그래, 이따 봐.

해설
남자는 미술 수업 준비물인 크레파스를 사러 갈 것이다.

어휘
get ready 준비하다 / forget 잊어버리다 / crayon 크레파스 / sketchbook 스케치북 / participate in ~에 참여하다 / totally 완전히

---

16 ③

해석
① 여 너는 어느 계절이 좋아, 여름 아니면 겨울?
　남 겨울. 나는 겨울 스포츠를 좋아해.
② 여 넌 동계 올림픽이 기대되니?
　남 응, 특히 쇼트트랙 스케이팅이 기대 돼.
③ 여 넌 한 달에 몇 번 외식을 하니?
　남 다음에 언제 한번 가자.
④ 여 너 초밥 먹어 본 적 있니?
　남 딱 한 번 먹어 봤어.
⑤ 여 그걸 어떻게 하는 건지 알려 줄래?
　남 물론. 문제없어.

해설
여자가 남자에게 외식하는 빈도를 물었는데, 다음번에 가자는 응답은 적절하지 않다.

어휘
look forward to ~을 기대하다 / Winter Olympics 동계 올림픽 / eat out 외식하다 / try ~를 해 보다

---

17 ⑤

해석
여 손님 여러분, 주목해 주시기 바랍니다. 저희는 금색 체인 끈이 달린 검은색 핸드백을 보관하고 있습니다. 가방 안에는 운전 면허증과 다른 신분증이 들어있는 지갑이 있습니다. 이 가방을 잃어버리신 분께서는 6층에 있는 고객 서비스 센터로 와 주시기 바랍니다. 다시 한 번 말씀드립니다. 금색 체인 끈이 달린 검은색 가방입니다. 감사합니다.

해설
분실물로 접수된 검은 핸드백의 주인을 찾는 안내 방송이다.

어휘
chain 쇠사슬 / strap 끈, 줄 / wallet 지갑 / driver's license 운전면허증 / I.D. 신분증(identification)

---

18 ④

해석
남 학생 여러분, 여름 방학이 다가오고 있습니다. 여러분은 곧 더 많은 자유 시간을 가지게 됩니다. 시간 관리 기술을 발전시키는 것은 매우 중

(왼쪽 단)

해설
여자는 토요일에 아빠와 하이킹을 가기로 했다.

어휘
plan 계획하다, 계획 / would love to ~을 하고 싶다 / learn 배우다 / go hiking 하이킹하러 가다

---

13 ①

해석
여 신 나는 데 가고 싶다.
남 도날드 놀이공원 가는 거 어때?
여 좋아. 놀이공원 웹사이트를 확인하자.
남 우리는 무료 셔틀 버스를 이용할 수 있어! 그랜빌 거리에 있대.
여 좋다! 입장료는 모든 연령이 20달러이고, 오전 11시부터 오후 11시까지 운영한대.
남 와! 우리 밤늦게까지 많은 놀이기구를 탈 수 있겠다.
여 오후 2시와 6시에는 멋진 퍼레이드가 있을 거래.

해설
놀이공원은 오전 10시가 아니라 오전 11시부터 오후 11시까지 영업한다.

어휘
amusement park 놀이공원 / shuttle bus 근거리 왕복버스, 셔틀버스 / admission fee 입장료 / ride 놀이기구

---

14 ⑤

해석
남 네가 제일 좋아하는 드라마 시리즈는 뭐야?
여 나는 재미있는 건 뭐든지 좋아해. 의학 드라마도 좋아. 너는?
남 내가 좋아하는 TV 쇼와 영화는 모두 변호사에 관한 거야. 내 장래 희망이거든.
여 과학자나 경찰이 아니고?
남 응, 나는 사람들에게 법에 관한 조언을 해 주고 싶거든.

해설
남자는 장래 희망이 변호사이기 때문에 변호사와 관련된 TV 쇼와 영화를 좋아한다고 했다.
① 배우 ② 의사 ③ 과학자 ④ 경찰관 ⑤ 변호사

어휘
favorite 가장 좋아하는 / comedy 희극, 유머 / all of ~의 전부 / lawyer 변호사 / advise 조언하다 / law 법, 법률

---

15 ②

해석
[전화벨이 울린다.]
여 여보세요.
남 안녕, Jennifer, 오늘 미술 센터에서 하는 수업에 가니?
여 그럼. 지금 가려고 준비하고 있어. 네가 좋다면, 우리 같이 걸어가자. 크레파스랑 스케치북 챙기는 거 잊지 말고.
남 뭐라고? 오늘 우리 수업에 그거 가져가야 해?
여 너 잊어버렸구나, 그렇지? Cooper 선생님이 가져오라고 말씀하셨잖

요합니다. 시간 관리를 잘하는 학생은 실패하는 않는다는 것을 말해주고 싶습니다. 균형 잡힌 일정을 짜고 그것을 성실하게 지키세요. 저는 여러분이 시간을 낭비하지 않기를 바랍니다.

해설
남자는 방학의 자유 시간을 알차게 쓸 수 있는 시간 관리의 중요성을 강조하고 있다.

어휘
extremely 굉장히 / develop 발달시키다 / management 관리 / balanced 균형 잡힌 / follow ~을 지키다 / faithfully 충실히, 성실하게 / waste ~을 낭비하다

19 ⑤

해석
남 너는 여가에 주로 무엇을 하니?
여 난 영화 보는 걸 좋아해.
남 넌 어디서 영화를 보니? 집 아니면 영화관?
여 나는 영화관을 선호해.
남 나도. 어떤 장르의 영화 좋아해?
여 액션 영화. 너는?
남 나도.
여 다음번에 같이 영화 보러 가자.

해설
남자와 여자는 영화 취향이 비슷하므로 다음에 영화를 같이 보러 가자고 제안하는 것이 가장 적절하다.
① 넌 그것을 볼 수 있어. ② 그건 내 취향이 아니야. ③ 나는 TV 보는 것을 좋아해. ④ 그 영화들을 온라인으로 볼 수 있니?

어휘
free time 여가 / movie theater 영화관 / prefer ~을 선호하다 / available 이용할 수 있는 / film 영화

20 ⑤

해석
남 Sarah와 Jack은 오늘 데이트를 한다. Sarah를 만나러 가는 길에, Jack은 도움이 필요한 할머니를 만난다. 그 할머니는 큰 상자를 옮기려고 하고 있다. Jack은 상자를 들어 드리겠다고 한다. 할머니를 도와드린 후, Jack은 Sarah와의 약속에 늦었다는 걸 깨닫는다. 그래서 그는 Sarah에게 전화를 건다. 이런 상황에서, Jack이 Sarah에게 할 말은 무엇인가?
Jack 나 몇 분 정도 늦게 도착할 거야. 미안해.

해설
Jack은 약속에 늦었으므로 Sarah에게 미안하다고 말을 하는 것이 가장 적절하다.
① 나도 모르겠어. ② 메시지를 남겨도 될까? ③ 잘못된 번호인 것 같아. ④ 널 만나서 정말 반가웠어.

어휘
have a date 데이트하다, 만날 약속이 있다 / on one's way 도중에 / carry ~을 들다, 옮기다 / offer ~을 제공하다 / realize ~을 깨닫다 / run late ~에 늦다

Dictation
p.148~151

1 a new pair of shoes / would be better / get her sneakers
2 very cold but clear / warm weather
3 is broken / using my computer
4 anything to drink / It's free
5 only for night hours / we should meet at
6 Who is it / take a look
7 on the ferry / during boarding
8 made from trees / Books are made of me
9 make a salad / I'm allergic to
10 have a meeting / called to check
11 you need to know / check the delivery options
12 for the weekend / go hiking
13 go somewhere interesting / free shuttle bus / enjoy many rides
14 about lawyers / advise people
15 getting ready / bring them to class / buy crayons
16 Are you looking forward to / Have you ever tried
17 have a black handbag / missing this bag
18 have more free time / manage their time
19 in your free time / What kind of movie
20 have a date / offers to help / running late

19회 영어듣기 모의고사 p.152~155

01 ③	02 ③	03 ③	04 ①	05 ③
06 ④	07 ①	08 ③	09 ⑤	10 ④
11 ③	12 ②	13 ④	14 ④	15 ④
16 ①	17 ②	18 ③	19 ④	20 ⑤

1 ③

해석
남 내일이 어버이날이야.
여 알아. 우리는 꽃을 사야겠다.
남 꽃 말고 다른 거 하는 게 어때? 저번에 해 드렸잖아.
여 그래, 생각해 둔 거 있어?
남 비타민을 사는 건 어때? 비타민은 부모님이 건강하게 오래 사시는 데 도움이 될 거야.
여 그거 좋은 생각이야. 비타민을 어디에서 사지?

두 사람은 어버이날 선물로 비타민을 사 드리기로 했다.

어휘
Parents' Day 어버이날 / except ~을 제외하고는 / have something in mind ~을 마음에 두다 / healthy 건강한

2 ③

해석
여 창 밖을 봐! 하늘에 예쁜 무지개가 있어!
남 우와! 그럼 내일 날씨는 맑겠다는 얘기네. 나는 비에 질렸어.
여 나도 몰라. 그런데 일기 예보에서는 오늘밤에 하늘이 맑을 거라고 했어.
남 내가 날씨를 확인해 볼게. 여기에 날씨가 있어. 내일 아침은 맑고, 오후에는 구름이 낄 거래.

해설
날씨를 확인한 남자가 내일 오후에는 구름이 낀다고 했다.

어휘
rainbow 무지개 / mean 의미하다 / be tired of 싫증이 나다

3 ③

해석
여 줄이 정말 길다! 우리는 결코 저기에 도착하지 못할 거야.
남 분명히 갈 수 있을 거야. 참을성을 가져 봐.
여 하지만 나는 이걸 타려고 정말 오래 기다렸단 말이야!
남 나도야. 모두가 이걸 최고의 롤러코스터라고 한단 말이야!
여 알아. 너무 신 나.
남 나도. 우리 차례가 점점 가까워지고 있어. 아마도 다음 걸 탈 수 있을지도 몰라!

해설
남자는 롤러코스터를 타기 직전이라 매우 신이 나 있다.
① 놀란 ② 혼란스러운 ③ 신이 난 ④ 화가 난 ⑤ 실망한

어휘
line 줄 / patient 참을성 있는 / roller coaster 롤러코스터 / close 가까운 / get on 타다 / ride 놀이기구

4 ①

해석
여 네가 권투 동아리에 가입했다고 들었어.
남 응. 재미있어. 실제로 싸우는 건 아니야.
여 나도 해 보고 싶다.
남 이번 주말에 나랑 같이 가자! 나는 토요일마다 가.
여 다음 주 토요일에 가도 괜찮을까? 이번 주는 안 돼.
남 맞다. 너 친구랑 영화 보러 간다고 했었지.

해설
여자는 이번 주말에 친구들과 영화를 보기로 했다.

어휘
join ~에 가입하다 / boxing 권투 / club 동아리 / fighting 싸움 / mind 언짢아하다, 꺼려하다

5 ③

해석
남 너 면접 어디에서 있어?
여 시내에서. 나는 버스나 전철을 타고 갈 수 있어.
남 넌 걸을 수도 있어. 오늘 날이 좋잖아.
여 사실, 나 택시를 탈 거야. 하이힐을 신고서는 멀리 걸을 수가 없거든.

해설
하이힐을 신고 멀리 걷기 어려운 여자는 택시를 탈 거라고 했다.

어휘
job interview 면접 / downtown 시내에 / take the subway 지하철을 타다 / catch a taxi 택시를 타다 / far 멀리 / high heel 하이힐, 굽이 높은 신발

6 ④

해석
여 나는 한국의 전통 음식입니다. 나는 여러 가지 종류가 있습니다. 나는 주로 여러 종류의 양념들과 채소로 만들어집니다. 가장 일반적인 것은 배추, 고춧가루, 무, 소금으로 만들어진 것입니다. 나는 맵고 종종 시기도 합니다. 나는 정말 건강에 좋은 음식입니다. 나는 누구일까요?

해설
한국 전통 음식이고, 맛이 맵고 배추로 만들어진 것은 김치이다.
① 초밥 ② 불고기 ③ 치즈 ④ 김치 ⑤ 요구르트

어휘
traditional 전통적인 / kind 종류 / spice 양념 / cabbage 배추, 양배추 / red pepper 고추, 고춧가루 / radish 무 / spicy 매운 / sour (맛이) 신

7 ①

해석
남 Lawrence는 대형 레스토랑에서 일한다. 그녀는 손님을 행복하게 해 주는 것을 즐기고, 대부분 손님은 쉽게 기뻐한다. 하지만 몇몇은 그렇지 않다. 그들은 항상 불평하고, 서빙을 받기 위해 그녀의 이름을 큰소리로 부른다. 그녀는 이런 손님을 좋아하지 않지만, 결코 그들에게 화내지 않고, 그들을 만족시키기 위해 더 열심히 일한다. 그녀는 항상 그들에게 더 나은 서비스를 제공하려고 노력한다.

해설
Lawrence는 대형 음식점에서 손님을 상대하고 서빙하는 종업원이다.

어휘
customer 고객, 손님 / please 기쁘게 하다 / complain 불평하다 / loudly 큰 소리로 / serve 봉사하다 / get angry at ~에게 화를 내다

8 ③

해석
남 휴가 동안 미국에서 어디를 갔어?
여 워싱턴, 오리건, 캘리포니아, 콜로라도에 갔어. 정말 환상적이었지.
남 어디가 가장 즐거웠는데?

여 캘리포니아. 나는 데스밸리에 처음 가 봤어. 그곳은 사막이야.
남 정말? 나도 늘 거기에 가고 싶었는데.

해설
여자는 캘리포니아에 있는 데스밸리가 가장 즐거웠다고 했다.
① 워싱턴 ② 오리건 ③ 캘리포니아 ④ 콜로라도 ⑤ 애리조나

어휘
during ～동안 / holiday 휴가 / fantastic 환상적인 / desert 사막 / always 항상

9 ⑤

해석
남 Lucy, 너 무슨 생각을 해?
여 난 숙제로 독후감을 써야 돼.
남 그런데 무슨 문제라도 있어? 넌 「이솝 우화」를 좋아하잖아, 그렇지?
여 응. 하지만 내 생각에 그 이야기는 너무 쉬운 것 같아.
남 「어린 왕자」나 「정글북」은 어때? 아니면 「셜록 홈즈」도 있고.
여 다른 걸 써야 할 것 같아.
남 어디 보자. 「오페라의 유령」은 어때?
여 바로 그거야! 딱 좋은 것 같아. 고마워.
남 도움이 되었다니 다행이야.

해설
여자는 남자가 마지막에 제안한 「오페라의 유령」을 선택했다.

어휘
book report 독후감 / fable 우화 / another 다른 / phantom 유령, 혼령 / be perfect for ～에게 꼭 맞는

10 ④

해설
남 너 뭐 보고 있어?
여 시내 대형 서점 광고야. 다음 주에 다시 문을 연대.
남 리모델링 작업이 대단했다고 들었어.
여 우리 가서 한번 보자. 7일 동안 세일을 하네.
남 할인해 준다고?
여 책은 50퍼센트 할인된대.
남 좋은데. 거기에서 DVD도 팔아?
여 응. 그리고 무료로 주차할 수 있대.

해설
50퍼센트 할인은 DVD가 아니라 책에 해당된다.
① 시내에 위치 ② 다음 주에 재개업 ③ 7일간의 세일 ④ DVD 50퍼센트 할인 ⑤ 무료 주차

어휘
ad 광고(advertisement) / remodeling 리모델링 / amazing 놀라운 / check out 살펴보다 / discount 할인 / off 할인해서, 공제해서 / park 주차하다 / for free 무료로

11 ③

해석
남 여기가 내가 가장 좋아하는 요리 웹사이트야. 좋은 요리법이 많이 있어.
여 어디 보자. 난 뷔페 요리를 찾는 중이야.
남 Mary네 집들이 파티를 위해서지?
여 응. 샌드위치, 케이크, 파이, 쿠키 요리법이 있네.
남 Mary네 파티 뷔페에는 호박 파이가 좋을 것 같아.
여 하지만 그건 만드는 데 너무 오래 걸려. 나는 샐러드를 만들어야겠어.

해설
여자는 호박 파이를 만드는 데 시간이 오래 걸려 샐러드를 만들기로 했다.

어휘
recipe 요리법 / buffet 뷔페 / dish 요리 / housewarming 집들이 / pumpkin 호박

12 ②

해석
[전화벨이 울린다.]
남 여보, 지금 뭐 하고 있어요?
여 슈퍼마켓에 있어요. 저녁으로 뭐 먹고 싶어요?
남 그런 걱정하지 말아요. 오늘 저녁은 외식합시다.
여 오늘 밤에 외식하고 싶어요? 외식하는 이유가 있어요?
남 나 오늘 보너스를 많이 받았어요! 당신이 좋아하는 레스토랑 아무 데나 골라도 돼요.
여 정말 좋네요. 축하해요!

해설
남자는 보너스를 많이 받아 여자와 외식을 하려고 전화했다.

어휘
worry about ～에 대해 걱정하다 / eat out 외식하다 / reason 이유 / choose 고르다 / fantastic 환상적인

13 ④

해석
여 이것이 너무 무겁구나. Harry, 이 상자를 뒷마당으로 옮기는 것을 좀 도와줄래?
남 엄마, 저 영어 숙제 하느라 바빠요.
여 오래 안 걸릴 거야. 지난번에는 컴퓨터로 보고서 쓰느라 바쁘다더니, 친구들이랑 축구 했잖아. 맞지?
남 죄송해요, 엄마. 이번엔 진짜예요. 아빠한테 엄마를 도와 드리시라고 부탁드릴게요.

해설
남자는 영어 숙제를 하느라 바빠서 엄마를 도와줄 수 없다고 했다.

어휘
backyard 뒷마당 / take time 시간이 걸리다 / write a report 보고서를 쓰다 / serious 심각한, 진지한, 진정의 / ask ～을 부탁하다

14 ④

해석

남 야호! 우리는 오늘 워터파크에 간다!
여 우리가 뭘 가져가야 하지?
남 글쎄. 수영복, 모자, 수건, 선글라스가 필요해.
여 워터파크에서 공짜로 수건을 제공하지 않아?
남 아니. 구명조끼는 제공해. 그래서 구명조끼는 가져가지 않아도 돼.
여 오, 좋아. 정말 기대된다!

해설

남자는 워터파크에서 구명조끼를 제공하니 챙기지 않아도 된다고 했다.

어휘

bring ~을 가져가다 / swimsuit 수영복 / provide ~를 제공하다 / life jacket 구명조끼

15 ④

해석

남 오늘은 우리가 실버 케어 센터에서 봉사 활동을 시작하는 날이야.
여 나 약간 긴장돼. 거기 몇 시에 가야 해?
남 오전 10시에.
여 우리 일찍 만나서 같이 갈 수 있을까? 나는 혼자 가고 싶지 않아.
남 그래. 몇 시에 만날까?
여 우리 엄마가 거기까지 태워주실 거야. 그러니까 8시 30분은 어때?
남 우리 집에서 센터까지는 15분밖에 안 걸려. 9시 30분에 만나자.

해설

남자는 집에서 센터까지 가깝기 때문에 9시 30분에 만나자고 제안했다.

어휘

volunteer job 봉사 활동 / nervous 긴장한 / alone 혼자서 / drive 운전하다, 태워다 주다

16 ①

해석

① 여 이 버스가 올림픽 공원에 가나요?
　남 이건 정말 잘 가요.
② 여 넌 얼마나 자주 영화를 보러 가니?
　남 한 달에 한 번.
③ 여 이건 어떠세요?
　남 너무 작은 것 같은데요.
④ 여 우리 어디에서 만날까?
　남 미술관에서 만나자.
⑤ 여 어떤 것이 더 좋아요?
　남 저는 파란색이 더 좋아요.

해설

버스가 공원에 가느냐는 질문에 버스가 잘 간다라는 답변은 어색하다.

어휘

often 자주 / go to the movies 영화 보러 가다 / once 한 번 / gallery 미술관, 화랑 / prefer ~을 선호하다

17 ②

해석

여 실례합니다. 도와 드릴까요?
남 네, 저는 샌들을 찾고 있어요. 하나 추천해 주시겠어요?
여 물론이죠. 이 흰색 끈이 달린 상품은 우리 매장에서 가장 잘 팔리는 상품이에요. 매우 가벼워요. 한번 신어보시겠어요?
남 네, 사이즈 10이 있나요?
여 뒤쪽에서 확인해야 해요. 잠시만요.
남 알겠어요.

해설

남자가 샌들을 추천해 달라고 하고, 여자가 사이즈를 찾아주는 것으로 보아 점원과 고객의 대화임을 알 수 있다.

어휘

sandal 샌들 / recommend ~를 추천하다 / strap 끈 / best-selling 가장 많이 팔리는 / try on 신어 보다, 입어 보다 / light 가벼운

18 ③

해석

여 주목해 주십시오. 저는 문화부에서 온 Becky라고 합니다. 제가 여러분께 도서관에서 지켜야 할 예절에 대해 말씀 드리고자 합니다. 책을 읽으실 때 떠들지 마시기 바랍니다. 또한 책에 밑줄을 긋거나 책장을 찢는 행위도 삼가 주세요. 도서관에서 나가실 때에는 다른 학생들을 방해하지 말아 주세요. 들어 주셔서 감사합니다.

해설

여자는 도서관에서 지켜야 할 예절에 대해 설명하고 있다.

어휘

etiquette 예의, 에티켓 / library 도서관 / make noise 떠들다 / underline 밑줄을 긋다 / tear 찢다 / leave 떠나다 / bother ~를 귀찮게 하다

19 ④

해석

남 우리는 주말에 강아지 한 마리를 입양했어.
여 정말? 나는 강아지를 좋아해. 어떤 종류의 강아지를 입양했니?
남 사진을 보여 줄게. 내 스마트폰에 사진이 많이 있어.
여 와, 정말 귀엽다! 이 강아지는 수컷이니, 암컷이니?
남 암컷이야.
여 이름이 뭐니?
남 아직 결정하지 못했어.

해설

여자가 강아지의 이름을 물었으므로, 아직 결정하지 못했다는 응답이 가장 자연스럽다.
① 좋은 사진이구나. ② 그녀가 뭐라고 했는지 까먹었어. ③ 그들은 애완동물 키우는 걸 허락하지 않아. ⑤ 우리 부모님이 허락하지 않으실 거야.

어휘

adopt 입양하다 / kind 종류 / show 보여 주다 / smartphone 스마트폰 / cute 귀여운 / allow 허락하다 / decide 결정하다 / let ~에게 …하도록 시키다

20 ⑤

해석
남 너 우리 콘서트홀에 대해 들었어? 문을 닫을 거래.

여 오, 세상에! 왜?

남 시의회에서 그 건물을 팔기로 결정했대. 그 돈은 더 좋은 학교를 위해 쓰일 거라고 하더라.

여 어떻게 그럴 수가 있지? 우리는 콘서트 홀이 필요해. 우리가 이 사안에 대해 무언가 해야 한다고 생각하지 않아?

남 응, 네 말에 전적으로 동의해.

해설
여자와 남자는 콘서트홀이 필요한 상황이므로 여자의 제안에 대해 동의한다는 응답이 가장 자연스럽다.
① 그래, 난 할 수 있어. ② 고마워. 그걸로 할게. ③ 좋아. 집에 있도록 하자.
④ 나는 콘서트에 가야만 해.

어휘
shut down 문을 닫다 / city council 시의회 / sell 팔다 / building 건물 /
pay for ~의 값을 치르다 / totally 전적으로 / agree 동의하다

Dictation
p.156~159

1　except flowers / How about vitamins

2　rainbow in the sky / clear skies / cloudy in the afternoon

3　This line is so long / I'm so excited

4　would love to try it / Do you mind

5　take the subway / catch a taxi

6　traditional Korean food / I am hot spicy

7　works in a big restaurant / to be served / give better service

8　They were fantastic / It's a desert

9　write a book report / need another one

10　reopen next week / give us a discount / for free

11　lots of good recipes / make some salad

12　Let's eat out / got a big bonus

13　doing my English homework / it is serious this time

14　What do we need / provide free towels

15　Can we meet early / Let's meet at 9:30

16　Once a month / Which one is better

17　Do you need help / try them on

18　in the library / do not bother

19　adopted a dog / it's so cute

20　be shut down / decided to sell / do something

20회 영어듣기 모의고사 p.160~163

01 ①	02 ③	03 ③	04 ④	05 ③
06 ①	07 ⑤	08 ③	09 ③	10 ③
11 ⑤	12 ⑤	13 ④	14 ③	15 ⑤
16 ④	17 ③	18 ③	19 ③	20 ②

1 ①

해석
여 Eric의 생일 케이크를 살 거야. Eric은 내일이면 15살이 돼.

남 그래. 곰 인형으로 된 케이크를 사 주기에는 Eric이 너무 나이를 먹은 것 같아. 하지만 Eric은 차를 좋아해.

여 그래? 그러면 자동차 그림이 그려진 케이크와 자동차 모양으로 된 케이크 중 어떤 것이 더 나을까?

남 잠깐. 봐 봐! 별이 많이 그려진 케이크가 있어.

여 저것도 좋아 보인다. 하지만 난 자동차 모양으로된 케이크로 할래. 이게 더 좋아 보여.

해설
여자는 자동차 모양의 케이크가 좋아 보인다고 했다.

어휘
teddy bear 곰 인형 / car-shaped 자동차 모양의

2 ③

해석
여 너 여름 방학 동안 수업을 들을 거야?

남 물론이지. 두 개 등록할 거야. 그림 수업이랑 사진 수업.

여 진짜? 네가 그림 그리는 걸 좋아하는 줄 몰랐네.

남 음, 나는 언젠가 화가가 되고 싶어.

여 나도 그림 그리는 거 좋아하지만 나는 작가가 되고 싶어. 그래서 지난 학기에 작문 수업을 들었어.

해설
남자는 언젠가 화가가 되고 싶다고 말했다.

어휘
take a class 수업을 듣다 / during ~ 동안 / photography 사진술,
사진 찍기 / artist 화가 / someday 언젠가 / semester 학기

3 ③

해석
여 있잖아, 나 오늘 저녁 식사 약속을 정말 기대하고 있어.

남 오늘 밤? 미안해! 깜박했어! 대신 내일은 어때? 오늘 밤은 안 돼.

여 네가 약속을 잊어버린 게 이번이 처음은 아니야.

남 알아. 진짜 미안해. 내가 다음 주에 저녁 식사를 사 줄게.

여자는 남자가 약속을 잊어버려서 실망했을 것이다.
① 걱정하는 ② 신이 난 ③ 실망한 ④ 행복한 ⑤ 초조한

어휘

date 약속 / look forward to ~를 기대하다 / forget 잊다 / instead 대신에 / make it 해내다, 성공하다, 시간에 대다 / appointment 약속 / make it up 보상하다

4 ④

해석

남 네가 제일 좋아하는 과일이 뭐야? 내가 가장 좋아하는 건 딸기야.

여 나는 오렌지가 가장 좋아. 이건 먹기도 매우 쉬워.

남 오, 오렌지 괜찮지. 그런데 가끔 너무 실 때가 있어.

여 응. 가끔은 그래. 흠이 없고, 밝은 색을 띠는 오렌지를 골라. 분명 그건 맛있을 거야.

해설

여자는 오렌지를 가장 좋아한다고 했다.
① 바나나 ② 사과 ③ 딸기 ④ 오렌지 ⑤ 포도

어휘

favorite 매우 좋아하는 / sometimes 가끔 / sour 신, 신맛이 나는 / bright-colored 밝은 색의 / bruise 흠, 멍

5 ③

해석

여 오늘 저녁 몇 시에 요가 수업이 시작하니?

남 다섯 시에 시작해. 수업 10분 전에 거기서 만나자.

여 그래. 수업이 얼마나 걸리지?

남 음, 5분 동안 준비운동을 하고, 40분 동안 요가를 하고 5분 동안 명상을 해.

여 그럼 총 50분이네?

남 응. 맞아.

해설

요가 수업은 다섯 시에 시작하고, 총 50분이 걸린다고 했으므로 5시 50분에 수업이 끝난다.

어휘

yoga 요가 / warm-up 준비 운동 / meditation 명상 / altogether 모두 합쳐서

6 ①

해석

남 우리가 더 살 것이 있어?

여 난 편안한 소파를 사고 싶어.

남 저게 좋아 보여. 넌 어떻게 생각해?

여 어느 건데? 저 빨간 천으로 된 거?

남 아니, 갈색이야. 가죽으로 만들어졌어.

여 아, 저거구나. 근데 꽤 비싸 보여.

남 응. 근데 혹시 모르잖아? 내가 점원한테 가격을 물어볼게.

해설

편안한 소파를 사러 온 것으로 보아 가구점에 있음을 알 수 있다.

어휘

comfortable 편안한 / sofa 소파 / fabric 직물, 천 / leather 가죽 / quite 꽤 / who knows 혹시 모르지 / staff 직원

7 ⑤

해석

남 도와 드릴까요? 특별히 찾는 게 있으신가요?

여 네. 언어 구역을 찾고 있는데요.

남 저기 바로 아래쪽에 있습니다. 어떤 언어를 찾으시나요?

여 영어하고 중국어요.

남 중국어 구역은 영어 구역 옆에 있습니다.

여 좋네요! 고맙습니다.

해설

언어 구역 찾는 것을 도와주는 것으로 보아 서점 점원과 고객의 대화이다.

어휘

in particular 특히, 특별히 / language 언어 / section 부문, 구역

8 ③

해석

남 이것은 모든 종류의 물건을 열고 잠근다. 옛날에 이것은 주로 금속으로 만들어졌다. 우리는 어딘가에 들어가거나 차의 시동을 걸 때 이것이 필요하다. 요즘에 이것은 비밀 번호, 지문, 혹은 특수한 카드가 될 수도 있다.

해설

과거에는 금속으로 만들어졌고, 자동차의 시동을 걸거나 어딘가에 들어갈 때 필요한 것은 열쇠이다.
① 손잡이 ② 자동차 ③ 열쇠 ④ 퍼즐 ⑤ 컴퓨터

어휘

usually 보통, 주로 / metal 금속 / enter 들어가다 / start a car 자동차의 시동을 걸다 / code 암호 / fingerprint 지문

9 ③

해석

여 나는 재즈음악이 정말 좋아. 이건 내가 제일 좋아하는 음악이야.

남 나는 블루스와 록, 포크, 모든 종류의 음악이 좋아

여 사실, 나 다음 주에 큰 규모의 음악 축제에 갈 거야. 이름이 생각이 나질 않네.

남 올림픽 공원에서 열리는 국제 재즈 축제 말이니?

여 맞아 그거야! 우리 오빠가 공짜 표를 얻어서 오빠랑 같이 갈 거야.

해설

여자는 올림픽 공원에서 열리는 국제 재즈 축제에 갈 것이라고 했다.

어휘

favorite 가장 좋아하는 것 / blues 블루스 / rock 록 음악 / folk 포크 음악 (민속 음악) / actually 실제로 / remember 기억하다 / international 국제적인 / free 공짜의

10 ③

해석
여 질병은 학교 내에서 아주 쉽게 퍼집니다. 그러므로 몇 가지 수칙을 기억해 주세요. 제 1수칙은 손을 씻으세요. 특히 화장실을 사용한 후에 말입니다. 둘째, 기침이나 재채기를 할 때에는 손으로 입을 가리세요. 그렇게 하지 않으면 다른 학생들이 세균에 감염될 수도 있습니다. 들어주셔서 감사합니다.

해설
여자는 질병 예방 수칙 두 가지를 말해 주고 있다.

어휘
disease 질병 / spread 퍼지다 / easily 쉽게 / especially 특히 / toilet 변기, 화장실 / cough 기침하다 / sneeze 재채기하다 / germ 세균

11 ⑤

해석
남 서울 시립 도서관은 주말에도 문을 열어?
여 응. 매일 오전 여덟 시에 열어. 주말에는 5시, 평일에는 7시에 문을 닫아.
남 외국어 책들도 있어?
여 응, 2만 권도 넘게 있어. 그리고 이 주 동안 책을 대여할 수 있지.
남 좋네. 도서관에서 무료 문화 강좌도 열린다는데, 사실이야?
여 응, 매주 토요일에 여러 개의 무료 문화 강좌가 있어. 무슨 강좌가 있는지 확인해 보자.

해설
무료 문화 강좌는 매주 토요일에 있다.

어휘
library 도서관 / weekdays 주중 / foreign 외국의 / language 언어 / borrow 빌리다, 대여하다

12 ⑤

해석
[전화벨이 울린다.]
여 안녕, Dean. 무슨 일이야?
남 안녕, Wendy. 사촌 동생을 돌보고 있거든.
여 네 사촌 동생이 우는 소리가 들린다.
남 그래서 전화한 거야. 어떻게 해야 할지 모르겠어.
여 내가 가서 뭘 할 수 있을지 볼게. 난 어린 동생들을 돌본 경험이 많거든.
남 넌 정말 좋은 이웃이야. 고마워.

해설
남자는 우는 사촌 동생을 달랠 방법을 몰라서 여자에게 도움을 요청하고 있다.

어휘
babysit 아이를 봐 주다 / cousin 사촌, 친척 / experience 경험 / neighbor 이웃

13 ④

해석
여 늦었구나. Frank. 왜 늦었니?
남 죄송해요, Lawrence 선생님. 제가 보통 자전거를 타고 다니는데요, 오늘 아침에 도둑맞았어요.
여 그러면, 학교에는 어떻게 왔니?
남 어머니께 자동차로 데려다 달라고 말씀 드렸어요.
여 그래. 그런데 어머니께서 태워 주지 않으셨니?
남 아니요, 태워 주셨어요. 하지만 차가 많이 밀렸어요. 죄송해요.
여 그래, 어서 교실로 가거라.

해설
남자는 도로가 막혀서 학교에 늦었다.

어휘
usually 보통, 대개 / give someone a ride ~를 태워 주다 / heavy traffic 교통 체증

14 ③

해석
여 네 사전이 내 것보다 좋네.
남 음, 이건 1,100페이지나 되고 10만 개의 영단어가 수록되어 있어.
여 도움이 되는 그림이 많은 게 가장 좋은 점인 것 같구나.
남 네 것은 얼마니? 내 것은 2만 원이야. 지난달에 샀어.
여 나도 잘 몰라. 온라인으로 찾아봐야겠어.

해설
남자는 사전의 구입처에 대해 언급하지 않았다.

어휘
dictionary 사전 / helpful 도움이 되는 / look something up 정보를 찾아보다

15 ⑤

해석
여 얘, 너 부산에 가 봤어?
남 응. 가족 휴가 때 자동차로 다녀왔어.
여 나는 이번 주말에 가. 비행기 표를 예매하려고.
남 왜? 기차가 훨씬 싸잖아.
여 빨리 갔다 오고 싶어서.
남 그럼 고속 열차를 타. 진짜 빨라.
여 네가 내 마음을 바꿨어. 고마워! 표를 어디에서 사야 하지?

해설
여자는 남자의 말을 듣고 고속열차를 타기로 마음을 바꿨다.
① 자가용으로 ② 기차로 ③ 비행기로 ④ 고속버스로 ⑤ 고속 열차로

어휘
holiday 휴가 / weekend 주말 / book 예약하다 / flight 항공편 / quickly 빠르게 / express train 고속 열차

16 ④

해석

여 내 영어 에세이 주제가 생각이 안 나. 무엇을 골라야 할지 모르겠어.
남 네 장래 희망은 어때?
여 음, 내가 잘 아는 것에 대해서 쓰는 게 나을 것 같아.
남 그러면 가족이나 취미 혹은 네가 잘할 수 있는 것에 대해서 써.
여 그래! 나는 영화 보는 것을 좋아해. 그것에 대해 써야겠어!

해설

여자는 영화에 대해 에세이를 써야겠다고 했다.

어휘

topic 주제 / essay 에세이, 수필 / would rather 차라리 ~하겠다 / hobby 취미

17 ③

해석

① 남 전화 거신 분이 누구시죠?
　 여 저는 Anna Williams입니다.
② 남 너한테 무슨 문제라도 있어?
　 여 나는 조금 피곤한 것뿐이야.
③ 남 어디에서 만나고 싶어?
　 여 우린 언젠가 다시 만날 거야.
④ 남 오늘의 주 요리는 뭐지?
　 여 나도 모르겠는데. 웨이터한테 물어 보자.
⑤ 남 쇼는 언제 시작하지?
　 여 이제 곧 시작해.

해설

만날 장소에 관한 물음에 다시 만날 시기에 관한 응답은 적절하지 않다.

어휘

tired 피곤한 / someday 미래의 언젠가 / main 주된 / in a minute 곧, 즉시

18 ③

해석

여 Molly는 친구들을 위해 그녀가 가장 좋아하는 수프를 만들고 있다. 친구들은 Molly가 요리하는 것을 도와준다. 모두 요리하는 법을 잘 알고 있다. 친구들은 각각 수프에 무언가를 조금씩 곁들인다. 그런데 그들은 모두 맛을 볼 때마다 소금을 넣었다. 결국 수프가 다 되었을 때 모두들 "맛이 끔찍해! 너무 짜!"라는 말에 동의했다.

해설

친구들이 제각각 소금을 넣어 결국 수프를 망치고 말았다.
① 백지장도 맞들면 낫다. ② 고생 끝에 낙이 온다. ③ 사공이 많으면 배가 산으로 간다. ④ 말보다 행동이 중요하다. ⑤ 떡 줄 사람은 생각지도 않는데 김칫국부터 마신다.

어휘

add 넣다, 첨가하다 / extra 추가되는, 여분의 / taste 맛보다 / be done 완성되다 / awful 끔찍한 / salty 짠

19 ③

해석

여 Dr. Anderson 병원입니다. 무엇을 도와 드릴까요?
남 안녕하세요. Anderson 선생님을 수요일에 뵙고 싶은데요.
여 언제쯤 오고 싶으세요?
남 아침에 뵐 수 있을까요?
여 그럼, 10시 30분은 어떠세요?
남 <u>그게 좋겠군요.</u>

해설

남자가 원하던 오전 시간에 오겠느냐고 물어 봤으므로 좋다고 응답하는 것이 가장 자연스럽다.
① 아뇨, 괜찮습니다. ② 무슨 일인가요? ④ 그것 참 유감이군요. ⑤ 그가 매우 좋아할 거예요.

어휘

clinic 진료소, 클리닉, 병원 / how about~ ~은 어때?

20 ②

해석

남 여기 아침 식사 메뉴야.
여 고마워요, 아빠. 저는 정말 배가 고파요! 뭘 먹을까요?
남 네가 좋아하는 걸로 무엇이든 시키렴.
여 그럼 달걀과 베이컨 머핀 세트로 할게요.
남 그리고 나는 치즈 오믈렛과 주스를 먹어야겠다.
여 아! 저 오렌지 주스도 주문해도 돼요?
남 <u>물론, 그래도 된단다.</u>

해설

여자가 아빠에게 오렌지 주스를 주문해도 되느냐고 물었으므로 물론 그렇게 해도 된다는 응답이 가장 자연스럽다.
① 그것 참 안됐구나. ③ 여기서 먹을게. 고마워. ④ 정말 맛있었어. ⑤ 난 치즈가 많이 든 게 좋아.

어휘

order 주문하다 / bacon 베이컨 / muffin 머핀 / omelet 오믈렛

Dictation
p.164~167

1 he likes cars / That looks good
2 take two classes / want to be an artist
3 I forgot / make it up to you
4 like oranges most / I bet
5 before the class / 50 minutes altogether
6 buy a comfortable sofa / who knows
7 looking for the language section / you can see
8 opens and closes / enter somewhere
9 all kinds of music / got free tickets
10 Diseases spread very easily / cover your mouth

11 you can borrow books / free culture classes every Saturday

12 I'm babysitting / what to do

13 it was stolen / heavy traffic

14 better than mine / How much was yours

15 have you ever been to / take the express train

16 what to choose / something you can do well

17 What's the matter / main dish of the day

18 how to cook well / it tastes awful

19 How may I help you / Can I see him

20 anything you like / Can I have

1회 기출 모의고사

p.168~171

01 ③	02 ①	03 ③	04 ⑤	05 ①
06 ③	07 ⑤	08 ②	09 ①	10 ⑤
11 ④	12 ②	13 ②	14 ⑤	15 ④
16 ②	17 ④	18 ⑤	19 ③	20 ①

1 ③

W Chris, what will you take to the flea market?

M Well Mom, I haven't decided yet.

W How about this soccer ball?

M I'm still playing with it. Can I take this jacket?

W Sure. I'll wash it for you.

M Thanks. I'm also thinking of selling these books at the market.

W They're too old. This jacket will be enough.

해석

여 Chris, 벼룩시장에 뭘 가져갈 거니?

남 글쎄요 엄마, 아직 정하지 못했어요.

여 이 축구공은 어떠니?

남 전 아직도 그걸 가지고 놀아요. 이 재킷을 가져가도 될까요?

여 그럼. 내가 그걸 세탁해 줄게.

남 고마워요. 저는 이 책도 시장에 팔려고 생각하고 있어요.

여 그건 너무 낡았잖아. 이 재킷이면 충분할 거야.

해설

남자는 자신의 재킷을 벼룩시장에 가져갈 것이다.

어휘

flea market 벼룩시장 / decide 결정하다 / yet 아직 / wash 세탁하다, 씻다 / sell 팔다 / old 낡은 / enough 충분한

2 ①

W Do you have any plans this weekend?

M Nothing special. How about you?

W I'm going to visit my uncle in Gangneung.

M But I heard a weather report this morning. It said a snowstorm will hit the whole country this weekend.

W Really? Then, the road will be very slippery.

M Right. I think you should put off the trip.

W Okay, thanks.

해석

여 너 이번 주에 무슨 계획 있어?

남 특별한 건 없어. 너는?

여 나는 강릉에 계신 삼촌댁을 방문할 거야.

남 그런데 나 오늘 아침에 일기 예보를 들었는데 이번 주말에 전국에 눈보라가 칠 거라고 했어.

여 정말? 그럼, 길이 아주 미끄럽겠다.

남 맞아. 내 생각에 너는 삼촌댁 방문을 미뤄야 할 것 같아.

여 그래. 고마워.

해설

주말에는 전국에 눈보라가 칠 것이라고 했다.

어휘

plan 계획 / weather report 일기 예보 / snowstorm 눈보라 / whole 전체의 / slippery 미끄러운 / put off 미루다

3 ③

M What's wrong, Sumi?

W Suho drew a picture on my textbook!

M Don't be upset. He's just five years old.

W But Dad, this is not the first time!

해석

남 무슨 문제 있니, Sumi?

여 Suho가 제 교과서에 그림을 그렸어요!

남 화 내지 마라. 그는 겨우 다섯 살이잖니.

여 하지만 아빠, 이번이 처음이 아니라고요!

해설

여자는 남동생이 자신의 교과서에 낙서를 해서 화가 나 있다.

① 자랑스러운 ② 지루한 ③ 화가 난 ④ 행복한 ⑤ 감사하는

어휘

wrong 잘못된 / textbook 교과서 / first 첫 번째의

4 ⑤

M Excuse me, may I ask you something?

W Sure. What is it?

M I borrowed two books last week, but I lost them.

W Oh, that's too bad. Do you have your library card?

M Here it is.

W Your name is Andrew Smith, right?

M Yes. What should I do?

W I'm sorry, but you have to pay for the books you lost.

남 실례합니다. 뭘 좀 여쭤 봐도 될까요?

여 그럼요. 뭔데요?

남 제가 지난주에 책 두 권을 빌렸는데, 제가 그걸 잃어버려서요.

여 아, 안됐네요. 도서관 카드는 있으신가요?

남 여기 있어요.

여 성함이 Andrew Smith 씨 맞나요?

남 네. 제가 어떻게 해야 하나요?

여 죄송하지만, 잃어버리신 책에 대한 가격을 지불하셔야 해요.

해설

남자가 대출한 책을 잃어버리고 이에 대한 조치 방법을 묻고 있으므로 대화의 장소는 도서관이다.

어휘

borrow 빌리다 / lose 잃어버리다 / pay 지불하다

5 ①

W This is one of the most famous and popular foods of Korea. It's usually served in summer. It's a whole chicken with rice, ginseng, dates, and garlic in it. It's boiled in a pot. Some people add salt to the soup. This dish is also popular among many foreigners.

해석

여 이것은 한국에서 가장 유명하고 인기 있는 음식 중의 하나이다. 이것은 보통 여름에 차려진다. 이것은 닭 한 마리에 쌀, 인삼, 대추, 그리고 마늘을 넣은 것이다. 이것은 냄비에 끓여진다. 어떤 사람들은 국물에 소금을 더하기도 한다. 이 음식은 많은 외국인들 사이에서도 또한 인기가 있다.

해설

닭에 여러 재료를 넣고 끓인 음식은 삼계탕이다.

어휘

popular 인기 있는 / serve 제공하다 / whole 전체의 / ginseng 인삼 / date 대추 / garlic 마늘 / boil 끓이다 / pot 냄비 / dish 음식

6 ③

M Welcome to the art gallery.

W How much is a ticket for a student?

M It's six dollars, but we give a one dollar discount per ticket after six o'clock.

W That's great! It's six thirty. I need three tickets.

M All right. The total is fifteen dollars.

W Here you are.

해석

남 미술관에 오신 것을 환영합니다.

여 학생 표는 얼마인가요?

남 6달러인데요, 여섯 시 이후에는 표 한 장당 1달러씩을 할인해 드립니다.

여 좋네요! 지금은 여섯 시 반이네요. 표 세 장 주세요.

남 알겠습니다. 총 15달러입니다.

여 여기 있어요.

해설

6시 이후에 표를 사는 여자는 5달러의 가격에 표 3장을 사므로 총 15달러를 지불하면 된다.

어휘

art gallery 미술관 / discount 할인 / per ~당 / total 총액

7 ⑤

W You look sleepy today. What's the matter?

M [Yawning sounds] I didn't sleep at all.

W Why did you stay up all night?

M I did my science project. It was so difficult.

W I agree. It was hard for me, too.

해석

여 너 오늘 졸려 보인다. 무슨 일이야?

남 [하품하는 소리] 난 잠을 전혀 못 잤어.

여 왜 밤을 샌 거야?

남 과학 숙제를 했거든. 너무 어렵더라.

여 나도 동의해. 나한테도 어려웠어.

해설

여자는 과학 숙제가 어려웠다는 남자의 말에 동의하고 있다.

어휘

yawn 하품하다 / at all 전혀 / stay up 자지 않고 깨어 있다 / project 과제

8 ②

M What are you going to do this summer vacation?

W I'm planning to go to Jeju Island with my friends.

M Did you make reservations for airline tickets?

W Yes, but I couldn't find a good hotel, yet.

M Why don't you call Suji? She's from Jeju Island.

W That's a good idea. I'll call her right now.

해석

남 너 이번 여름 방학에 뭘 할 거야?

여 난 친구들과 함께 제주도 갈 계획을 하고 있어.

남 비행기 표 예약은 했어?

여 응, 하지만 아직 좋은 호텔을 찾지 못했어.

남 Suji한테 전화해 보지 그래? 그녀는 제주 출신이잖아.

여 좋은 생각이다. 지금 당장 그녀에게 전화해 봐야겠어.

해설

여자는 제주도에 있는 호텔 정보를 물어보기 위해 Suji에게 전화를 걸 것이다.

어휘

vacation 방학, 휴가 / island 섬 / reservation 예약 / airline 항공

9 ①

M How may I help you?

W I need to get the medicine my doctor ordered for me.

M Please wait a moment.

W Okay. [pause]

M Here's your medicine. Take one pill three times a day after each meal.

W All right. How much is it?

M It's five dollars.

W Here you are.

해석

남 무엇을 도와 드릴까요?

여 저는 의사 선생님이 저에게 처방한 약이 필요해요.

남 잠시 기다려 주세요.

여 네. [멈춤]

남 여기 손님의 약입니다. 식후에 한 알씩. 하루에 세 번 드세요.

여 알겠습니다. 얼마죠?

남 5달러입니다.

여 여기 있어요.

해설

의사가 처방한 약을 주고 있으므로 약사와 고객의 대화이다.

어휘

medicine 약 / order 지시하다 / pill 알약 / meal 식사

10 ⑤

W Did you enjoy your school sports day yesterday?

M Yes, It was a lot of fun. We had many exciting games.

W What kind of games?

M Basketball, soccer, badminton, and table tennis.

W Wow! Which game did you enjoy the most?

M I really liked badminton. It was so much fun!

해석

여 어제 학교 체육대회는 재미있었어?

남 응, 정말 재미있었어. 우리는 신나는 경기를 많이 했지.

여 어떤 종류의 경기였는데?

남 농구, 축구, 배드민턴이랑 탁구.

여 와! 어떤 경기가 가장 재미있었니?

남 나는 배드민턴이 정말 좋았어. 정말 재미있더라고!

해설

남자는 배드민턴이 가장 재미있었다고 말했다.

어휘

game 경기 / table tennis 탁구 / enjoy 즐기다

11 ④

M Hi, Sumi! Where are you going?

W I'm going to the English teachers' office.

M Oh, good. Will you do me a favor?

W Sure, what is it?

M Could you give my homework to Mr. Kim? I have to go to my music class now.

W Sure, Minsu.

M Thanks a lot.

해석

남 안녕, Sumi! 너 어디 가?

여 나 영어 선생님이 계신 교무실에 가.

남 아, 잘됐다. 내 부탁 좀 들어줄래?

여 그래, 뭔데?

남 김 선생님께 내 숙제를 좀 내줄래? 나 지금 음악 수업에 가야 하거든.

여 알겠어, Minsu.

남 정말 고마워.

해설

여자는 남자를 대신해 김 선생님에게 숙제를 제출해 주기로 했다.

어휘

do a favor 부탁을 들어 주다, 호의를 베풀다

12 ②

M Hello, everyone! Today is Hangul Day. Let me tell you about today's schedule. At ten o'clock, there will be a class about how to write an essay. At two, we will have a writing competition. And at four, we will watch a video about King Sejong. I hope all of you will have a great time! Thank you.

해석

남 안녕하세요, 여러분! 오늘은 한글날입니다. 오늘의 일정을 알려드리겠습니다. 10시에, 수필 쓰는 법에 관한 강의가 있을 것입니다. 두 시에, 우리는 글짓기 대회를 하게 됩니다. 그리고 네 시에 우리는 세종대왕에 관한 동영상을 볼 것입니다. 모두가 좋은 시간을 보내기를 바랍니다! 감사합니다.

해설

오후 네 시에는 세종대왕에 관한 영상을 본다고 했다.

어휘

essay 수필 / schedule 일정 / class 수업, 강의 / competition 대회, 경쟁

13 ②

[Cell phone rings.]

M Hi, Mom. What's up?

W You have the DVD we rented last week, right?

M Yeah, I have it here. Why?

W I just got a text message from the video store. We have to return it today.

M Really? I'm going to Tom's house to watch it again.

W Okay. Can you return it to the store on your way home?

M Sure, no problem.

해석

[휴대 전화가 울린다.]

남 네, 엄마. 무슨 일이세요?

여 네가 지난주에 우리가 빌린 DVD를 가지고 있니?

남 네, 여기에 있어요. 왜요?

여 방금 비디오 가게에서 문자를 받았단다. 우리가 오늘 그걸 반납해야 해.

남 정말요? 저는 그걸 다시 보려고 Tom의 집에 갈 거예요.

여 알았어. 집에 오는 길에 DVD를 가게에 반납해 줄래?

남 네, 문제없어요.

해설
여자는 비디오 가게에서 문자를 받고, 아들에게 DVD 반납을 부탁하려고 전화를 걸었다.

어휘
rent 빌리다 / text message 문자 메시지 / return 반납하다 / on one's way ~하는 길에

14 ⑤

① W *Peter Pan* was read by seven students.
② W *Snow White* was read by the largest number of students.
③ W *Cinderella* was read by more students than *Aladdin*.
④ W *Cinderella* was read by six students.
⑤ W *Aladdin* was read by nine students.

해석
① 여 「피터팬」은 일곱 명의 학생이 읽었다.
② 여 「백설공주」는 가장 많은 학생이 읽었다.
③ 여 「신데렐라」는 「알라딘」보다 많은 학생이 읽었다.
④ 여 「신데렐라」는 여섯 명의 학생이 읽었다.
⑤ 여 「알라딘」은 아홉 명의 학생이 읽었다.

해설
「알라딘」은 아홉 명이 아니라 네 명의 학생이 읽었다.

해석
the largest number of 가장 많은 수의

15 ④

W May I take your order, sir?
M I'd like to have steak and cream soup.
W How would you like your steak?
M Medium, please.
W Anything else?
M Hmm.... I'd like a salad and a glass of orange juice, please.
W Okay. Wait a minute, please.

해석
여 주문을 하시겠습니까, 손님?
남 스테이크와 크림수프 주세요.
여 스테이크는 어떻게 해 드릴까요?
남 중간으로 익혀 주세요.
여 다른 것은요?
남 흠… 샐러드와 오렌지 주스 한 잔을 주세요.
여 알겠습니다. 잠시 기다려 주세요.

해설
남자는 아이스크림을 주문한 적이 없다.

어휘
take an order 주문을 받다 / steak 스테이크 / else 그 밖의

16 ②

① M Have you ever heard of Seoul Tower?
　 W Yes, I have.

② M How long does it take to get to school?
　 W I go to school by bus.
③ M Did you see the TV show, Quiz King, last night?
　 W Yes, it was great!
④ M Don't forget to take your umbrella.
　 W I won't, Dad.
⑤ M What do you like to do in your free time?
　 W I like to read books.

해석
① 남 서울 타워에 대해 들어 봤어?
　 여 응, 들어 봤어.
② 남 학교에 가는 데 얼마나 걸려?
　 여 나는 버스를 타고 학교에 가.
③ 남 너 지난밤에 TV쇼 「퀴즈킹」을 봤니?
　 여 응, 정말 재미있었어!
④ 남 우산 챙기는 것을 잊지 마라.
　 여 네, 아빠.
⑤ 남 너는 여가 시간에 뭘 하는 걸 좋아하니?
　 여 나는 책 읽는 것을 좋아해.

해설
남자가 소요 시간을 물었는데, 학교에 가는 수단을 응답했으므로 어색하다.

어휘
take 시간이 걸리다 / by bus 버스를 타고 / forget 잊어버리다 / free time 여가 시간

17 ④

W Kevin, where are you going?
M I'm going to the train station.
W Train station? Are you going on a trip?
M No. My grandma will visit us today, so I'm going to meet her at the station.
W When will she arrive?
M She'll be there in twenty minutes. I should get going.

해석
여 Kevin, 너 어디 가?
남 나는 기차역에 가.
여 기차역에? 너 여행 가니?
남 아니. 할머니가 오늘 우리 집에 오셔서 역에 마중 가려고.
여 언제 도착하시는데?
남 할머니는 20분 뒤에 역에 오실 거야. 나는 얼른 가야 해.

해설
남자는 할머니를 마중하기 위해 기차역에 가고 있다.

어휘
station 역 / trip 여행 / visit 방문하다, 들르다 / arrive 도착하다

18 ⑤

M People can learn in many different ways. They can learn a lot from books, newspapers and magazines. Many people say that reading is the most important way to learn. However, I think that learning from real life is more important. When you learn something this way, you will remember it better and not forget it easily.

해석
남 사람들은 많은 다른 방법을 통해 배운다. 그들은 책, 신문, 그리고 잡지에서 많은 것을 배울 수 있다. 많은 사람들은 독서가 배움의 가장 중요한 방법이라고 말한다. 그러나, 나는 실생활에서 배우는 것이 더 중요하다고 생각한다. 당신이 무언가를 이런 식으로 배울 때, 당신은 그것을 더 잘 기억할 수 있고 쉽게 잊어버리지 않는다.

해설
남자는 독서보다는 실생활에서 배우는 것이 더 중요하다고 주장한다.

어휘
learn 배우다 / important 중요한 / real life 실생활 / easily 쉽게

19 ③

W Excuse me. Where is the nearest bookstore?
M Well... go straight and turn right at the first corner.
W Go straight and then turn right?
M Yes. You'll see it on your left. It's next to the bakery.
W Thank you for your help.

해석
여 실례합니다. 가까운 서점이 어디에 있나요?
남 음... 쭉 가서서 첫 번째 모퉁이에서 오른쪽으로 도세요.
여 쭉 가서 오른쪽으로 돌라고요?
남 네. 왼쪽에 서점이 보일 거예요. 그건 빵집 옆에 있어요.
여 도와 주셔서 감사합니다.

해설
길 안내를 해준 남자에게 감사의 표현을 하는 것이 가장 적절하다. ① 당신이 마음에 들어 하니 다행이네요. ② 참 안됐군요. ④ 쿠키를 마음껏 드세요. ⑤ 나는 당신이 금방 낫길 바라요.

어휘
nearest 가장 가까운 / bookstore 서점 / corner 모퉁이 / straight 곧장

20 ①

M How was your brother's graduation ceremony last month?
W It was really great. He won the Best Student Award.
M Congratulations! Your parents must be very proud of him.
W Yes, they are. When my brother first entered middle school, he didn't do well. But he really worked hard and became one of the best students in the school.
M Good for him! What does he want to be in the future?
W He wants to be a doctor.

해석
남 지난달에 있었던 너희 오빠 졸업식은 어땠어?
여 정말 훌륭했어. 오빠가 최고의 학생 상을 받았어.
남 축하해! 너희 부모님은 오빠가 자랑스러웠겠다.
여 응, 맞아. 우리 오빠가 처음 중학교에 들어갔을 때, 오빠는 공부를 잘하지 못했어. 하지만 정말 열심히 노력해서 학교에서 가장 우수한 학생 중 한 명이 되었지.

남 잘 됐구나! 오빠는 미래에 뭐가 되고 싶어해?
여 그는 의사가 되고 싶어 해.

해설
그의 장래 희망을 물었으므로 그는 의사가 되고 싶어한다는 응답이 가장 자연스럽다.
② 우리 부모님은 그가 잘 되길 바라서. ③ 그는 공부하는 데 많은 시간을 보냈어. ④ 그는 지금 아르바이트를 찾는 중이야. ⑤ 나는 그처럼 성실한 학생이 되고 싶어.

어휘
graduation 졸업 / ceremony 식, 예식 / award 상 / be proud of ~를 자랑스러워하다 / enter 입학하다, 들어가다

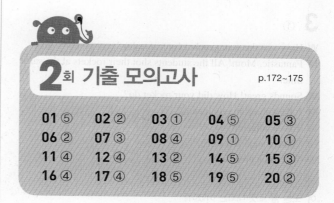

2회 기출 모의고사 p.172~175

01 ⑤	02 ②	03 ①	04 ⑤	05 ③
06 ②	07 ③	08 ④	09 ①	10 ①
11 ④	12 ④	13 ②	14 ⑤	15 ⑤
16 ④	17 ④	18 ⑤	19 ⑤	20 ②

1 ⑤

M May I help you?
W Yes, I'd like to buy a cup for my daughter.
M This one with a bird print is very popular.
W Hmm.... It looks nice, but I don't think she'd like it.
M Then how about this one with a heart print?
W Oh, she likes hearts! I'll take it.

해석
남 도와 드릴까요?
여 네, 저는 제 딸에게 줄 컵을 사려고 해요.
남 이 새 그림이 있는 건 매우 인기 있어요.
여 음... 좋아 보이긴 한데 그녀가 좋아할 것 같지 않아요.
남 그럼 하트가 있는 이건 어떠세요?
여 오, 제 딸은 하트를 좋아해요! 그걸로 살게요.

해설
여자는 하트가 그려진 컵을 사겠다고 했다.

어휘
daughter 딸 / take 사다

2 ②

M Where did you go on your winter vacation?
W I visited my uncle's house in Los Angeles.
M What was the weather like there?

W We had sunny days.
M Really? We had a lot of snow here in Korea.

해석

남 너 겨울 방학 동안 어디에 갔다 왔어?
여 나는 로스앤젤레스에 있는 삼촌의 집에 갔었어.
남 거기 날씨는 어땠어?
여 우리는 화창한 날을 즐겼어.
남 정말? 여기 한국에는 눈이 많이 왔어.

해설

여자가 방문했던 로스앤젤레스는 날씨가 맑았다고 했다.

어휘

vacation 방학, 휴가 / weather 날씨

3 ①

W How was the water rocket contest today?
M Fantastic, Mom! All the students shot their rockets at the same time.
W Sounds great! How did your rocket do?
M It flew about ninety meters!
W That's amazing!
M Yeah. I won first prize.
W You did a great job!

해석

여 오늘 물 로켓 대회는 어땠어?
남 환상적이었어요, 엄마! 모든 학생들이 동시에 물 로켓을 쐈어요.
여 재미있었겠구나! 네 로켓은 어땠니?
남 그건 90미터 정도를 날았어요!
여 놀라운데!
남 네. 제가 1등을 했어요.
여 정말 잘했구나!

해설

여자는 물 로켓 대회에서 1등을 한 아들을 칭찬하며 자랑스러워하고 있다.
① 자랑스러운 ② 지겨운 ③ 미안한 ④ 무서운 ⑤ 편안한

어휘

contest 대회 / shot 쏘다 / win first prize 1등을 하다

4 ⑤

W Good morning, sir. What can I do for you?
M I'd like to tour some Chinese cities during the summer holidays.
W OK. We have several tour packages for China. Take your time and have a look at them, please.
M Let me see... Oh! I like this "Cruise Tour Package."
W All right, sir. When would you like to leave?
M At the beginning of August.

해석

여 좋은 아침입니다. 손님. 무엇을 도와 드릴까요?
남 저는 여름휴가 동안 중국의 도시들을 좀 여행하고 싶은데요.

여 네. 저희는 중국에 몇 가지 여행 패키지 상품을 가지고 있습니다. 천천히 한번 보세요.
남 어디 볼까요... 아! 저는 이 '크루즈 여행 패키지'가 마음에 들어요.
여 좋습니다. 손님. 언제 떠나실 건가요?
남 8월 초예요.

해설

남자는 휴가 때 갈 여행 상품을 알아보고 있으므로 대화의 장소는 여행사이다.

어휘

tour 관광하다 / during ~동안 / several 몇몇의 / package 패키지 상품 / take time 천천히 ~하다 / leave 떠나다 / August 8월

5 ③

M We, Koreans, play this traditional game on big holidays, like Chuseok or Dano, to wish for a good harvest. Lots of people play this traditional game together. A rope as long as 50 meters can be used in this game. People are divided into two groups, the east and the west. Each team has to pull the rope to their side. If the west team wins, farmers will have a good harvest that year.

해석

남 우리 한국인들은 추석이나 단오와 같은 큰 명절에 좋은 수확을 빌며 이 전통 경기를 한다. 많은 사람들이 이 경기를 함께 한다. 50미터정도 되는 줄이 이 경기에 사용된다. 사람들은 동편과 서편 두 팀으로 나누어진다. 각 팀은 자기편으로 줄을 당겨야 한다. 서편이 이기면, 서편의 농부들은 그 해에 좋은 수확을 거두게 될 것이다.

해설

긴 줄을 두 팀이 나누어 서로 자기편으로 당기는 게임은 줄다리기이다.

어휘

traditional 전통의 / holiday 명절 / wish 바라다. 빌다 / harvest 수확 / rope 줄, 끈 / divide 나누다

6 ②

W May I take your order?
M Yes, I'd like to order a seafood pizza and a chicken salad. How much would that cost?
W A seafood pizza is 14 dollars and a chicken salad is five dollars. Anything else?
M Two sodas, please.
W Sodas are two dollars each. But how about the lunch combo? It comes with a pizza, a salad and a pitcher of soda. It's only 20 dollars.
M Great. I'll get that.

해석

여 주문하시겠습니까?
남 네. 해산물 피자와 치킨 샐러드 주세요. 얼마인가요?
여 해산물 피자는 14달러이고 치킨 샐러드는 5달러입니다. 다른 것은요?
남 탄산음료 두 개 주세요.
여 탄산음료는 각각 2달러입니다. 그런데 점심 콤보 메뉴는 어떠세요? 이

메뉴는 피자와 샐러드, 탄산음료 한 병이 제공됩니다. 이게 단돈 20달
러예요.

남 좋아요. 그걸로 할게요.

해설
남자는 자신이 원하는 메뉴가 모두 포함된 20달러짜리 콤보 세트를 주문
했다.

어휘
order 주문하다 / seafood 해산물 / cost 비용이 들다 / else 그 밖의 /
each 각각 / pitcher 주전자

7 ③

W As a student, you may get worried about the new school year.
Here are some tips to help you. First of all, you should get used
to your new bedtime and wake-up time. Also, buy all books
and school supplies such as notebooks and pencils. If you have
time, try to read some chapters of your new textbooks.

해설
여 학생으로서, 당신은 새 학년에 대해 걱정할 것이다. 여기에 당신을 도
울 몇 가지 조언이 있다. 먼저, 당신은 새로운 취침 시간과 기상 시간
에 익숙해져야 한다. 또한, 모든 책과 공책과 연필 같은 학용품을 구입
해라. 시간이 있다면, 새 교과서의 몇 장을 읽어 보도록 해라.

해설
여자는 새 학년을 시작하는 학생들을 위해 몇 가지 조언을 하고 있다.

어휘
get worried about ~에 대해 걱정하다 / tip 조언 / get used to ~에
익숙해지다 / bedtime 취침 시간 / school supply 학용품 / textbook
교과서

8 ④

W You look tired. What's the matter?
M I think I have a cold.
W Why don't you go home and get some rest?
M I want to, but I have to study for my math test. It's on Friday.
W You have three days before the test. You should go and see a
doctor.
M Okay, I'll do that. Thank you for your advice.

해설
여 너 피곤해 보여. 무슨 일이 있니?
남 감기에 걸린 것 같아.
여 집에 가서 좀 쉬지 그래?
남 그러고 싶은데, 수학 시험공부를 해야 해. 시험이 금요일이야.
여 시험 전까지 3일이나 있잖아. 병원에 좀 가봐.
남 알겠어, 그렇게 할게. 충고해 줘서 고마워.

해설
남자는 병원에 가 보라는 여자의 충고를 따를 것이다.

어휘
get rest 쉬다 / go see a doctor 병원에 가다 / advice 충고

9 ①

[Cell phone rings.]
M Hello?
W Hello. This is Yuna's mother. Can I talk to you for a moment?
M Sure. Is anything wrong?
W I think Yuna's having problems in math.
M I was also worried about that.
W What can we do about it?
M Well... I think the after-school program can help her.
W I'll think about that. Thank you.

해설
[휴대 전화가 울린다.]
남 여보세요?
여 안녕하세요. 저는 Yuna의 엄마예요. 잠시 이야기할 수 있나요?
남 네. 무슨 문제가 있나요?
여 Yuna가 수학에 어려움을 겪는 것 같아서요.
남 저도 그걸 걱정했어요.
여 우리가 뭘 해야 할까요?
남 글쎄요... 저는 방과 후 프로그램이 그녀를 도울 수 있을 것 같아요.
여 그것에 대해 생각해 볼게요. 고맙습니다.

해설
Yuna의 엄마인 여자가 딸의 수학 성적에 관해 상담을 하고 있으므로
교사와 학부모의 관계이다.

어휘
moment 잠깐 / math 수학 / after-school 방과 후의

10 ①

W We have more than 10,000 books in our school library. A lot
of students borrow various kinds of books there. Among those
books, novels are the most popular books. The second most
popular books are comic books, and then magazines, followed
by dictionaries.

해설
여 우리 학교 도서관은 만 권 이상의 책을 소장하고 있다. 많은 학생들은
거기에서 다양한 종류의 책을 빌린다. 이 책들 중에, 소설은 가장 인기
있는 책이다. 두 번째로 인기 있는 책은 만화책이고, 그 다음으로 잡지,
사전류가 그 뒤를 따른다.

해설
가장 인기 있는 책은 소설이라고 했다.

어휘
library 도서관 / borrow 빌리다, 대여하다 / novel 소설 / comic book
만화책 / magazine 잡지 / followed by 뒤이어 / dictionary 사전

11 ④

M Excuse me. Is this seat taken?
W I'm sorry. I beg your pardon?
M Oh. Will someone be using this seat?
W No. You can take it.

M Would you mind moving over one seat, so my wife and I can
    sit together?

W No, not at all.

해석

남 실례합니다. 이 자리 주인이 있나요?

여 죄송합니다. 뭐라고 하셨죠?

남 아. 누가 이 자리를 쓸 건가요?

여 아뇨. 앉으셔도 돼요.

남 제 아내와 제가 같이 앉을 수 있게 한 자리만 옆으로 앉아 주실래요?

여 네. 괜찮습니다.

해설

남자는 아내와 같이 앉기 위해 여자에게 자리를 하나 옮겨 앉아 달라고 말
했다.

어휘

seat 자리 / mind 꺼리다 / move over 자리를 옮기다

12 ④

M Mom, can I make a sandwich?

W Sure! First, spread the butter on the bread.

M Okay, and then I want to put some cheese on it.

W All right. Then put a fried egg and a slice of tomato on it.

M It looks delicious. Can I eat it now?

W Sure. Help yourself!

해석

남 엄마, 제가 샌드위치를 만들어도 돼요?

여 그럼! 먼저, 빵에 버터를 바르렴.

남 좋아요. 그러고 나서 저는 그 위에 치즈를 좀 넣고 싶어요.

여 그래. 그리고 그 위에 달걀 프라이와 토마토 썬 것을 넣으렴.

남 맛있어 보여요. 이제 먹어도 되나요?

여 그럼. 맛있게 먹으렴!

해설

두 사람은 빵에 버터를 바르고, 치즈, 달걀, 토마토를 넣었지만 소시지는
넣지 않았다.

어휘

spread 바르다 / fried 부친, 튀긴 / help yourself 마음껏 드세요

13 ②

[Telephone rings.]

W Hello, ABC Carpet. How may I help you?

M I'm calling to change my order.

W May I have your name, please?

M This is David Miller. I ordered a blue carpet for my living
    room yesterday.

W Yes, I found your order. What do you want to change?

M The delivery date. I want to get it on October seventh.

W Okay. You want to change your delivery date from October
    first to October seventh, right?

M That's right. Thanks.

해석

[전화벨이 울린다.]

여 여보세요. 에이비씨 카펫입니다. 무엇을 도와 드릴까요?

남 주문을 변경하려고 전화를 드렸어요.

여 성함을 말씀해 주시겠어요?

남 저는 David Miller예요. 저는 어제 거실에 쓸 파란색 카펫을 주문했어요.

여 네. 주문서를 찾았어요. 무엇을 변경하고 싶으신가요?

남 배송 날짜요. 저는 10월 7일에 그걸 받고 싶어요.

여 알겠습니다. 손님은 배송 날짜를 10월 1일에서 10월 7일로 바꾸시는
    거죠?

남 맞아요. 고맙습니다.

해설

남자는 배송 날짜를 10월 7일로 변경하기 위해 전화를 걸었다.

어휘

order 주문 / delivery 배송, 배달 / date 날짜 / October 10월

14 ⑤

① W The students like English the most.

② W The students like P.E. more than Math.

③ W Nineteen percent of the students like Math.

④ W Music is not as popular as English.

⑤ W Science is the most popular subject among the students.

해석

① 여 학생들은 영어를 가장 좋아한다.

② 여 학생들은 수학보다 체육을 더 좋아한다.

③ 여 학생들의 19퍼센트는 수학을 좋아한다.

④ 여 음악은 영어만큼 인기가 있지 않다.

⑤ 여 과학은 학생들 가운데서 가장 인기 있는 과목이다.

해설

학생들 가운데서 가장 인기 있는 과목은 영어이다.

어휘

P.E. 체육 / percent 퍼센트 / popular 인기가 있는 / among ~가운데

15 ③

W David, did you get a new cell phone?

M Yes! It was my birthday present.

W Wow! I really envy you. What can you do with it?

M I can read books with it.

W That's great! Can you record your voice?

M No, I can't. But I can take pictures.

W What else can you do with it?

M I can also watch movies.

해석

여 David, 너 새 휴대 전화를 샀니?

남 응! 이건 내 생일 선물로 받은 거야.

여 와! 네가 정말 부럽다. 그걸 가지고 뭘 할 수 있어?

남 나는 이걸로 책을 읽을 수 있어.

여 굉장한데! 네 목소리도 녹음할 수 있니?

남 아니, 못 해. 하지만 난 사진을 찍을 수 있어.

여 그걸로 또 뭘 할 수 있어?
남 난 영화도 볼 수 있지.

해설
남자의 휴대 전화는 목소리 녹음을 할 수 없다.

어휘
envy 부러운 / record 녹음하다 / voice 목소리 / else 그 외의

16 ④

① M Have you read this book?
  W No, I haven't.
② M How do I look in this shirt?
  W You look great!
③ M It was a sad movie, wasn't it?
  W Yes, I cried a lot.
④ M Do you like this present?
  W Today is Saturday.
⑤ M Why isn't Minho in class?
  W Because he's sick today.

해석
① 남 너 이 책 읽어 봤어?
  여 아니.
② 남 나 이 셔츠를 입으니 어때 보여?
  여 멋져 보인다!
③ 남 슬픈 영화였지, 그렇지?
  여 응, 난 많이 울었어.
④ 남 너는 이 선물이 마음에 드니?
  여 오늘은 토요일이야.
⑤ 남 Minho가 왜 반에 없지?
  여 그는 오늘 아프거든.

해설
선물이 마음에 드느냐는 질문에 오늘이 무슨 요일인지 대답한 것은 어색하다.

어휘
movie 영화 / present 선물

17 ④

[Chime rings.]
M Hello, everyone. The school sports day is coming up next Friday! We need thirty volunteers for that day. Everyone is welcomed. If you're interested, please write your name on the list in the school office. You can do it by next Tuesday. Don't miss your chance to become a volunteer!

해석
[벨이 울린다.]
남 안녕하세요, 여러분. 학교 운동회 날이 다음 주 금요일로 다가오고 있습니다! 우리는 그날을 위해 30명의 자원 봉사자가 필요합니다. 모두를 환영합니다. 관심이 있다면, 여러분의 이름을 교무실에 있는 명단에 적으세요. 다음 주 화요일까지 해야 합니다. 자원 봉사자가 될 수 있는 기회를 놓치지 마세요!

해설
자원봉사자 신청은 체육관이 아니라 교무실에 있는 명단에 이름을 적어야 한다.

어휘
school sports day 운동회 / volunteer 자원 봉사자 / list 명단 / school office 교무실 / chance 기회

18 ⑤

W Yunsu, how was your history presentation today?
M It was great! Jihoon helped me a lot.
W Good to hear that. Is he one of your classmates?
M Yes. Whenever I had difficulties, he was there for me.
W Oh, really? He sounds like a really good friend!
M He even helped me after school with the presentation.
W How kind of him!

해석
여 Yunsu야, 오늘 역사 발표는 어땠어?
남 정말 좋았어! Jihoon이가 나를 많이 도와줬거든.
여 잘 됐네. 걔가 네 반 친구야?
남 응. 내가 어려움을 겪을 때마다, 걔가 날 위해 있어줬어.
여 아, 정말? 그는 정말 좋은 친구인 것 같네!
남 그는 심지어 방과 후에도 내 발표를 도와줬어.
여 그는 정말 친절하구나!

해설
남자의 친구인 Jihoon은 남자가 어려움을 겪을 때마다 도와주는 진정한 친구이다.

어휘
presentation 발표 / classmate 반 친구 / have difficulties 어려움을 겪다 / after school 방과 후에

19 ⑤

M Hi. I was wondering, what's the best way to travel around Europe?
W You should check out the Eurail Pass.
M What's that?
W It's a special train ticket. With it, you can ride trains in Europe for a certain length of time.
M Great! How much is it?
W It depends on the number of days and countries you travel.
M Where can I get one?
W You can buy it at the train office.

해석
남 안녕하세요. 궁금해서 그러는데, 유럽을 여행하는 가장 좋은 방법이 무엇인가요?
여 유레일패스를 알아보세요.
남 그게 뭐죠?
여 그건 특별한 기차 표예요. 그걸 가지고, 당신은 일정 시간 동안 유럽의 기차를 탈 수 있어요.
남 좋은데요! 그게 얼마죠?
여 여행 일수와 나라 수에 따라 달라요.

남 그걸 어디에서 살 수 있나요?
여 당신은 그걸 역무실에서 살 수 있어요.

해설
남자가 유레일패스를 어디에서 살 수 있느냐고 물었으므로 구매 가능한 장소를 말해 주는 것이 가장 적절한 응답이다.
① 그건 너무 비싸요. ② 나는 티켓이 없어요. ③ 하나를 사면 다른 하나는 공짜예요. ④ 다음 날 아침은 어때요?

어휘
wonder 궁금하다 / check out 알아보다 / ride 타다 / certain 특정한, 일정한 / length 길이 / depend ～에 달려 있다

20 ②

M Sora, you look busy these days. What's up?
W I am practicing the piano day and night.
M Really? How many hours a day do you practice?
W Six hours a day.
M That much? Why?
W Because I'm taking part in a contest next Friday.
M Can I come and watch you play?
W Sure! Come and enjoy the music.

해석
남 Sora, 너 요즘 바빠 보여. 무슨 일이야?
여 나는 밤낮으로 피아노를 연습하고 있어.
남 정말? 너는 하루에 몇 시간이나 연습을 하니?
여 하루에 여섯 시간.
남 그렇게나 많이? 왜?
여 왜냐하면 다음 주 금요일에 내가 대회에 참가하거든.
남 내가 가서 네가 연주하는 것을 봐도 될까?
여 그럼! 와서 음악을 즐겨.

해설
여자가 연주하는 것을 가서 봐도 되느냐고 물었으므로 물론, 와서 음악을 즐기라는 응답이 가장 자연스럽다.
① 맞아. 그건 그렇게 쉽지 않아. ③ 물론이지! 나는 그 음식을 매우 좋아했어. ④ 그래. 너는 언제나 피아노를 연주할 수 있어. ⑤ 걱정 마. 다음에 더 잘 할 거야.

어휘
these days 요즘 / practice 연습하다 / day and night 밤낮으로 / take part in ～에 참가하다 / contest 대회

새 교과서 반영
중등 듣기 시리즈
LISTENING 공감

● 최근 5년간의 시·도 교육청 듣기능력평가 출제 경향을 철저히 분석하여 반영

● 실전과 비슷한 난이도부터 고난도 문제풀이까지 듣기능력평가 시험 완벽 대비

● 실전모의고사 20회 + 기출모의고사 2회로 구성된 총 22회 영어듣기 모의고사

● 원어민과 공동 집필하여 실제 회화에서 쓰이는 대화 및 최신 이슈 반영

● 듣기 모의고사 받아쓰기 수록, MP3 무료 다운로드 제공

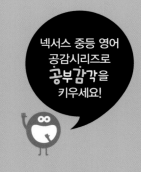

넥서스 중등 영어
공감시리즈로
공부감각을
키우세요!

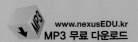

www.nexusEDU.kr
MP3 무료 다운로드

NEXUS makes your next day
www.nexusEDU.kr | 책에 대해 궁금한 사항은 넥서스에듀 홈페이지 1:1 **고객상담** 게시판을 이용하세요.

	초1	초2	초3	초4	초5	초6	중1	중2	중3	고1	고2	고3
Writing					공감 영문법+쓰기 1~2							
							도전만점 중등내신 서술형 1~4					
				영어일기 영작패턴 1-A, B · 2-A, B								
				Smart Writing 1~2								
Reading						Reading 101 1~3						
						Reading 공감 1~3						
						This Is Reading Starter 1~3						
						This Is Reading 전면 개정판 1~4						
						원서 술술 읽는 Smart Reading Basic 1~2						
									원서 술술 읽는 Smart Reading 1~2			
									[특급 단기 특강] 구문독해 · 독해유형			
									[앱솔루트 수능대비 영어독해 기출분석] 2019~2021학년도		
Listening						Listening 공감 1~3						
					The Listening 1~4							
						넥서스 중학 영어듣기 모의고사 25회 1~3						
						도전! 만점 중학 영어듣기 모의고사 1~3						
									만점 적중 수능 듣기 모의고사 20회 · 35회		
TEPS						NEW TEPS 입문편 실전 250⁺ 청해 · 문법 · 독해						
						NEW TEPS 기본편 실전 300⁺ 청해 · 문법 · 독해						
							NEW TEPS 실력편 실전 400⁺ 청해 · 문법 · 독해					
							NEW TEPS 마스터편 실전 500⁺ 청해 · 문법 · 독해